Edgar Rai
Nächsten Sommer

Cardiff Libraries
www.cardiff.gov.uk/libraries

Llyfrgelloedd Caerdydd
www.caerdydd.gov.uk/llyfrgelloedd

D1638595

aufbau taschenbuch

ACC. No: 02961062

EDGAR RAI, geboren 1967, wurde mehrerer Schulen verwiesen, ging ein Jahr nach Amerika und studierte Musikwissenschaften und Anglistik in Marburg und Berlin. Er arbeitete unter anderem als Drehbuchautor, Basketballtrainer, Chorleiter, Handwerker und Onlineredakteur. Seit 2001 ist er freier Schriftsteller. Zahlreiche Romane, Filmbücher und Übersetzungen. Bei Rütten & Loening liegt sein Roman »Sonnenwende« vor.
www.edgarrai.de

Eigentlich wollten Felix, Marc und Bernhard nur zusammen fernsehen, doch am nächsten Morgen sitzen sie in Marcs orangefarbenem VW-Bus. Vor ihnen liegt die Reise ihres Lebens. In Südfrankreich wartet ein Haus auf sie, ein Haus am Meer. Sie lassen die Haare im Fahrtwind wehen, ertrinken beinahe in einem See, werden von der Polizei gejagt und von den Vögeln begleitet. Sie lesen Lilith auf, Typ Scarlett Johanssen. Dann stößt Zoe dazu, mit gebrochenem Herzen, und zuletzt Jeanne, die traurige Französin. Je näher sie dem Ziel ihrer Fahrt kommen, desto brennender wird die eine große Frage: Was ist das Leben? Und am Ende der Straße steht ein Haus am Meer.

Edgar Rai

Nächsten Sommer

Roman

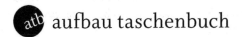 aufbau taschenbuch

FSC
www.fsc.org
MIX
Papier aus ver-
antwortungsvollen
Quellen
FSC® C083411

ISBN 978-3-7466-2732-8

Aufbau Taschenbuch ist eine Marke der Aufbau Verlag GmbH & Co. KG

4. Auflage 2011
© Aufbau Verlag GmbH & Co. KG, Berlin 2011
Die Originalausgabe erschien 2010 bei Gustav Kiepenheuer,
einer Marke der Aufbau Verlag GmbH & Co. KG
Umschlaggestaltung Henkel/Lemme
unter Verwendung eines Fotos von © Layne Kennedy/Corbis
Druck und Binden CPI – Clausen & Bosse, Leck
Printed in Germany

www.aufbau-verlag.de

1

»Wieso kommst du denn erst jetzt?« Bernhard sieht mich an, als sei ich ihm eine Erklärung schuldig. »Erste Halbzeit ist schon vorbei.«

In ihm schwelt es. Wie immer, wenn er bei seiner Mutter war. Ich könnte ihm sagen, dass er meine Verspätung nicht persönlich nehmen soll, aber Bernhard nimmt selbst schlechtes Wetter persönlich. Ich könnte ihm auch sagen, dass mich Fußball nicht interessiert, nie interessiert hat und nie interessieren wird und ich nicht einmal weiß, wer gegen wen spielt – und nur gekommen bin, weil Marc meinte, ich solle mich nicht immer in meiner Tonne verkriechen. Und weil ich ihm etwas zu erzählen habe.

»Tut mir leid«, antworte ich.

Das war offenbar, was er hören wollte, jedenfalls gibt Bernhard die Tür frei. »Macht ja nichts. Steht sowieso noch null zu null.«

In Bernhards Wohnung riecht es immer ein bisschen wie im Krankenhaus. Ein Geruch, der sich den Anschein des natürlichen geben will und doch aseptisch bleibt. Seine Diele ist ein Leichenschauhaus für Schuhe, in Edelstahl, klar lackiert. Sechzehn aufklappbare Fächer, hinter denen sich jeweils ein Schuhpaar verbirgt, auf der Stirnseite und auf der Seite gegenüber. Wenn man den Raum halbieren würde, könnte man die Seiten passgenau aufeinanderlegen.

Ich habe lange gebraucht, bevor mir klargeworden ist, dass ihn das aufrecht hält: Der Glaube an Symmetrie und Perfektion, daran, dass alles funktioniert und einen Sinn ergibt, solange es einer geometrischen Ordnung folgt. Marc meint, Ordnung sei Bernhards Religion – und dass er bestimmt früher seine Scheiße nicht angucken durfte.

Mir sind die ungeraden Zahlen lieber. Primzahlen zum Beispiel. Die sind ziemlich cool. Widersetzen sich jeder Formel. Man kann ihr Auftreten nicht berechnen. Das ist wie ein kosmisches Augenzwinkern. Letztlich gibt es für alles eine Erklärung – was nicht heißt, dass wir sie je finden.

Zoe sitzt auf dem Sofa und sieht sensationell gelangweilt aus. »Hi, Felix«, sagt sie, als ich hereinkomme. Kurz zuckt ein Lächeln auf.

Sie wäre gerne woanders. Bei Ludger vermutlich, oder wenigstens an einem Ort, wo wichtige Menschen verkehren, solche, die man kennt, aus dem Fernsehen oder der Gala. Ludger, um das kurz zu klären, ist das »Voß« der Kanzlei »Voß & Weber«, einer der besten Adressen für Menschen, die im siebenstelligen Bereich Steuern hinterzogen haben und bevorzugt straffrei und ohne Aufsehen davonkommen möchten. Und er ist Zoes Chef. Voß ist der Boss. Aber Ludger und seine Frau sind heute bei Freunden in Schlachtensee eingeladen, und Bernhard hat so lange wegen des Fußballspiels nachgehakt, bis Zoe schließlich zugesagt hat und ihm sogar dankbar war.

Ich frage mich, ob es uns noch lange geben wird, so, zu viert. Ohne den unermüdlichen Bernhard, der an uns festhält wie an einer Sehnsucht, ohne die er verkümmern müsste, wären wir bestimmt längst unwiederbringlich in unterschiedliche Richtungen gedriftet. Marc hat bereits begonnen, mit seiner Gitarre die Welt zu erobern, Bernhard versucht so angestrengt, jemand anderer zu sein, dass er selbst bald ganz dahinter verschwinden wird, und Zoe zieht es in höhere Gefilde.

Marc sitzt auf dem Balkon und raucht seinen Guten-Abend-Joint.

»Diogenes!«, begrüßt er mich. Seit ich in dem Bauwagen wohne, nennt er mich gerne Diogenes, wenn er einen geraucht hat. »Wie ist es mit deinem Vater gelaufen?«

Ich setze mich neben ihn auf die Bank und lege wie er meine Füße auf die Brüstung. »Mit *dem* lief es wie immer.«

Marc hält mir seinen Joint hin: »Mal ziehen?«

Ist ein Running-Gag zwischen uns. Ich rauche nicht, ich trinke nicht, ich nehme kein komisches Zeug.

»Später vielleicht«, antworte ich, »hab gerade erst 'ne Line gezogen.«

So sitzen wir, und Marc schmunzelt die gegenüberliegende

Hauswand an, als Bernhard ruft, dass es weitergeht. Er hat die Abendsonne im Gesicht, volle Breitseite. Ist der erste richtig warme Tag dieses Jahr. Gestern war noch Winter, eine Ahnung von Frühling im Gepäck. Heute ist alles anders. Die ganze Nacht durch im T-Shirt auf dem Fahrrad und trotzdem nicht frieren. Als würde man über LOS gehen und noch einmal von vorne anfangen.

Marc blinzelt trotz Sonnenbrille. Im Hof, in nagelneuem Grün, bäumt sich eine Kastanie auf.

»Irgendwann solltest du mal ziehen«, sagt er. »Leuchtet alles noch mal ganz anders.«

»Leuchtet mir genug, so wie es ist«, antworte ich.

Marc überlegt. »Leuchtet mir ein«, sagt er schließlich.

Als wir reingehen, sagt er: »Nachher fahren wir noch in die Strandbar – ein bisschen mit den Füßen im Sand scharren.«

»Okay«, antworte ich. »Muss dir sowieso was erzählen.«

Es dauert eine halbe Stunde, bevor mein letzter Satz zu Marc durchdringt. Die 85. Spielminute läuft. Zoe sitzt im Sessel, Bernhard, Marc und ich sitzen auf dem Sofa. Auf dem Rasen passiert noch weniger als in Bernhards Wohnzimmer. Bernhard rutscht unruhig hin und her. Er hätte uns gerne ein spannendes Spiel geboten, und jetzt fühlt er sich irgendwie schuldig, weil es so langweilig ist. Es gibt Beck's Level 7 mit Korkuntersetzern – eine Art Doping-Bier für Leute, die durchs Trinken ihre Muskeln aufbauen wollen. Will ich nicht. Aber ich trinke ja auch nicht. Außerdem fettreduzierte Paprikachips und gestiftelte Möhren, Gurken und Zucchini, die sich im Kreis um eine Schale mit Kräuterdip versammelt haben. Bernhard ist die perfekte Mutti. Nicht, dass Marc oder ich eine bräuchten, aber Muttis sind nun einmal Muttis. Ob du sie brauchst oder nicht, interessiert sie nicht wirklich.

»Du musst mir was erzählen?«, fragt Marc.

Ein Spieler ist ausgerutscht und bekommt einen Freistoß. Plötzlich herrscht mehr Hektik auf dem Spielfeld als die gesamten Minuten davor.

»Gefährliche Entfernung«, ruft Bernhard.

»Kann ich dir auch nachher sagen«, antworte ich.

Während der Schiedsrichter eine Linie andeutet, entlang der sich die Mauer aufstellen soll, überlegt Marc, was er von meiner Antwort zu halten hat.

»Vergiss es«, sagt er. Inzwischen sieht auch Zoe mich an. »Wir kennen uns seit fünfzehn Jahren, und noch nie *musstest* du mir was erzählen. Also: Spuck's aus.«

Jetzt blickt auch Bernhard zu mir. Der Spieler hat sich den Ball zurechtgelegt. Ich bin der Einzige, der sieht, wie er Anlauf nimmt.

Zoe beugt sich vor: »Mach's nicht so spannend.«

»Mein Onkel hat mir sein Haus in Südfrankreich vererbt«, sage ich.

In dem Moment fällt das Tor. 88. Minute. Neun Spieler in roten Trikots begraben einen zehnten unter sich.

»Ach, Scheiße!«, ruft Bernhard.

»Hab dich nicht so.« Marc stellt sein Bier absichtlich neben dem Korkuntersetzer ab. »Den Freistoß zeigen sie sowieso gleich noch hundertmal.«

»Ja, aber ich war nicht *dabei*.«

»*Dabei* warst du sowieso nicht.«

»Dein Onkel hat dir ein Haus in Südfrankreich vererbt?« Zoe klingt ein bisschen, als hätte sie es erben sollen.

»Streng genommen habe ich es gar nicht geerbt«, antworte ich. »Es gehört mir offenbar schon seit zwanzig Jahren. Ich wusste bloß nichts davon.«

Bernhards Brauen kräuseln sich: »Wie soll denn *das* gehen?«

Ich erkläre ihnen, dass das Haus nie auf den Namen meines Onkels eingetragen war, sondern dass von Beginn an ich als Besitzer im Grundbuch stand. Den Rest seines Vermögens hat Onkel Hugo einem Waisenhaus in Marseille vermacht. Mein Vater ging leer aus.

»Und wieso?«, fragt Zoe. »Ich meine, wie kommt dein Onkel dazu, dir sein Haus zu überschreiben?«

Im Fernsehen zeigen sie aus sechs verschiedenen Blickwinkeln, wie sich der Ball ins linke obere Eck dreht. Dabei beschreibt er eine Flugbahn, die mathematisch nicht zu erklären ist. Jedesmal sieht es anders aus, aber egal, wie es aussieht: Jedesmal steht es danach eins zu null.

»Ich weiß es nicht«, antworte ich.

Es dauert einen Moment, dann ruft Zoe: »Wow! Du bist Hausbesitzer!«

»Ist nichts Besonderes, glaube ich, das Haus.«

»Warst du nie da?«, will Bernhard wissen.

Ich schüttle den Kopf. »Meine Mutter wollte da mal Urlaub mit uns machen, aber mein Vater hat gesagt, dass ihn keine zehn Pferde dahin brächten.«

»Muss der gekotzt haben!«, ruft Marc. »Der ist doch garantiert total abgegangen – Mann, Bernhard, jetzt mach doch mal die Glotze aus.«

Das Spiel ist vorbei, inzwischen läuft Werbung.

Bernhard greift sich die Fernbedienung, dreht aber nur die Lautstärke runter. »Die bringen gleich die Analyse«, erklärt er.

Marc schnaubt: »Analyse kannst du haben: neunzig Minuten getrabte Langeweile, unterbrochen durch ein Freistoßtor von Ribery in der achtundachtzigsten. Bayern ist weiter. Und jetzt mach aus.« Er wendet sich an mich: »Ist dein Alter nicht an die Decke gegangen?«

Ich ziehe den Schlüsselbund aus der Hosentasche, den ich seit heute Nachmittag mit mir herumtrage. »Als der Notar mir den über den Tisch geschoben hat, wäre er mir, glaube ich, gerne an den Hals gesprungen.«

Zoe weiß nicht viel über meinen Vater. »Und was hat er gesagt?«, fragt sie.

»Der Notar?«

»Dein Vater natürlich.«

»Dass ich das mein Leben lang bereuen werde.«

»Nicht im Ernst!«

Statt zu antworten, zucke ich mit den Schultern.

Zoe sinkt in den Sessel zurück: »Wie kann der so was sagen?«, denkt sie laut, und weil es nicht wirklich als Frage gemeint ist, antwortet auch niemand darauf.

Endlich schaltet Bernhard den Fernseher aus: »Verstehe ich nicht – dein Vater hat doch sowieso schon alles.«

Die Antwort kommt von Marc: »Kann eben nicht genug kriegen.«

Ziemlich lange hört man nur, wie die drei abwechselnd an ihren Bierflaschen nippen und sie anschließend auf den Korkuntersetzern abstellen. Außer Marc, der seine auf die Glasplatte klacken lässt. Er provoziert gerne, und Bernhard ist jemand, der das Provozieren provoziert.

Zoe knackt einen Möhrenstift: »Und du warst noch nie da?«

Aus der Kastanie im Hof löst sich ein Vogel und schwingt sich in den Abendhimmel auf. »Ich kenne es nur von Fotos«, sage ich. »Von der Veranda aus kann man das Meer sehen.«

Marc kramt sein Haschischdöschen hervor und fängt an, sich eine Tüte zu bauen. »Das Meer?«, fragt er. »Im Ernst?«

»Geraucht wird auf dem Balkon«, erinnert ihn Bernhard.

»Glaube schon«, sage ich.

Marc leckt das Paper an und blickt in die Runde: »Und was machen wir dann noch hier?«

Ich war sechs, als Onkel Hugo mir beibrachte, wie man Papierflieger faltet. Es war zu Weihnachten. Oma und Opa waren da, meine Eltern, mein Bruder Sebastian und Onkel Hugo. Opa allerdings nur noch körperlich. Er saß in dem Ohrensessel, die Arme auf den Lehnen, und lächelte fortwährend in sich hinein, als sei alles zu seiner Zufriedenheit. Seine Finger hingen von den Armlehnen herab wie welke Blätter, sein Kopf verschwand zur Hälfte im hell erleuchteten Fransenschirm der Stehlampe. Auf seiner Glatze glitzerten Schweißperlen, doch falls er sie spürte, störten sie ihn nicht. Er mochte es warm.

Sebastian hatte eilig die Verpackungen von den Geschenken gerissen und stand vor der Schrankwand, einen schwarzen Kasten mit Antenne und zwei Reglern in den Händen. Über den Boden raste ein Rennwagen, der ständig gegen eine Fußleiste oder ein Tischbein krachte.

»Nicht so!« Mein Vater beugte sich über ihn. »Gib her, ich zeig's dir«, sagte er und entwand meinem Bruder den Kasten.

Meine Mutter saß schweigend auf dem Sofa, daneben Oma, einen Teller mit Vanillekipferln auf dem Schoß. In regelmäßigen Abständen ergriff sie eins mit spitzen Fingern, klopfte am Tellerrand den Puderzucker ab, führte es zum Mund und biss eine Ecke ab. Am Baum brannten lautlos die Kerzen herunter.

Neben der Blautanne türmte sich ein Haufen aus Geschenkpapier auf, der mir bis zur Schulter reichte. Hinter meinem Rücken kollidierte Sebastians Auto mit der Zimmertür und überschlug sich.

Onkel Hugo legte seine Hand auf meine Schulter. »Wenn du willst, zeige ich dir, wie man Papierflieger faltet.«

Ich nickte.

Er deutete auf den Haufen: »Such dir eins aus.«

Ich entschied mich für das nachtblaue Papier mit Sternenmuster, in das Sebastians Auto verpackt gewesen war. Onkel Hugo zog sich den freien Sessel an den Tisch. Ich stellte mich neben ihn. Sein warmer Pfeifengeruch kitzelte mir in der Nase. Die Kunst bestand darin, so erklärte er mir, zu fühlen, wo der Schwerpunkt liegen musste, damit der Flieger sich nicht mit der Nase voran in den Boden bohrte oder steil nach oben wegdrehte, um anschließend auf dem Heck zu landen. Wenn nötig, konnte man ein Pfennigstück nehmen und es in den Rumpf schieben, um den Schwerpunkt zu verlagern.

»Du bist doch mathematisch begabt«, sagte Onkel Hugo, »wahrscheinlich kannst du es sogar besser als ich.«

Ich wusste nicht, was »begabt« bedeutete, aber ich wusste, dass niemand so gute Papierflieger falten konnte wie Onkel Hugo. Alle wussten das. Er weihte mich in ein großes Geheimnis ein.

Wir falteten ihn gemeinsam. Onkel Hugo wiederholte jeden Schritt, damit ich mir alles genau einprägen konnte. Ein blauer Nachtfalter mit Sternen auf den Flügeln. Er demonstrierte, wie ich ihn halten sollte.

»Hier«, sagte er und führte meine Finger an die entsprechende Stelle. »Spürst du, wie sich das Gewicht verteilt?«

Ich sagte, ich spürte es, war aber nicht sicher. Sebastians Auto hatte sich zwischen der Wand und einem Heizungsrohr verkeilt. Für einen Moment war es sehr still. Onkel Hugo führte meinen Arm.

»Loslassen«, sagte er.

Der Flieger schwebte in vollkommener Ruhe durch den Raum, wobei er einen perfekten Halbkreis beschrieb – vorbei am Regal und zwischen den Zweigen des Weihnachtsbaums hindurch –, um schließlich in Opas Schoß zu landen, der keine Notiz davon nahm, sondern nur weiter friedlich lächelte.

Bei dem Versuch, den Wagen unter der Heizung hervorzuziehen, brach eine Seite des Spoilers ab.

»Scheißding!«, rief Sebastian aus.

Vater gab Sebastian den Kasten wieder. »Wie sieht's aus, Hugo?«, wandte er sich an seinen Bruder. Sogar Opa wusste, welche Frage sich an diesen Satz anschließen würde: »'ne Partie Schach?«

Hugos Antwort war dieselbe wie jedes Jahr: »Wie du willst.«

Danach zogen sich die beiden in Vaters Arbeitszimmer zurück.

Erster Tag

Und ihr seht mich als Punkt
Am Horizont verschwinden,
Um ein Stück weiter hinten
Mich selbst zu finden.

(Thomas D.)

»Na, Diogenes«, begrüßt mich Marc. »Hast du deinen Löffel und deine Schale eingepackt?«

Er ist tatsächlich gekommen. Ich hätte nicht geglaubt, dass seine Euphorie so lange vorhalten würde. Es ist sechs Uhr dreißig. Erste Flugzeuge ziehen weiße Kondensstreifen in den noch tiefblauen Morgenhimmel. Die Stadt wacht eben erst auf.

Mein Bauwagen ist 5 Meter 20 lang und 2,30 breit. Marc übertreibt also, wenn er mich mit Diogenes vergleicht. 11,96 Quadratmeter. Genauso viel wie eine Gefängniszelle, sagt Bernhard. Keine Ahnung, woher der so etwas weiß. Jedenfalls finde ich meinen Bauwagen ganz schön geräumig. Außerdem hat er zwei Türen, was die wenigsten von ihrer Wohnung sagen können. Ich habe ihn so hingestellt, dass durch die eine Tür die Morgen- und durch die andere die Abendsonne scheint. Und ich habe 17 000 Quadratmeter Garten.

Marcs Vater soll in diesem Garten einen Wellnesspark bauen, aber seit der Grundsteinlegung letztes Jahr ist nichts mehr passiert. Die Wirtschaftskrise hat den Investoren die Luft ausgesaugt. Marcs Vater meint, es kann noch Jahre dauern, bevor eine endgültige Entscheidung gefällt wird. Bis es so weit ist, hat er mir erlaubt, meinen Wagen auf das Grundstück zu stellen, inklusive Strom und fließend Wasser. Dann wird wenigstens nicht so viel geklaut, meint er. Aber das sagt er nur, damit ich kein schlechtes Gewissen habe. Kein Mensch klaut einen gelegten Grundstein. Und sonst gibt es nur meinen Bauwagen und wucherndes Unkraut.

Nachts um drei und mittags um eins kommt Ahmet von der Sicherheitsfirma und sieht nach, ob das Grundstück noch da ist. Er fährt einen tiefergelegten 3er BMW, den ich bereits am Sound erkenne, wenn er noch zwei Straßen entfernt ist, und er streichelt gerne Hit and Run, meine Katze, vorausgesetzt, sie ist gerade mal da. Hit and Run ist grau, mit blauen Augen. Zoe meint, Siamkatzen hätten blaue Augen, aber ich weiß nicht, ob das stimmt. Sie ist nicht gemustert oder so, einfach nur silbrig-grau. Als trüge sie einen Designeranzug. Und so bewegt sie sich auch. Mäuse fangen ist eigentlich total unter ihrer Würde. Doch der Geist ist willig, aber der Körper schwach. Scheißinstinkte.

Eigentlich ist sie gar nicht *meine* Katze. Sie trieb sich schon auf dem Grundstück herum, bevor ich hier anrückte. Zwei Wochen lang schlich sie um den Bauwagen, dann stand sie eines Morgens an meinem Bett und verlangte, endlich gefüttert zu werden. Sie kann sehr fordernd sein. Sobald sie dann hat, was sie will, ist sie auf und davon. Daher der Name. Im Grunde bekomme ich sie seltener zu Gesicht als den Fuchs, der nachts über das Gelände patrouilliert.

Zurück zu Ahmet: Von dem also lässt sie sich gelegentlich streicheln. Von mir nicht. Ist kein Wunder, meint Ahmet, alle geilen Chicks stehen auf ihn. Dass Hit and Run ein Kater ist, weiß er nicht.

Sechs Uhr dreißig ist die schönste Zeit des Tages in meinem Garten. Wenn ich die Tür nach Osten öffne, scheint die Morgensonne auf mein Bett und trägt die Stimmen von einem Dutzend verschiedener Vogelarten herein. Es ist keinen Monat her, da stand der Wagen um diese Zeit noch hüfthoch im Nebel – als könne man darauf traumwandeln. Kurze Zeit später begann die Kirschblüte. Letzte Woche dann schneiten um sechs Uhr dreißig die ersten Blütenblätter herein und verteilten sich über den Boden, als sei in der Nacht ein Engel durch den Wagen geschwebt und habe sie verstreut.

Marcs langer Schatten leckt sich das Bett hinauf, züngelt über meine Decke und rankt sich die Wand empor. Als ich mich aufsetze, steht sein Kopf genau zwischen mir und der Sonne. Sonst hat er wild wuchernde Locken, jetzt aber ist es ein brennender Helm.

»Ja«, antworte ich und deute auf die Arzttasche neben meinem Bett.

Fünf Minuten später drehe ich den Schlüssel im Zylinder und überlege, ob ich etwas vergessen habe. Nein, habe ich nicht. Ich spüre das Gewicht der Tasche in meiner Hand. Die Habseligkeiten, die noch im Bauwagen liegen, kann man an einer Hand abzählen. Trotzdem kommt es mir vor, als würde ich wer weiß was zurücklassen.

Marc wartet mit seiner Frage, bis wir vor dem Kreisverkehr in der Frankfurter Allee stehen, die Sonne im Rücken. »Ist was?«

Der Brunnen auf der Mittelinsel schläft noch. An dem Schaltkasten neben mir lehnt eine verlorene Nachtgestalt und übergibt sich auf den Grasstreifen.

»Ich hätte mich gerne von Hit and Run verabschiedet«, antworte ich.

Als letzte Nacht gegen drei Ahmet und sein BMW anrollten, saß ich noch auf der Leiter des Westflügels, blickte der untergegangenen Sonne hinterher und dachte über den Abend nach. Bei Bernhard vor dem Fernseher hatte ich noch überlegt, wie lange es uns wohl noch geben würde, so, zu viert. Dann kam Marc und elektrisierte alle mit seiner Idee, gemeinsam nach Frankreich zu fahren. Und plötzlich gab es uns wieder, uns vier. Vielleicht ist er auch deshalb so ein guter Gitarrist – weil bei ihm der Funke überspringt. Ich könnte das nie.

Ahmet kam um den Bauwagen herum, warf einen Blick in die Nacht hinaus und streifte an der Regentonne den Kronkorken seiner Bierflasche ab. Sein Auto stand 30 Meter entfernt, trotzdem hörte ich, wie Bushido es gegen jeden verteidigte, der ihm zu nahe kam.

»Hab mir gedacht, dass du noch hier rumsitzt«, begrüßte er mich.

Er hatte zwei Flaschen dabei, eine für mich. Behauptete er.

»Ich trinke nicht«, sagte ich.

»Ach so, stimmt ja.«

Er trank. Anschließend studierte er das Etikett, das im Dunkeln nicht zu entziffern war: »›Green Lemon‹ oder so'n Scheiß. Fragt man sich doch, warum wir Türken da noch Deutsch lernen sollen.« Er nahm einen weiteren Schluck, wie um sicherzugehen. »Schmeckt wie Zitronenpisse«, stellte er fest.

»Warum trinkst du es dann?«

Er zog ein Päckchen Zigaretten aus der Tasche, zündete sich

eine an, lehnte sich gegen den Wagen und blies den Rauch aus, der ihn lange einhüllte, bevor er sich verflüchtigte. Nicht einmal die Blätter an den Kirschbäumen bewegten sich heute Nacht.

Er grinste: »Schmeckt irgendwie ganz geil – Zitronenpisse.«

Ich fragte mich, warum er das machte: Nachts um drei aufkreuzen, sich neben die Leiter stellen, gegen den Wagen lehnen, sein Bier trinken und wieder verschwinden. Möglich, dass er es selbst nicht wusste. Vielleicht gab es nicht einmal den Sicherheitsdienst, für den er angeblich arbeitete. Hätte mich nicht gewundert. Eigentlich ist er wie Hit and Run, dachte ich, außer dass er sein Bier selbst mitbringt.

»Morgen früh fahr ich vielleicht weg«, sagte ich.

»Und? Wohin?«

»Frankreich.«

»Was willst'n da? Frankreich ist doch Scheiße.«

»Hat mein Vater auch immer gesagt.« Trotzdem, denke ich, wollte er um jeden Preis Hugos Haus haben.

»Und?«, fragte Ahmet. »Was willste dann da?«

»Weiß noch nicht.«

Ahmet ließ erneut seinen Blick über das Gelände schweifen. Das Grundstück war noch da, Job erledigt. Bald darauf hebelte er den Kronkorken der zweiten Flasche ab.

»Könntest du Hit and Run füttern, solange ich weg bin?«, fragte ich.

»Wann kommst'n wieder?«

»Weiß ich noch nicht.«

Ein Vogel zwitscherte, ganz in der Nähe. Er musste in einem der Kirschbäume sitzen. Es gibt einen, der die ganze Nacht hindurch singt. Er meidet den Wettkampf. Erst wenn alle anderen verstummt sind, läuft er plötzlich zu Hochform auf.

Vorne im Gras bewegte sich etwas, aber als es näher kam, war es nur der Fuchs, der es auf das Katzenfutter abgesehen hatte.

»Was soll'n das überhaupt für ein Name sein?«, fragte Ahmet, »Hit and Run.«

»Auf und davon«, sagte ich.

Er lehnte sich gegen den Wagen, nahm einen Schluck und blickte ins Nichts: »Ist doch kein Name – Auf und davon.«

4

Marcs Bus hat mal einem Lebenshilfeverein gehört, den »Straight Edges«. Die untere Hälfte ist leuchtend orange lackiert, die obere weiß. Auf der Schiebetür ist ein Schriftzug angebracht:

STRAIGHT EDGES
LEBEN OHNE DROGEN

Das Projekt wurde eingestampft, als sich herausstellte, dass der Vorsitzende sich einen nicht unbeträchtlichen Teil der öffentlichen Zuwendungen in Form von Kokain durch die Nase zog. Den Bus hat Marc dann bei einer Versteigerung erworben, inklusive handbestickter Sitzkissen mit lachenden Sonnen drauf sowie selbstgenähter Vorhänge in den Farben des Regenbogens. Wenn er mit einer Band auf Tour ist, glauben viele, es handle sich um eine schwule Lebenshilfeband namens »Straight Edges«, die den Drogen abgeschworen hat – bis Marc betrunken mit einem Groupie im Bus verschwindet und die Vorhänge zuzieht. Er sagt, er hat in seinem Leben noch nie so viel Spaß gehabt wie in seinem drogenfreien Bus. Bernhard meint, er solle doch wenigstens den Schriftzug übermalen, aber Marc glaubt fest daran, dass der Schriftzug wie ein Schutzschild funktioniert. Jedenfalls musste er noch nie einen Alkoholtest machen und ist noch nie gefilzt worden, auch wenn der Wunderbaum am Rückspiegel inzwischen selbst schon nach Dope riecht.

Seine besten Tage hat der Bus hinter sich. Und die meisten der weniger guten auch. Der dritte Gang bleibt nur noch drin, wenn man den Schalthebel festhält, das Schiebedach ist undicht, der Außenspiegel auf der Beifahrerseite mit Gaffa getapt. Bis Frankreich kein Problem, sagt Marc. »Solange du genug Gaffa im Auto hast, kann dir nichts passieren.«

Zoe mustert uns, als seien wir von einer Drückerkolonne. »Ach, ihr seid's.«

»Wen hast du denn erwartet?«, fragt Marc.

Sie sieht nicht so aus, als wolle sie die nächsten Tage in einem altersschwachen VW-Bus zubringen. Eher so, wie attraktive Frauen sich kleiden, wenn sie ganz beiläufig auf jemanden einen besonderen Eindruck machen wollen: Teures, aber schlichtes Kostüm, weiße Bluse, dezente Ohrringe, die Haare wie mit dem Pinsel über die Schulter drapiert.

Zoes Schönheit hat etwas Erhabenes, egal, was sie anzieht. Sie ist von der Art, dass jeder sie sofort versteht, ohne allerdings zu begreifen, warum. Wie eine Folge von Pentagonalzahlen. Als ineinandergeschachtelte Fünfecke dargestellt, ahnt man sofort ihre verborgene Schönheit, auch wenn man sie auf den ersten Blick nicht erkennt. Aus diesem Grund sind Pentagonalzahlen neben den Primzahlen auch meine Lieblingszahlen. Sie schreien einem ihre Symmetrie nicht gleich entgegen wie Quadratzahlen oder vollkommene Zahlen.

Was ich an Zoe am meisten mag, ist der nicht erhabene Teil. Es gibt eine Seite an ihr, die sie als Schwäche empfindet. Hat mit Gefühlen und so was zu tun. In seltenen Momenten dringt etwas davon an die Oberfläche. Ist wie eine Blase unter dem Teppichboden. Du kannst sie runterdrücken, aber dann kommt sie an anderer Stelle wieder hoch. Am meisten mag ich also an ihr, was sie am stärksten zu verbergen versucht.

In Zoes Wohnung geht gerade die Sonne auf. Das gesamte Treppenhaus riecht nach morgendlichem Aufbruch.

Marc tastet mit seinem Blick ihre Beine ab, bis er den Boden erreicht hat. »Nur ein Koffer pro Mitfahrer«, sagt er, »und Handgepäck nur bis fünfzehn Kilo.«

Zoe lehnt sich gegen den Türrahmen und wechselt das Standbein. »Hört zu«, sagt sie und streicht sich ihre Haare über die Schulter, die danach exakt so aussehen wie vorher. »Ich … ich komme nicht mit.«

Marc löst den Blick von ihren Absatzschuhen: »Was soll denn *das* heißen?«

»Dass sie nicht mitkommt«, sage ich.

»Ja«, sagt Zoe und wendet den Kopf ab, als suche sie etwas, »ich schätze, das heißt es wohl.«

»Und warum nicht?«, fragt Marc.

Zoe verschränkt die Arme vor der Brust. Wenn sie eins nicht leiden kann, dann in die Defensive gedrängt zu werden: »Weil ich am Montag auf eine Konferenz nach Chicago fliege – sorry.«

Ich betrachte ihre Schuhe und wie sie den Fuß ihres Spielbeins auf dem Absatz leicht nach außen dreht. »Mit Ludger?«, frage ich.

Sie zieht die Schultern hoch und blickt sich wieder in der Wohnung um. »Sorry.«

Und plötzlich sind wir nur noch zu dritt.

Gleich sind wir nur noch zu zweit. Das denke ich, als wir auf dem Weg zu Bernhard sind. Wenn Zoe mitkäme, könnte Bernhard unmöglich hierbleiben. Aber was soll er in Frankreich, wenn sie in Berlin sitzt?

Als Marc gestern die Idee kam, nach Frankreich zu fahren, war Bernhard der Erste, der sagte, er könne nicht – wegen seines Jobs. Dabei hat er in den zwei Jahren, die er jetzt für »Nanotec« arbeitet, noch keinen Tag Urlaub genommen. In Wahrheit bringt er es nicht über sich, seine Mutter alleine zu lassen, die Parkinson hat, seit drei Jahren nicht mehr ohne Hilfe aus dem Bett kommt und seit einem Jahr gar nicht mehr. Sie ist im Pflegeheim »Rosengarten« untergebracht, und jeden Tag, wenn Bernhard nach der Arbeit dorthin fährt, schämt er sich. Der Gang zu seiner Mutter ist für ihn das Eingeständnis einer Kapitulation. »Das ist nicht der richtige Ort für sie«, sagt er.

Er gibt die Hälfte seines Gehalts zu ihrer Rente dazu, damit sie im »Rosengarten« wohnen kann, doch selbst das reißt es nicht raus. Im Gegenteil: Er hat das Gefühl, sich schuldig zu machen, indem er sich mit Geld aus der Verantwortung zieht.

Bernhard also wollte nicht mitkommen, so der Stand gestern Abend, 22 Uhr 45. Um 22 Uhr 46 rief Zoe dann unvermittelt aus: »Ich bin dabei!« Aus dem Hof schallten Fußballgesänge zu uns herauf. »Was glotzt ihr denn so?«, fragte sie. »Ich bin dabei.«

»Aber du kannst doch nicht einfach so Urlaub nehmen!«, wandte Bernhard ein.

Sie zog einen Schmollmund: »Warum eigentlich nicht?« Mit

diesen Worten nahm sie ihr Handy aus der Tasche und verschwand auf dem Balkon.

»Gibt's noch Bier?«, fragte Marc.

»Im Kühlschrank«, antwortete Bernhard, ohne seinen Blick von der Balkontür zu wenden.

»Noch jemand?«

Keine Antwort.

Nach zwei Minuten kam Zoe zurück. Marc stellte gerade seine Bierflasche neben dem Untersetzer ab.

Ihr Lächeln war ein Triumph: »Hab doch gesagt, ich bin dabei.«

Noch einmal zwei Minuten später war Bernhard auch dabei.

»Wo habt ihr denn Zoe gelassen?«

In seinem Schuhkrematorium wirkt Bernhard wie ein Hohepriester.

»Zu Hause«, antwortet Marc.

Bernhards Gesicht verformt sich zu einem bangen Fragezeichen.

»Sie fliegt am Montag auf einen Kongress nach Chicago«, erklärt Marc. »Future management business constructions oder so ähnlich.«

Wenn in Bernhards Flur eine von diesen altmodischen Uhren hängen würde, könnte man jetzt das Pendel hören.

»Mit Ludger?«, fragt Bernhard.

Er kennt die Antwort. Wir alle kennen sie. Deshalb sagt auch keiner etwas. Marc kratzt sich den Staub aus den Haaren. Mit seinen ausgetretenen Chucks, der zerschlissenen Jeans und dem verblichenen T-Shirt sieht er aus wie ein ungemachtes Bett.

»Du kannst hierbleiben und bis zur Sonnenwende deine Badewanne vollheulen – oder du kannst mit nach Frankreich kommen.«

Bernhard presst die Lippen aufeinander, schiebt seinen Unterkiefer von rechts nach links, vergräbt die Hände in den Taschen und sieht uns an, als müsste einer von uns jetzt etwas sagen, das ihn erlöst.

Am Ende erlöst er sich selbst: »Ach, was soll's!«

Er verschwindet im Schlafzimmer, und als er wieder herauskommt, zieht er seinen Alu-Rollkoffer hinter sich her.

5

Was Marc zum Anziehen dabeihat, passt bequem in seine Sporttasche. Für seine CD-Auswahl dagegen ist unter zwei großen Holzkisten nichts zu machen.

»*Noch* weniger ging nun wirklich nicht«, kommentiert er Bernhards Blick.

Als wir die Stadt verlassen, uns auf der Avus nach Süden wenden und die verwaisten Tribünen passieren, stellt sich zum ersten Mal diese besondere Aufbruchsmelancholie ein. Nur dass bei mir der Aufbruch Abschied heißt. Marc hat den Beifahrersitz so montiert, dass man mit dem Rücken zur Fahrtrichtung sitzt. So sehe ich nie, was auf uns zukommt, sondern nur, was bereits hinter uns liegt. Wie meine Großmutter früher, den Blick immer in die Vergangenheit gerichtet. Vielleicht, denke ich, passiert das bei jedem irgendwann – dass sich der Sitz dreht und man nicht mehr nach vorne sieht, sondern nur noch nach hinten. Eine Frage des Alters. Oder der Einstellung. Vielleicht.

Ich jedenfalls sehe eine Rauchwolke, die sich an den Bus gebunden hat. Außerdem ist da ein merkwürdiges Geräusch – wie von etwas, das sich selbst zerstören will. Doch es ist nicht Bernhard, der dieses Geräusch macht, sondern der Auspuff.

»Glaubst du im Ernst, dass wir mit der Kiste bis nach Frankreich kommen?«, fragt Bernhard.

Marc blickt in den Rückspiegel. »Kein Problem.« Er macht eine beschwichtigende Geste, fährt auf die Standspur und lässt den Bus ausrollen.

Während wir warten, bis der Auspuff abkühlt, zupft Marc ein paar Akkorde auf der Gitarre, doch die passende Melodie dazu will nicht richtig gelingen.

»Die ganze Idee ist totaler Schwachsinn«, kommentiert Bernhard, »wir sind noch nicht mal aus der Stadt raus, und schon ist die Kiste im Arsch.«

»Wenn du einen Vorwand suchst, um abzuspringen«, antwortet Marc, »gibt keinen Gruppenzwang. Aber versuch nicht, uns den Trip auszureden. Den Gefallen tun wir dir nicht. Den Schwanz einziehen musst du schon alleine.«

Statt zu antworten, schnauft Bernhard nur und blickt aus dem Fenster.

Marc versucht es andersherum: Summt erst die Melodie, die er im Kopf hat, und legt anschließend die Akkorde darunter. In diesem Stadium höre ich ihm am liebsten zu: Wenn er schon eine Idee hat, aber noch keinen Song – wenn die Dinge bereits existieren, aber erst noch zueinanderfinden müssen.

»Lass doch so«, schlägt Bernhard vor, »klingt okay, finde ich.«

Marc nimmt die Finger von den Saiten. Wenn er etwas zu sagen hat, kann er nicht gleichzeitig spielen. Beim Denken, sagt er, hilft Spielen, beim Reden stört es. »Erstens«, erklärt er, »ist ›okay‹ nicht genug, und zweitens öffnet sich der Refrain nicht. Da muss mehr Sonne rein, der Refrain muss ein Versprechen einlösen. Alles eine Frage der richtigen Energie.«

Wenn Marc über Musik redet, spricht er gerne über Energien, über Klang gewordene Emotionen und wie man all das physisch erfahren kann. Ich denke manchmal, was für ihn die Akkorde sind, sind die Zahlen für mich.

Bernhard kann mit beidem nichts anfangen. Bei Zahlen sieht er nur Vektoren und Effizienzquotienten, und bei Musik … gar nichts. »Energien …« Er lässt das Wort in der Luft hängen. »Das hat doch nichts mit Musik zu tun! Du immer mit deinem Gequatsche von Energien und wie sich Musik ›anfühlt‹. Musik fühlt sich nicht an. Vielleicht solltest du lieber mal mit Verstand rangehen, statt dich immer nur zu fragen, wie sich das anfühlt.«

Marc bedenkt Bernhard mit einem Blick, der irgendwo zwischen *arroganter Schnösel* und *armer Tropf* angesiedelt ist, legt die Gitarre in den Koffer zurück und steigt aus. »Was du nicht begreifst, Bernhard, und vermutlich nie begreifen wirst, ist, dass Gefühle ihren eigenen Verstand besitzen.«

Er wartet, bis klar ist, dass Bernhard dem nichts entgegenzusetzen hat, dann verschwindet er bis zur Hüfte unter dem Bus.

»Hab ich doch gleich gesagt!«, ruft er gegen das Dröhnen der vorbeifahrenden LKWs an. »Ein Fliegenschiss! Felix, gib mal 'ne Rolle Gaffa aus dem Bus!«

Marc klebt also den Auspufftopf mit Gaffa fest, und um das lästige Restklappern zu übertönen, schiebt er vor der Weiterfahrt eine CD ein.

»Die neue Cat Power – geiler Stoff«, klärt er mich auf.

Im nächsten Moment verschwinden meine Ohren im Bauch einer Bass-Drum. Das ist Marc: Der Bus hält nur noch mit Gaffa-Tape, aber mit der Anlage könnte man die Waldbühne beschallen.

Erst nachdem wir die Stadtgrenze passiert haben, wird mir klar, dass der Song eine Cover-Version von »New York, New York« ist, nur dass man Sinatras Text kaum wiedererkennt und die Musik gar nicht mehr. Doch das Gefühl ist da: Aufbruch, Möglichkeit, Sehnsucht. *I'm leaving today … If I can make it there …*

Die Autobahn schlägt eine Schneise durch einen Kiefernwald. Immer wieder offenbaren die Bäume für Sekundenbruchteile eine geheime Symmetrie und formieren sich zu Reihen, um gleich darauf in einem undurchdringlichen Chaos aufzugehen. Die Morgensonne bricht schräg durch die Baumkronen und verwandelt den Wald in einen Teppich aus gewebtem Licht. Achtzehn Jahre hat Onkel Hugo in diesem Haus in Südfrankreich gelebt, und ich habe ihn kein einziges Mal besucht. Ich weiß nicht einmal, warum.

Marc dreht mir sein Gesicht zu: »Fragst du dich, was gerade mit dir los ist?«

Inzwischen ziehen Felder vorbei, der Blick weitet sich. Manche Dinge verschmelzen in der Ferne zu bunten Punkten.

»Vielleicht«, antworte ich.

»Ein neuer Tag, ein neues Leben – das ist mit dir los.«

Also ist es auch bei dir angekommen, denke ich. Aufbruch, Möglichkeit, Sehnsucht.

Marc umfasst das Lenkrad, als drohe es ihm aus der Hand gerissen zu werden: »Ahh – ich fühl mich wie Odysseus!«

Ich sehe ihn an: »Du glaubst, wir werden Schiffbruch erleiden?«

»Nicht mit genug Gaffa an Bord!«

»Verstehe – du willst liebestolle Göttinnen mit gebrochenen Herzen zurücklassen.«

Marc grinst dieses spezielle Grinsen, mit dem er noch jede Frau in seinen Bus gelockt hat. »Wär doch geil, oder?«

»Und was ist mit Frau und Kind, die zu Hause treu und ergeben auf dich warten?«, wende ich ein.

»Shit – ich wusste, die Story hat einen Haken.« Er überlegt kurz: »War Odysseus eigentlich je in Frankreich?«

»Höchstwahrscheinlich nicht«, antworte ich.

»Hätte er mal machen sollen. Wein, Weib, Gesang ... War'n Fehler von ihm, Frankreich auszulassen.«

I'm gonna ride ... I'm gonna ride ... Inzwischen träumen Cat Power und eine einsame Akustikgitarre davon, auf einem geklauten Pferd einer ungewissen Zukunft entgegenzureiten, *the devil close behind*. Reiten, reiten, immer weiter, auf der Suche nach etwas, von dem man erst weiß, was es ist, wenn man es gefunden hat. Was natürlich nie passieren wird. Egal, scheiß drauf – letztlich geht es ums Suchen, nicht ums Finden.

Bei Bernhard kommt von der Aufbruchsstimmung nichts an. Er scheint immun zu sein, sitzt gefangen in seinem Groll auf der Rückbank, spricht nur, wenn er etwas gefragt wird, bewegt sich nur, wenn es nicht anders geht, und trägt dabei den Ausdruck eines gedemütigten Hundes zur Schau.

Als wir an einem weiteren Straßenschild vorbeifahren, kommt plötzlich Leben in ihn. »Magdeburg?«, ruft er von hinten. »Warum fährst du denn nicht über Leipzig? Das ist doch mindestens eine Stunde Umweg!«

»Echt?« Marc grinst in den Rückspiegel: »Geil – dann können wir ja noch eine Stunde länger unterwegs sein.«

6

Bernhard wird von seinen Gedanken umkreist: Dass er seine Mutter nicht einen Tag alleine lassen kann, ohne ein schlechtes Gewissen zu haben. Dass er die Vorstellung nicht erträgt, Zoe am Montag mit Ludger in einem Flugzeug nach Chicago zu wissen. Zoe, die Bernhards Hingabe seit Jahren mit Füßen tritt und sich stattdessen lieber unglücklich macht. Überhaupt: dieser Ludger. Nutzt sie doch sowieso nur aus. Hält sie wie ein Schoßhündchen, um sie auf Zuruf Kunststückchen machen zu lassen. Doch was soll sie tun? Sie liebt Bernhard nicht. Steht wahrscheinlich irgendwo geschrieben, wie ein Naturgesetz oder so. Was für ein Scheiß. Echt.

Irgendwann wird es hügelig. Die Sonne hat den höchsten Punkt erreicht, das Licht ist fast weiß. Die Luft, die mir bis eben den Mund ausgetrocknet hat, wird plötzlich kühl. Reste der Nacht hängen noch zwischen den Tannen. Sobald es bergauf geht, beginnt der Motor zu stöhnen, und der Auspuff klappert so laut, dass selbst die Red Hot Chili Peppers ihn nicht zum Schweigen bringen können. Immer wieder muss Marc in den dritten runterschalten und den Hebel festhalten.

Als wir einen noch langsameren LKW überholen, duckt sich ein schwarzer Sportwagen hinter uns, den Bernhard als Maserati identifiziert. Er fährt so dicht auf, dass durch die Heckscheibe nur noch sein Dach zu sehen ist. Kaum wechseln wir wieder auf die rechte Spur hinüber, schießt er vorbei und steuert direkt vor uns eine Tankstelle an. Zeitersparnis: ungefähr zwei Zehntelsekunden.

Als ich frage, wo wir sind, antwortet Marc: »Kasseler Berge – Kinderspiel.«

Und in diesem Moment wird mir klar, weshalb er diesen Umweg auf sich genommen hat. Ich sehe ihn an. Seine Sonnenbrille ist stur auf die Fahrbahn gerichtet. Doch er beginnt zu schmunzeln.

Ich sage nichts. Was könnte ich auch sagen? Dass ich ihm dankbar bin? Für alles? Weiß er längst. Und will es sowieso nicht hören.

Kurz hinter Kassel, die Hügel haben sich wieder geglättet, steuert Marc einen unscheinbaren Rastplatz an, kuppelt aus, wartet, bis der Bus steht, und dreht den Zündschlüssel. Ruhe. Kein Klappern, keine Musik. Es ist, wie aus der Helligkeit in einen abgedunkelten Raum zu treten. Allmählich dringt das Sirren des Verkehrs zu mir durch, später auch Vogelgezwitscher.

»Wir sind da«, sagt Marc.

Bernhard sieht sich um: eine Böschung, ein paar Bäume, die den Rastplatz von der Autobahn abgrenzen, zwei Holzbänke, die von einem schmierigen Film überzogen sind, dazwischen ein einbetonierter Mülleimer. Kein Mensch außer uns.

»Wo?«, fragt er.

Es war am 9. Oktober, drei Tage vor meinem achtzehnten Geburtstag. Marc sollte mit einer Band auf Tour gehen, den Death Chunks. Folglich würde mein Geburtstag bestehen aus: Kuchen, dem traurigen Lächeln meiner Mutter und Schweigen. Mein letztes Schuljahr hatte gerade begonnen. In zehn Monaten hätte ich mein Abi in der Tasche.

Die Death Chunks waren alle mindestens fünf Jahre älter als Marc. Ihre Musik kreuzte Aggression mit Todessehnsucht. Als ich Marc fragte, weshalb er da mitspielte, wo er doch eigentlich auf Melodien stand, antwortete er: »Manchmal will man auch einfach nur den Verstärker aufreißen.«

Für die Tour hatten sich die Death Chunks einen Kleinbus gemietet. Am Tag der Abreise standen Marc und dieser Bus um Viertel vor acht bei mir vor dem Schultor.

Marc lehnte an der Haube und rauchte: »*Ein* Platz ist noch frei.«

Ich muss wohl ausgesehen haben, als sei er gerade vom Himmel gefallen. »Ich hab Schule«, erklärte ich.

»Hatte ich auch mal.«

»*Du* brauchst kein Abitur«, entgegnete ich, »du kannst Gitarre spielen.«

»Und du brauchst keine drei Sekunden, um auszurechnen, was 3256 zum Quadrat ist.«

»8 742 658.«

»Quot erat demonstrare oder so ähnlich. Face it, Mann: Deine Lehrer kriegen Schweißausbrüche, wenn sie dich sehen. Gönn denen mal 'ne Verschnaufpause.«

Auf dem Schulhof hatten sich Grüppchen formiert. An den Rändern, wie mit einer Zentrifuge gegen die Mauern geschleudert, fand sich eine Handvoll allein Stehender. Heute waren sie einer weniger. Als der Gong ertönte, liefen alle wie Öltropfen zu einer Pfütze zusammen und wurden durch den Eingang gesogen.

Ich warf meine Tasche auf die Rückbank und stieg ein. »10 601 536«, sagte ich.

»Was ist damit?«

»3256 zum Quadrat – 10 601 536.«

»Eins so gut wie das andere, wenn du mich fragst.« Marc legte den Gang ein und nickte Richtung Schule. »Sag tschüs.«

Ich blickte die graue Fassade mit den zu kleinen Fenstern empor. »Tschüs.«

An meinem Geburtstag spielten die Death Chunks in einem kleinen Club in Kassel, dessen Wände der Musik kaum standhielten. Am Vortag hatten sie in Marburg gespielt, in einem noch kleineren Club, der ebenfalls nur mit Mühe am Stück geblieben war. Kurz vor Kassel legten wir eine Pause ein. Bis zum Aufbau der Instrumente und dem Soundcheck waren noch drei Stunden totzuschlagen. Alles, was es zu sehen gab, war ein Basaltfelsen, der sich hinter dem Parkplatz in jahrtausendelanger Arbeit durch das Erdreich gedrückt hatte und jetzt wie der verfaulte Zahnstumpf eines Titanen aus der Landschaft ragte.

Ein Trampelpfad führte durch ein Wäldchen und hüfthohe Brennnesselsträucher die Böschung hinauf und endete an einer Felsfalte, die man als Einstieg nutzen und von wo man sich in wenigen Minuten bis auf die Spitze vorarbeiten konnte. Oben war es vor allem windig. Zigarettenstummel, leere Bierflaschen und ein benutztes Kondom zeugten davon, dass vor Marc und mir schon andere auf die Idee gekommen waren, den Felsen zu erklimmen. So ist der Mensch, dachte ich. Stell ihm einen Berg hin, und er klettert rauf. Kürzlich hatte hier jemand seine Lateinarbeit geopfert. In den Ritzen hatten sich DIN-A4-Blätter verfangen: Leoni

Kapell, Klasse 9b, Note: 5. Ich schaute auf das benutzte Kondom und fragte mich, ob sie mit ihrer Arbeit auch gleich noch ihre Jungfräulichkeit geopfert hatte.

Marc und ich saßen auf einem Felsvorsprung, blickten nach Süden und kniffen vor der Mittagssonne die Augen zusammen. Felder, Wiesen, ein Dorf zwischen bewaldeten Hügeln, Bäume, eine Eisenbahnschranke – die perfekte Märklin-H0-Landschaft. Ich nahm das Blatt mit der Note, strich es glatt und faltete einen Flieger daraus. Marc zündete sich eine Zigarette an, legte den Kopf in den Nacken und stieß den Rauch aus wie eine Dampflokomotive.

»Moment«, sagte er unvermittelt, als ich den Flieger starten lassen wollte. Noch immer blickte er geradewegs in den Himmel. »Nicht so eilig, mein Freund. Das ist mein Geburtstagsgeschenk.«

Ich betrachtete den Flieger und überlegte, was daran sein Geburtstagsgeschenk sein könnte.

»Brauchst gar nicht so zu gucken«, fuhr Marc fort. »Was du nämlich nicht weißt, ist: Du kannst einen Wunsch mit an Bord nehmen. Pack einen Wunsch rein, und lass ihn fliegen.«

»Und *du* erfüllst dann den Wunsch?«

»Klar, Mann.«

Bei dem Wind würde der Flieger nicht weit kommen. Ich schob ein Kupferstück in den Rumpf und versuchte es in westlicher Richtung, aber kaum hatte er meine Hand verlassen, wurde er herumgerissen und über unsere Köpfe hinweggeweht, wo er anfing zu trudeln und lautlos in eine Felsspalte stürzte.

»Das war wohl nichts«, sagte ich.

»Ist egal, Mann. Hauptsache, dein Wunsch war an Bord.«

»War er.«

»Gut. Und – was war's?«

Ich blickte auf den Parkplatz hinab und von dort über die Felder. Zwischen dem Bus und uns lagen nicht mehr als 50 Höhenmeter. Und trotzdem: Von dort unten sah man nichts, von hier oben alles. Der Horizont löste sich im Ungewissen auf. Der Wind stellte mir die Haare an den Armen auf, doch wenn er Atem holte, spürte man die letzte Wärme des Jahres auf der Haut.

»Ich dachte immer, solche Wünsche erfüllen sich nur, wenn man sie für sich behält.«

»Nicht, wenn *ich* sie erfüllen soll. Bin doch nicht Gott. Also?«
Ich sah ihn an. Er sah mich an.

»Raus damit – ist dein achtzehnter Geburtstag.« Marc blies den Rauch aus, der ihm sofort von den Lippen gerissen wurde. »Heute wird jeder Wunsch erfüllt. Aber *nur* heute. Morgen kannste vergessen.«

Über den Feldern kreisten Bussarde. Aus der Ebene zog wärmere Luft herauf. Ideale Bedingungen. Manche hielten sich minutenlang auf gleicher Höhe, ohne einen Flügelschlag.

»Ich will nicht mehr zurück«, sagte ich.

»Wie meinst'n das?«

Ein Bussard legte die Flügel an und stieß zur Erde hinab, schneller, als mein Flieger in der Felsspalte verschwunden war.

»Ich will nicht mehr in die Schule zurück, und ich will auch nicht mehr nach Hause zurück.«

Marc zog ein letztes Mal an der Zigarette. »Das ist dein Wunsch?«

»Ja.«

Er schnippte den Stummel über die Schulter. »Erfüllt.«

Als wir drei Tage später nach Berlin zurückkehrten, ging ich als Erstes meine Sachen packen. Die Schule betrat ich nie wieder.

»Ich denke, wir wollen nach Frankreich«, sagt Bernhard. »Das hier ist … gar nichts.«

Marc steigt aus, streckt sich – Uuuuuuaaaahhhh! –, geht um den Bus und zieht die Schiebetür auf.

»Siehst du den Berg da?«

Bernhard beugt sich vor und streckt seinen Kopf aus der Tür: »Na ja, Berg würde ich das nicht nennen …«

»Nenn es, wie du willst, jedenfalls gehen wir jetzt da rauf.«

Statt ihn auf andere Gedanken zu bringen, haben die vergangenen Stunden lediglich Bernhards Leid zementiert. 85 gestählte Kilo Missmut.

»Und wozu soll das gut sein?«, fragt er.

»Mann, Bernhard!« Marc schlägt sich mit der flachen Hand gegen die Stirn. »Woher soll ich das wissen? Vielleicht ist es zu gar nichts gut – vielleicht ist es einfach nur ein großer Stein. Aber vielleicht findest du da oben auch die Antwort.«

»Die Antwort worauf?«

»Auf alles. Das Sein. Du weißt schon: Wo kommen wir her, wo gehen wir hin – der ganze Scheiß halt.«

Bernhard ist nicht überzeugt. »Aber wenn wir da jetzt raufgehen, dann brauchen wir ja am Ende *noch* länger.«

Das ist der Moment, in dem Marc die Geduld ausgeht. Den ganzen Vormittag hat er dieses Gesicht im Rückspiegel ertragen. Obwohl wir auf dem Weg nach Frankreich sind, ans Meer. Die Bäume sind so grün, dass es in den Augen schmerzt, die Vögel zwitschern, als ginge es um ihr Leben. Jetzt reicht es.

»Hör auf, Bernhard«, sagt er.

»Womit?«

»Du bist sauer, weil Zoe nicht mitgekommen ist – kapier ich. Aber wenn du deshalb jetzt bis Frankreich im eigenen Saft schmorst, dann flambier ich dich spätestens an der Schweizer Grenze!«

Marc hat noch nie länger als eine Nacht im eigenen Saft geschmort – bringt nichts. Deshalb kommen ihm die letzten fünf Stunden bereits wie eine Ewigkeit vor. Bei Bernhard ist das anders. Der würde am liebsten bis ans Ende seiner Tage im eigenen Saft schmoren, sich selbst zum Opfer darbringen. Wie Jesus. Der ultimative Liebesmärtyrer.

»Mach dich locker, Mann«, setzt Marc nach. »Wir sind garantiert nicht vor morgen Abend da. Wenn du jetzt schon anfängst, dich wegen einer Viertelstunde aufzuregen, wird die Fahrt ein Höllentrip für dich.«

Eine Stunde Umweg, mindestens. Um auf einen Basaltklotz zu klettern. Für eine Geste. Für mich. Marc ist der Felsen scheißegal. Dem sagen Basaltklötze gar nichts, und Klettern ist was für Sinnsucher.

Warum Marc ausgerechnet mich zu seinem Freund erwählt hat? Ich weiß es nicht. Vielleicht bin ich für ihn der kleine Bruder, den er nie hatte. Dazu muss man wissen, dass es einen gab. Neun Monate lang. Bis zur Geburt. Marc kam als Erster. Dann gab es Komplikationen. Sein Zwilling starb, bevor er einen Namen hatte. Liegt nahe, so zu denken. Es scheint logisch. Aber mehr auch nicht. Die Leute denken ja immer, sie wüssten so viel, und am Ende stehen sie doch mit leeren Händen da. Vielleicht dachte Marc auch einfach, ich sei der Richtige, um mir seine Songs anzuhören. Ich habe ihn mal gefragt. Warum ich? Seine Antwort: »Was soll'n der Scheiß jetzt?«

Marc geht voran, ich in der Mitte, Bernhard hinterher. Die Brennnesseln sind genauso hoch wie damals. Bernhard tritt auf sie ein, als hätten sie es nur auf ihn abgesehen. Am Felsen angekommen, erweist sich der schwarze Stein als scharfkantig und abweisend, vor allem aber ist er so heiß, dass man sich die Finger daran verbrennt. Bis wir die Spitze erreicht haben, steht jedem von uns der Schweiß auf der Stirn. Leere Bierdosen und Zigarettenschachteln gibt es immer noch, aber keine Kondome und keine Lateinarbeiten.

Die Luft ist klar, man blickt wie durch ein Vergrößerungsglas. Selbst der Traktor in der Ferne scheint zum Greifen nah. Außerdem ist es windstill. Das Land atmet schwer und Marc mit ihm. Wir sitzen auf demselben Vorsprung wie damals. Der Ausblick ist erhebend, sogar Bernhard ist für einige Sekunden ganz in Anspruch genommen, bevor er sich wieder auf sein Leid besinnt: »Nachher hab ich garantiert einen Sonnenbrand.«

Wir fahren nach Frankreich, denke ich. Wir tun es tatsächlich. In das Haus von Onkel Hugo. In mein Haus. Das ich nie gesehen habe. Man fand ihn auf seinem Segelboot, das draußen auf dem Meer trieb. Der Notar sagte, es deute alles auf eine gezielte Selbsttötung hin. Offenbar hatte Onkel Hugo Knochenmarkkrebs und wollte sich ihm nicht ausliefern. Er war Internist, er wusste, was zu tun war.

»Hab was für dich.«

Marc zieht ein gefaltetes Blatt aus der Tasche und reicht es mir. 120 Gramm holzfrei, schätze ich, genau die richtige Stärke. Ich habe es ihn nicht einstecken sehen. Wahrscheinlich hatte er es bereits heute Morgen in der Tasche.

Ich beginne, den Flieger zu falten, und prüfe den Schwerpunkt. Heute könnte es gehen – bei so wenig Wind.

»Marc?«, sage ich.

»Hm?«

»Hab ich wieder einen Wunsch frei?«

»Vergiss es, Mann.«

Ich überlege, aus welcher Richtung der Wind kommt, aber da gibt es nichts zu überlegen. Kein Wind. Also lasse ich das Flugzeug nach Südwesten fliegen, nach Frankreich, ans Meer. Wir sehen ihm nach, Bernhard, Marc und ich, wie es in einer geraden Linie davonsegelt, ohne auch nur mit den Tragflächen zu zittern.

»Danke.« Jetzt habe ich es also doch gesagt.

»Weiß nicht, wovon du redest«, antwortet Marc.

Nach einigen Metern verlässt der Flieger den Windschatten des Berges und wird von einem Luftzug erfasst, der ihn in einem sanften Bogen nach rechts abtreibt, Richtung Parkplatz.

»Doch«, sage ich, »weißt du.«

»Halt einfach die Klappe.«

Der Flieger gerät in einen Luftwirbel, der ihn beinahe gegen den Felsen drückt, aber bevor es so weit kommt, zieht ihn eine plötzliche Strömung hinaus auf das offene Feld und um den Berg herum, bis er sich unseren Blicken entzieht. Unten krabbelt ein schwarzer Sportwagen wie ein Insekt auf den Rastplatz und parkt, von den Bäumen verdeckt, in der Haltebucht. Könnte der Maserati sein, der uns vorhin geschnitten hat, um die Tankstelle anzufahren.

»Prostata«, vermutet Marc. »Muss alle zehn Minuten raus. Was für ein Glück, dass es schnelle Autos gibt.«

»Können wir?«, fragt Bernhard.

Als wir den Abstieg hinter uns haben und uns durch die Brennnesseln in das Wäldchen vorarbeiten, wo es schattig wird, fragt Marc: »Und, Bernhard – wie war's?«

Bernhard ist mit Brennnesseltreten beschäftigt: »Eine Antwort hab ich da oben jedenfalls nicht gesehen.«

»Die müsste dir ja auch in den Hintern beißen, damit du sie bemerkst.«

Wir kommen gerade rechtzeitig aus dem Wäldchen und hoppeln die Böschung zum Parkplatz hinunter, um mitzuerleben, wie sich die Beifahrertür des Maserati öffnet, das heißt: Sie öffnet sich nicht, sondern wird aufgetreten. Eine Umhängetasche fliegt auf den Parkplatz, dann springt eine Frau aus dem Wagen – sie »springt« tatsächlich – und bleibt in der Tür stehen, die sie mit

ihrem Hintern aufhält, während eine Hand aus dem Wagen sie zuzuziehen versucht.

»Gib mir meinen Rucksack, Arschloch!«, schreit die Frau, und
wir drei bleiben stehen, mitten auf der Wiese, neben dem einbeto-
nierten Mülleimer.

Einen Moment ist es wie Armdrücken, er versucht, die Tür zuzuziehen, sie stemmt sich dagegen. Der Maserati ist nagelneu,
nicht mal ein Fliegenschiss auf der Scheibe.

»Meinen Rucksack, hab ich gesagt!«

Die Hand wird zurückgezogen, kurz darauf stolpert ein Back-
packer-Rucksack wie ein Lemming aus dem Wagen und landet
mit dem Gesicht voran auf dem Asphalt. Die Frau tritt von der
Tür zurück, die Hand zieht sie zu. Einen Augenblick später fährt
ihr der Maserati um ein Haar über die Füße.

»Amore am Arsch, du Wichser!«, brüllt sie ihm hinterher.

Dann ist er weg.

Die Frau richtet sich auf, rückt ihren Rock zurecht, der irgendwie nicht da ist, wo er hingehört, und ordnet die Träger ihres …
Was-auch-immer.

»Tank-Top«, sagt Marc von der Seite.

Alles an ihr ist unter Hochspannung, einschließlich ihres weißen Tank-Tops. Jeden Moment kann sie losfliegen und wilde Loo-
pings drehen. Schließlich wischt sie sich ihre blonden Locken aus
dem Gesicht und sieht zu uns rüber. Ich bin sicher, in diesem Augenblick kann man uns alle drei schlucken hören.

»Hätte nie gedacht, dass Scarlett Johansson per Anhalter fährt«,
sagt Marc.

Sie sieht uns an, als müsste sie einen Freistoß treten, und wir
seien die Mauer.

»Woher willst du denn wissen, dass sie eine Tramperin ist?«,
fragt Bernhard.

Sie klaubt ihre Tasche und ihren Rucksack auf, den sie kaum
schultern kann, schleppt beides zu uns herüber, lässt ihr Zeug ins
Gras fallen und sich auf eine Bank. Wir bewegen uns keinen Milli-
meter.

Schließlich legt sie ihren Arm auf die Lehne und dreht sich zu
uns um. »Was?«

Wissen wir offenbar auch nicht. Jedenfalls sagt keiner etwas. Schließlich fragt Bernhard: »Wer war'n das?«

Die Frau mustert uns und beginnt zu schmunzeln: »Rührt euch!«

Wir vergrößern den Abstand zwischen uns um einige Zentimeter, und Bernhard wiederholt: »Wer war'n das jetzt? Hat der dich beim Trampen mitgenommen?«

»Meinst du den Mensch gewordenen Samenstrang?«, fragt sie. »Franco. Wollte mich unbedingt mitnehmen.«

»Siehste«, sagt Bernhard zu Marc, »hab gleich gesagt: Die ist keine Tramperin.«

Marc hat nur noch Augen und Ohren für Scarlett. »Wo wolltest du denn hin?«

Sie dreht ihren Oberkörper, damit wir ihr Tank-Top besser sehen können und sie sich den Hals nicht verrenken muss. »Nach Genf, zu meiner Schwester.«

»Aber ohne Amore«, sagt Marc.

Scarletts sinnliche Lippen werden schmal wie Heftklammern. »Auf jeden Fall nicht mit Franco.«

»Und warum nicht?« Bernhard klingt, als sollten sich Frauen grundsätzlich glücklich schätzen, wenn Männer was von ihnen wollen. So stellt er sich das Paradies vor: Frauen, die ihm dankbar sind, weil er mit ihnen »Amore« macht.

»Ist das dein Ernst?«, fragt sie.

Bernhard zieht die Schultern hoch. »Ich meine – hey – warum nicht?«

»Wie heißt du eigentlich?«, will Marc wissen.

Sie schirmt mit der Hand die Augen ab: »Lilith. Und ihr?«

»Marc.«

»Bernhard.«

»Felix.«

»Also Bernhard, dann pass mal auf: Grob geschätzt gibt es eine *Million* Gründe, weshalb ich mit Franco niemals in die Kiste steigen würde. Einer davon – und das ist nicht mal der gewichtigste – ist: Ich steh nicht auf Männer.«

Marc, Bernhard und ich sehen aus, als warteten wir auf den Applaus und keiner klatscht.

»Worauf denn sonst?«, fragt Bernhard.

»Staubsauger«, antwortet Marc, und bevor Bernhard etwas erwidern kann: »Du kapierst aber auch gar nichts.«

»Sie steht auf Frauen«, kläre ich ihn auf.

Lilith genießt die Nachwirkung dieser Information, dreht ihr Gesicht in die Sonne, greift sich an die Stirn und sagt: »Scheiße.«

»Was denn?«, will Bernhard wissen.

»Meine Sonnenbrille ist gerade auf dem Weg nach Rom. Und außerdem ist diese Bank total schmierig.«

»Ach übrigens«, sagt Bernhard, »Genf liegt auf unserem Weg.«

Von jetzt an fahre ich. Habe mich sowieso schon gefragt, wann Marc mir die Schlüssel überantworten würde. Er fährt nicht gerne. Hat mit seinem Fuß zu tun. Ihm ist mal eine Sehne durchtrennt worden. Von einer Revolverkugel. Seitdem macht er beim Gehen mit dem rechten Bein eine unauffällige Schlenkerbewegung und kann feinmotorisch nicht mehr zuverlässig dosieren, was dazu führt, dass auf der Bühne sein Effektgerät manchmal verrückt spielt und er beim Fahren gelegentlich ruckartig beschleunigt oder abrupt bremst.

Zum ersten Mal sitze ich in Fahrtrichtung und sehe, was auf uns zukommt: Licht und Weite und Veränderung. Marc spukt immer noch die musikalische Idee von heute Morgen im Kopf herum, und wenn er sie nicht bald zu fassen bekommt, entschwindet sie für immer im Universum. Er teilt sich mit Bernhard die Rückbank, die Gitarre auf dem Oberschenkel, und versucht, seiner Phantasie Fesseln anzulegen, ohne ihr die Flügel zu stutzen. Bernhard weiß nicht recht, was er mit sich anfangen soll. Lilith sitzt neben mir, den Rücken zur Fahrtrichtung, und beobachtet die beiden. Die Sonne scheint senkrecht durch das Schiebedach, legt sich auf ihre Schultern und kitzelt ihr Dekolleté.

Irgendwann schnauft sie und sagt: »Ihr seid vielleicht ein komisches Trio.«

Marc hält die Saiten gedrückt, lässt den Akkord ausklingen und blickt zu ihr auf. Auch Bernhard sieht sie an. Und weil sonst keiner etwas sagt, frage ich:

»Was ist eigentlich passiert?«

Wieder schnauft sie. »Hat einer von euch eine Zigarette für mich?«

Sie fängt die Packung, die Marc ihr zuwirft, beiläufig auf und schüttelt sich eine Zigarette heraus.

»Eigentlich hab ich aufgehört«, sagt sie. Dann zieht sie den Rauch in die Lungen, als sei das die dümmste Entscheidung ihres Lebens gewesen.

»Auch eine?« Sie hält mir die Packung hin.

Ich mache ein Nein-Danke-Gesicht.

»Du rauchst nicht?«

Ich schüttle den Kopf.

Lilith zieht und lässt sich in den Sitz fallen. »Tut gut«, stellt sie fest.

»Warum hast du wieder angefangen?«, frage ich.

Sie betrachtet die Zigarette zwischen ihren Fingern: »Wie kommst du darauf, dass ich wieder angefangen habe?«

»War nur so 'ne Idee.«

Sie sieht aus dem Fenster. Rechts zieht Alsfeld an uns vorbei – ein liebenswertes Städtchen mit liebenswerten Einwohnern und einem Turm in der Mitte. Jedes Jahr zur Adventszeit versammelt sich der Posaunenchor auf dem Turm und verkündet die frohe Botschaft, dass wieder ein Jahr geschafft ist. Als die Stadt hinter einem Hügel verschwindet, drückt Lilith die Zigarette aus, setzt sich quer zur Fahrtrichtung, zieht die Knie an die Brust, stellt die Füße auf die Sitzfläche und lehnt sich gegen das Seitenfenster. Ihre rot lackierten Zehnägel blitzen in der Sonne.

Sie sieht mich an. »Also gut.«

7

Lilith hat gerade das Semester geschmissen. Eigentlich studiert sie Geobotanik, in Hannover, aber eigentlich hat sie ja auch mit dem Rauchen aufgehört. Keine Ahnung, ob sie weitermacht – mit dem Studium, nicht mit dem Rauchen. Das ist nur vorübergehend. Wenn ja, auf jeden Fall nicht in Hannover. Sie wollte eigentlich nicht in Hannover studieren – schon wieder eigentlich. Wer will schon nach Hannover, in eine Stadt, so spannend wie ein Reihenhaus?

Zwei Jahre ist das jetzt her. Lilith hatte ihr Abi gemacht, die Welt bereist, in Neuseeland Kiwis und in Chile Weintrauben geerntet, hatte einige Herzen gebrochen, ein paar Mal auch ihr eigenes, hatte in Australien ihre ersten Wellen gestanden und war mit einer Amerikanerin namens Megan im Himalaya bis auf 7300 Meter geklettert, ohne Sauerstoff. Und da war noch eine Menge Platz nach oben. Irgendwann bewarb sie sich für einen Studienplatz und bekam ihn in der größten Reihenhaussiedlung der Welt.

»Hannover«, schließt Bernhard.

»Messerscharf, der Junge.«

Lilith war also alles andere als begeistert. Dann ging das Semester los, »Einführung in die Gewässerökologie«, die Professorin betrat den Hörsaal, und Lilith zog es den Boden unter den Füßen weg.

Drei Tage später verirrten sich Laura, so der Name der Professorin, und eine Freundin in die Bar, in der Lilith bediente. Lilith hätte die Cocktailgläser um ein Haar neben der Tischplatte abgestellt. Am nächsten Abend war Laura wieder da. Ohne Freundin. Und ging. Mit Lilith. Sie war zwölf Jahre älter als Lilith, 38, doch das machte nichts. Sie war die Erfüllung aller Sehnsüchte, die Lilith je gehabt hatte. Sie war schön, sie war schlau, sie war sinnlich. Ja, sensibel war sie auch, und im Bett ... Scheiße, ich darf gar nicht daran denken. Lilith hätte sie nicht einmal zu träumen gewagt.

Nach ihrer ersten gemeinsamen Nacht erwachte Lilith in Lauras Bett, während Laura im Morgenmantel vor dem Fenster stand. Die Sonne schien durch den Spalt zwischen den Gardinen. Laura leuchtete wie ein göttliches Versprechen. Lilith fühlte sich, als liege ihr die Welt zu Füßen. 7300 Meter waren nichts dagegen.

»Ich hatte noch nie was mit einer Studentin«, erklärte Laura entschuldigend. Offenbar wollte sie Absolution für ihr schändliches Tun.

Lilith hatte anderes im Kopf. »Ich hatte noch nie was mit einer Professorin«, gab sie zurück. »Und jetzt zieh den Vorhang zu und komm ins Bett. Ich hab gerade erst angefangen.«

Drei Semester glaubte sich Lilith in einem Märchen. Okay, die Heimlichtuerei ging ihr irgendwann auf die Nerven. Was am Anfang noch spannend war – verbotene Liebe, uuh-huuu! –, wurde später zäh. An der Uni durfte niemand von ihnen wissen. Was für ein Witz. Wo ihr nach zwei Monaten sogar die komplett verschnarchte Bibliotheksgehilfin schon wissende Blicke zugeworfen hatte. Trotzdem wollte Laura auf jeden Fall den »Schein wahren« – etwas, das Lilith so dringend brauchte wie ein Loch im Kopf. Wann immer sie ausgehen wollten, ins Kino oder Theater, oder auch nur, um einen Kaffee zu trinken, mussten sie halbe Weltreisen unternehmen, und selbst dann wurde Laura niemals ganz die Angst los, sie könnten »entdeckt« werden. Doch der Aufwand war es wert, Lilith zweifelte keine Sekunde an ihnen.

Bis letzte Woche. Da wollte sie Laura mit Karten für die Impressionistenausstellung in Berlin überraschen. Das mit der Überraschung funktionierte, nur dass Lilith sie nicht mit den Karten überraschte, sondern Laura sie mit dem Dekan.

Sie wolle eben Kinder, erklärte Laura, bevor es zu spät sei. Einfach so. Mit dem Dekan. Der lebe schon lange von seiner Frau getrennt.

»Ich denke, du bist lesbisch«, sagte Lilith, »und liebst mich.«

»Ich will Kinder, Lilith.«

Marc hat sich mit seiner Gitarre in eine Sackgasse manövriert. Er hat drei Akkorde zusammengestöpselt, die jeder für sich nach nichts klingen, in ihrer Aufeinanderfolge aber Sinn ergeben. Nur dass Marc keine Ahnung hat, welchen.

»Was ist denn jetzt mit Franco?«, will Bernhard wissen.

»Der lässt dir keine Ruhe, was?«

Nach dem Desaster mit Laura entschied Lilith kurzerhand, das Semester zu schmeißen und zu ihrer Schwester zu fahren, wenigstens ein paar Tage, um den Kopf freizubekommen oder zumindest gemeinsam zu flennen. Und hier kommt Franco ins Spiel. Als Lilith einer Bekannten erzählte, dass sie nach Genf fahren wolle, bot deren Freund – Franco – ihr sofort an, sie mitzunehmen. Er fahre sowieso zu seinen Eltern nach Rom. Lilith hatte ein ungutes Gefühl bei der Sache. Italiener waren nun mal Machoarschgeigen. Möglich, dass es Ausnahmen gab, aber begegnet war Lilith noch keiner.

»Macht auf dicke Hose, aber am Ende ist es nirgends auf der Welt schöner als an Mamas Rockzipfel.«

»Da verallgemeinerst du aber ganz schön«, wirft Bernhard ein, der gerne ein bisschen mehr Italiener wäre.

Lilith wedelt mit ihrer Zigarette. »Ist das vielleicht *meine* Schuld?«

Franco jedenfalls hatte ihr angeboten, sie auf dem Weg nach Rom bei ihrer Schwester abzusetzen. In Hannover waren sie losgefahren, bei Göttingen hatte er versucht, ihr die Hand unter den Rock zu schieben, in Kassel wäre ihm beinahe die Hose geplatzt.

»Keine zwei Stunden hat er durchgehalten, dann wollte er ›Amore!‹. Seine Freundin hat ihm erzählt, dass ich lesbisch bin und außerdem gepiercte Brustwarzen habe – konnte er offenbar nicht auf sich sitzen lassen …«

8

Bernhard ist aus seiner Starre erwacht: »Woher weiß denn deine Freundin, dass du gepiercte Brustwarzen hast?«

»Ist nicht *meine* Freundin, sondern *seine*«, antwortet Lilith. »Ich kenn die nur vom Uni-Sport.«

Bernhard lässt nicht locker: »Und woher weiß sie dann von deinen Piercings?«

Lilith wirft Bernhard einen Blick zu, dem er kaum standhalten kann. »Wir haben beide die Angewohnheit, nach dem Sport zu duschen – verrückt, oder?«

Auf einmal ist es sehr ruhig im Bus. Nur der Motor dröhnt wie gewohnt.

Marc hat die Gitarre auf dem Schoß, spielt aber nicht mehr. Lilith zündet sich genüsslich eine Zigarette an.

»Glaub ich nicht«, sagt Bernhard. Wie immer ist er misstrauisch. Das ist seine Grundausstattung. Alles andere sind Extras gegen Aufpreis.

Marc legt die Gitarre zur Seite und fängt an, einen Joint zu bauen. Ist die Idee eben weg, was soll's. Alle kann man nicht festhalten – da kommt das Leben zu kurz.

»Du glaubst nicht, dass ich gepiercte Brustwarzen habe?«

»Ich glaube nicht, dass du lesbisch bist.«

»Ach nee. Und warum nicht?«

»Für eine Lesbe siehst du viel zu gut aus.«

Lilith wirft ihre Zigarette durchs Schiebedach und streckt ihre Hand nach Marcs Joint aus, bevor der richtig daran gezogen hat: »Darf ich mal?« Sie inhaliert, behält den Rauch in der Lunge und Bernhard im Blick. Als sie endlich ausatmet und Marc den Joint zurückreicht, sagt sie zu Bernhard: »In welchem Jahrhundert lebst du eigentlich?«

Bernhard taxiert sie mit einem Blick, der Glas schneiden könnte. Dabei legt er eine Hand ans Kinn und fährt den Zeigefinger aus: »Duuu … bist *keine* Lesbe. Das sagst du bloß, damit keiner von uns dich anmacht.«

Lilith lehnt sich zurück und lächelt. Ihr Gesicht glänzt in der Sonne: »Gutes Zeug«, sagt sie zu Marc.

Bis wir bei Frankfurt sind, schlafen alle außer mir. Ich mag das. Ist ein bisschen wie »das Rudel hüten« oder so. Liliths Kopf hat sich im Schlaf auf die Seite gedreht. Plötzlich sieht sie glücklich aus und sehr zart. Als sei sie frisch verliebt. Wenn sie die Augen öffnete, wäre ich das Erste, was sie sähe. Bei Bernhard ist nicht nur der Kopf verdreht, sein gesamter Körper ist zu einem Fragezeichen geformt. Marc dagegen scheint nur mal eben die Augen geschlossen zu haben.

Wir passieren den Flughafen. Viermotorige Düsenmaschinen mit 65 Meter Spannweite retten sich knapp über die Autobahn, um schwerfällig hinter dem Zaun aufzusetzen. Der Himmel ist übervölkert von ihnen. Durch das Schiebedach stürzt man kopfüber in einen Ozean voller Fische, die weiße Streifen hinter sich herziehen.

Als ich zum Tanken rausfahre, schlägt Lilith die Augen auf. »Geil«, sagt sie, »ich sterbe vor Hunger. Außerdem mach ich mir gleich in die Hose.«

Während ich noch darauf warte, dass eine Zapfsäule frei wird, steigt sie bereits aus dem Bus. Die Tür in der Hand, betrachtet sie mich. »Du siehst sagenhaft müde aus.«

»Hab nicht viel geschlafen«, antworte ich.

Sie zögert. »Du schläfst selten viel, kann das sein?«

Mit beiden Händen halte ich das Lenkrad fest. Dabei stehen wir in der Warteschlange. »Wie kommst du darauf?«

»Du siehst aus wie jemand, der zu wenig schläft«, sagt sie, als erkläre sich das von selbst.

»Meistens«, gebe ich zu.

»Heißt das, du bist *immer* müde?«

»Meistens.«

Lilith blickt auf die Rückbank. Marc und Bernhard rühren sich nicht. »Wie wär's mit 'nem Kaffee?«

»Nicht nötig, danke.«

»Wieso – trinkst du keinen?«

43

Offenbar ist Lilith jemand, der sich selten mit der ersten Antwort zufriedengibt. »Schon«, antworte ich, »geht aber auch ohne.«

Ich tanke, bezahle und will gerade den Motor anlassen, als Lilith auf den Bus zugelaufen kommt. Ich weiß nicht, wie sie es anstellt, aber sie läuft tatsächlich – trotz Flaschen unter den Armen und zwei Brötchentüten in jeder Hand. Es gelingt ihr ein Lächeln, obwohl von ihren Zähnen ein Plastikbecher baumelt. Ich öffne von innen die Beifahrertür.

»Hier.« Sie hält mir mit den Zähnen den Becher hin – Latte Macchiato mit Schraubverschluss aus dem Kühlregal. »Fies geiles Zeug.«

»Ich hab doch gesagt, es geht auch ohne«, sage ich.

»Danach hab ich aber nicht gefragt.«

Lilith behauptet, das Essen sei für uns alle, aber Marc und Bernhard denken nicht ans Aufwachen, und so sehe ich nacheinander drei belegte Brötchen und eine Apfeltasche in ihrem Mund verschwinden. Anschließend nimmt sie sich eine von Marcs Zigaretten.

»Wo fahrt *ihr* eigentlich hin?«

»Nach La Ciotat«, sage ich.

»Wo ist *das* denn?«

»Weiß ich nicht genau«, sage ich.

Und dann erzähle ich ihr von dem Haus und dass ich nicht erklären kann, weshalb ich Onkel Hugo dort nie besucht habe. Dass er einfach irgendwann aus meinem Leben verschwunden ist.

Als ich mit meiner Geschichte fertig bin, ist auch der Becher leer. »Danke für den Kaffee«, sage ich.

Wir schieben uns im Gleichschritt mit tausend anderen über die verengten Spuren einer Baustelle irgendwo südlich von Darmstadt. Lilith kurbelt das Fenster herunter. Ihre Locken beginnen zu tanzen.

»Danke fürs Mitnehmen.«

»Ist nicht mein Bus«, sage ich.

»Aber deine Reise.«

Ich lasse es einen Moment sacken, bevor ich sage: »Du hast gerne das letzte Wort, stimmt's?«

»Stimmt.«

9

Kurz hinter Mannheim schreckt Marc aus dem Schlaf auf. Im Traum ist ihm die Lösung für seine Idee gekommen.

»Ich hab's!«, ruft er und greift sich die Gitarre. Nach wenigen Minuten hat er einen Reigen aus Akkorden geknüpft, der jedesmal, bevor er sich zu einem Kreis schließt, einen neuen Anfang nimmt.

»Wow!« Lilith ist ehrlich beeindruckt, als ihr klar wird, dass Marc kein Lagerfeuer-Klampfenheini ist, wie sie vorhin gedacht hat, sondern einer, der wirklich was draufhat. »Das ist cool! Klingt wie dieses eine Stück von Ben Harper ... Morning, Yearning.«

Marc bricht ab, als er gerade das richtige Picking gefunden hat. »Das ist das Problem«, antwortet er. »Alles klingt wie etwas, das es schon gibt.«

»Aber Ben Harper ist doch ganz weit vorne!«

»Schon. Nur bin ich nicht Ben Harper.«

»Besser, du klingst wie Ben Harper, als du machst irgendwas, das einem die Fußnägel aufrollt, nur weil es noch nie da war.«

Während Marc seine Gedanken ordnet, suchen seine Finger alleine weiter. »Gut wäre«, überlegt er, »etwas zu finden, das du kennst und das trotzdem noch nie da war.« Er zupft einen neuen Akkord, der ihm beim Sprechen unter die Finger gerutscht ist. »Fis moll mit kleiner Septime«, stellt er fest und kratzt sich seinen Lockenkopf. Unsere Blicke treffen sich im Rückspiegel. »Wie findst'n den?«

Ich versuche, mich auf den Klang einzulassen. Marc zupft ihn im Kreis. Da reibt etwas, aber ganz weich. »Schön«, sage ich, »Sonnenaufgang bei Nebel.«

Marc schüttelt den Kopf: »Ja, schön ist er. Aber nicht da, wo ich ihn brauche. Mit der Musik ... das ist wie mit dem Leben, Mann: Alles macht nur Sinn, wenn es da ist, wo es hingehört.

Und dieser Fis-moll-Septakkord gehört definitiv woandershin.«
Er dreht an den Wirbeln und zieht die Saiten nach. »Und ich
dachte, ich hätte ihn.«

In einem Wald hinter Freiburg legen wir unsere letzte Pause ein.
Die Luft ist getränkt von Frühlingsduft, alles saugt sich voll, mit
Farbe, mit Leben, das große Fressen, bevor der Sommer kommt
und alles austrocknet.

Lilith steht abseits und hält sich ihr Handy ans Ohr. Laura,
denke ich, sie telefoniert mit ihrer Professorin. Ich sehe das Hoffen in ihrem Gesicht, ihre Zähne blitzen auf, und dann wird mir
klar, dass sie umkehren wird. An der nächsten Tankstelle lässt sie
sich von uns absetzen und tritt den Rückweg an.

Sie kommt zurück und sieht mich forschend an: »Tut dir was
weh oder so?«

»Mit wem hast du denn da eben telefoniert?«, frage ich, als sei
sie mir eine Erklärung schuldig.

»Mit meiner Schwester. Ihr könnt alle bei ihr pennen. Cool,
oder?«

Bernhard macht das, was er immer macht, sobald wir anhalten:
Liegestütze. Wahlweise auch Klimmzüge. Der Rauch im Bus
bringt ihn zur Verzweiflung. Es ist wie eine Folter, zentimeterweise frisst sich das Gift in ihn hinein. Also macht er immer,
wenn er sich gerade mal zurücklehnen könnte, Liegestütze oder
fängt an zu rennen. 50 am Stück, dann noch einmal 50, dann noch
mal.

Anschließend geht auch er ein paar Schritte und hält sich sein
Handy ans Ohr. Ich weiß, wo er anruft: im Rosengarten. Er fragt
nach, wie es seiner Mutter geht und ob sie ihn heute vermisst hat.
Der Mutter geht es wie gestern und vorgestern und all die Tage
davor. Und ob sie ihn heute vermisst hat? Ach, Herr Niemeyer,
wer weiß das schon?

Bernhard steht auf einem Sonnenflecken, der über das Gras
zuckt. Ich sehe sein Gesicht traurig werden. Er würde gerne mit
ihr reden, ihr alles erklären, sie teilhaben lassen. Doch sie kann
nicht antworten. Ihr Herz schlägt noch, aber es kommt nichts
mehr zurück.

»Was hat er denn?« Lilith steht neben mir. Wir teilen uns einen Sonnenfleck.

»Kummer.«

»Kann man da nichts machen?«

»Kannst du Parkinson heilen?«

Sie sieht mich von der Seite an. »Sehr witzig.«

»Dann nicht.«

Es wird still im Bus. Marc hat seinen Song nicht gefunden, Bernhard hat eine Mutter, der er seit Jahren beim Sterben zusehen muss, Lilith erblickt durch die Heckscheibe den Scherbenhaufen, den sie gerade zurücklässt. Auch der Tag kommt zur Ruhe. Tiere verkriechen sich im Unterholz, Insekten fliegen in ihre Nester zurück, Blütenkelche schließen sich.

Von Ferne rücken Berge heran, richtige Berge diesmal – steinerne Titanen, die bedrohlich in den Abendhimmel aufragen. Wenig später umringen sie uns, der Auspuff röhrt, und ich gebe mein Bestes, den dritten Gang festzuhalten. Und dann, unerwartet und größer, als mein Blick ihn fassen kann, breitet sich der See unter uns aus, glänzend, wie poliert, in fast schwarzem Violett. Manche der Titanen versinken hüfthoch im Wasser, umschleiert von Nebelschwaden, die sich zwischen den Felsen hindurchwinden und vom Zwielicht verschluckt werden.

»Na?«, fragt Lilith. »Hab ich euch zu viel versprochen?«

»Hossa«, sagt Marc.

Bernhard sagt nichts. Er wünscht sich, seine Mutter könnte das sehen. Ich halte an, und für einige Minuten blicken wir einfach nur auf den See hinab.

Hinter Lausanne lässt Lilith mich von der Autobahn abfahren und dirigiert mich eine gewundene Straße hinab, auf der wir die letzte halbe Stunde entlang des Sees fahren. Wann immer sich der Blick auf das Wasser öffnet, sieht man durch den Dunst die sich spiegelnden Lichter auf der anderen Seeseite. Letzte Boote treiben im schwindenden Tageslicht mit faltigen Segeln ihren Liegeplätzen entgegen.

Viel ist es nicht, was ich über Onkel Hugos Leben weiß: Seine

Arztpraxis hat er letztes Jahr an einen Kollegen verkauft, ein Boot, keine Kinder, war nie verheiratet. Ich frage mich, ob er ein erfülltes Leben hatte. Ob es so war, wie er es wollte. Und ob es so endete wie dieser Tag: Mit der Gewissheit, dass alles da war, wo es hingehörte. Ob er bis zuletzt nach vorne geblickt hat oder ob sich irgendwann auch sein Sitz gedreht hat und er nur noch sah, was bereits hinter ihm lag.

Es gab eine Zeit, da sah Andra genauso gut aus wie ihre kleine Schwester – vor der Hochzeit und vor den Kindern. Attraktiv ist sie immer noch, wenngleich auf andere Weise: auf tragische. Im Flur hängen gerahmte Bilder aus unbeschwerten Zeiten, auf denen Lilith und sie noch das gleiche Leuchten in den Augen haben. Inzwischen ist es erloschen und durch einen sehnsuchtsvollen Zug um den Mund ersetzt worden.

Die Freude über das Wiedersehen mit ihrer Schwester ist überschwänglich. Am liebsten würde sie Lilith gar nicht mehr aus ihrer Umarmung entlassen. Patrick, der Kleine, schläft schon, Nicklas, vier Jahre und schon groß, ist noch auf, weil er unbedingt auf seine Tante warten wollte und jetzt so an ihrem Bein hängt wie Andra an ihrem Hals.

»Jetzt kriegt euch mal wieder ein«, sagt Lilith, löst sich aus Andras Umklammerung und nimmt Nicklas auf den Arm.

»Lilu!«, ruft er und reibt seinen Kopf an ihrer Schulter. »Tante Lilu!«

»Klaus!«, ruft Andra, »Lilith und ihre Freunde sind da!«

Es ist nicht ganz klar, warum das so ist, aber als sich am Ende des Flures die Flügeltür öffnet und Klaus heraustritt, erstarrt für einen Moment sämtliches Leben. Meins eingeschlossen. Dabei erscheint Klaus auf den ersten Blick ebenso unspektakulär wie sein Name. Er ist mittelgroß, eher fünfzig als vierzig, und seine Haare beginnen sich zu lichten. Zwischen Daumen und Zeigefinger baumelt eine Lesebrille. Offenbar gehört er zu den Menschen, die, wenn sie aus dem Büro nach Hause kommen, ihr Jackett zwar aufhängen, den Rest ihres Anzugs aber anlassen, Krawatte inbegriffen.

Seine müden Augen blicken den Flur hinunter. »Guten Abend«, sagt er.

Danach setzt das Leben wieder ein. Nicklas springt Lilith aus dem Arm und läuft zu seinem Vater. »Tante Lilu!«, ruft er und zieht Klaus am Hosenbein.

»Das sehe ich«, sagt Klaus und nickt Lilith zu. »Na, dann können wir ja jetzt essen.«

Im Esszimmer wartet ein gedeckter Tisch auf uns, doch vorher bringen wir noch unsere Sachen ins Gästezimmer: ein Doppelbett, zwei Besuchermatratzen, die auf dem Boden liegen, weiße Fliesen, 30 mal 30, diagonal, mit grauen Fugen. Lässt sich am einfachsten sauber halten. Der Rest der Wohnung sieht aus wie ein IKEA-Showroom, der nicht nach IKEA aussehen soll.

Nachdem Lilith sie von unterwegs angerufen hat, um anzukündigen, dass es drei mehr werden, ist Andra noch einmal aufgebrochen, um Fleisch nachzukaufen. Es gibt Geschnetzeltes nach Züricher Art, dazu einen Rotwein, den Klaus nach einem wehmütigen Blick auf das Etikett entkorkt. Nicklas ist müde und überdreht, will nichts essen und möchte am liebsten den ganzen Abend auf dem Schoß seiner Tante verbringen. Zweimal sagt er: »Papa?«, und bekommt zur Antwort: »Jetzt nicht.« Er möchte Lilith zeigen, dass er schon seinen Namen schreiben kann, mit vier, und MAMA und PAPA und PATRIK und LILU.

Er geht aus dem Zimmer, findet einen Stift, aber kein Papier, kommt wieder herein, geht zu Klaus und sagt: »Papa, wo …«

»Nicht jetzt, hab ich gesagt!«

So schweigsam Klaus ist, so mitteilsam ist Andra. Zwischen ihre Sätze passt kaum ein Reiskorn: die Kinder, die neue Wohnung, die Handwerker, dass Nicklas nächstes Jahr eingeschult wird und sie sich nicht entscheiden können, auf welche Schule sie ihn geben sollen, die Eltern, die täglichen Mühen, und natürlich Klaus, der sooo viel zu tun hat, jetzt noch mehr als sonst, wo »das Projekt« in der heißen Phase angekommen ist, der arme Klaus, stimmt's, Klaus?

Klaus blickt auf, als wolle er sagen: Jetzt nicht.

Er arbeitet am Cern, und »das Projekt« ist der neue Teilchenbeschleuniger, den man in jahrelanger Arbeit durch die Erde gefräst hat und der jetzt kurz vor der Inbetriebnahme steht. Als Bernhard fragt, worin Klaus' Aufgabe bestehe, antwortet Andra:

»Das müsst ihr euch von Klaus erklären lassen, dafür bin ich zu dumm, fürchte ich. Klaus?«

Klaus blickt auf. »Hm?«

»Wir haben uns gefragt, was genau Sie da machen – bei dieser Teilchen-Carrerabahn«, sagt Marc.

»Oh.« Klaus legt die Fingerspitzen aneinander. Sein Interesse an uns, das haben inzwischen alle bemerkt, ist in etwa so groß wie Marcs Interesse an Wurzelgleichungen. Doch es ist nichts Persönliches, er hat einfach am liebsten seine Ruhe. »Das ist sehr komplex. Wie alles dort …«

»Probier es doch mal«, sagt Lilith und wirft ihrer Schwester einen Seitenblick zu. »Vielleicht sind wir ja gar nicht sooo dumm und verstehen es trotzdem.«

Sie hat Nicklas ein Blatt besorgt. Der sitzt wieder auf ihrem Schoß, verzieht seinen Mund und reiht mit äußerster Konzentration Buchstaben aneinander. Schwerstarbeit für einen Vierjährigen. Trotzdem ist er ganz versessen darauf.

»Wenn *ich* es nicht verstehe …«, sagt Marc mit vollem Mund und deutet mit dem Messer in meine Richtung, »*der* da kapiert's garantiert. Felix ist ein Genie.«

Klaus' Mundwinkel verziehen sich zu etwas, das ich als Lächeln deute: »Ein Genie, so so …« Er nimmt die Serviette aus dem Schoß und lässt sie aus zwanzig Zentimetern auf den Tisch fallen. »Na, ich kann es ja versuchen«, sagt er und beginnt, uns zu erklären, dass der Teilchenbeschleuniger des Cern nirgendwo auf der Welt seinesgleichen hat: Der LHC – der Beschleunigerring – ist 27 Kilometer lang. Tatsächlich verläuft er in exakt 115 Metern Tiefe genau unter dem Tisch durch, an dem wir gerade sitzen. Ab August werden dort mit nie zuvor erreichter Geschwindigkeit Atomkerne aufeinandertreffen, die durch die Wucht des Aufpralls in ihre Einzelteile zersplittern, sich dabei auf mehrere Billionen Grad erhitzen und für den billionstel Teil einer milliardstel Sekunde die DNA des Universums offenbaren. Eine Urknall-Simulation, zehntausendmal pro Sekunde. »Wir werden zum Ursprung allen Seins vorstoßen«, erläutert Klaus, der jetzt ganz in seinem Element ist. »Zum ersten Mal wird der Mensch begreifen, *was* er eigentlich ist.«

»Wo andere schon froh wären, wenn sie wüssten, *wer* sie sind«, nuschelt Marc.

»Und worin genau besteht Ihre Aufgabe?«, fragt Bernhard.

Die Teilchen, erklärt Klaus, werden durch ein Magnetfeld in der Spur gehalten, 10 000 Magneten, die die Beschleunigerrohre ummanteln und den Protonenstrahl in die Kreisbahn zwingen. Das allerdings gelingt nur, wenn der Strom widerstandslos durch die Magneten fließt, und das wiederum bedeutet, dass sie auf konstant minus 271 Grad gekühlt werden müssen. »Zehntausend Magneten, bei minus 271 Grad. Könnt ihr euch vorstellen, wie so etwas funktioniert?«

»Keine Ahnung«, gesteht Bernhard.

Es ärgert ihn, dass er nicht darauf kommt. Er hat Maschinenbau studiert, war einer der Besten. Nanotec hat ihn sofort eingestellt. Wenn er die Ergebnislisten einer Materialprüfung auswertet, braucht er keine fünf Minuten, um den Finger in die Wunde zu legen. Und jetzt sitzt er hier und muss sich vorführen lassen.

»Supraflüssiges Helium«, schlage ich vor.

Klaus sieht mich an, als bemerke er erst jetzt, dass ich mit am Tisch sitze: »Supraflüssiges Helium«, wiederholt er. »Eine Flüssigkeit, mit der sonst bestenfalls in Fingerhutgröße experimentiert wird. Und wir brauchen hundert Tonnen davon.« Er schüttelt den Kopf bei dem Versuch, die Bedeutung seiner eigenen Arbeit zu ermessen. »Das ist der Bereich, den ich verantworte. Wenn das Kühlsystem versagt und sich auch nur *ein* Magnet um ein paar Grad erwärmt, dann …«

»Durchschlägt der Protonenstrahl das Metall und bringt es zum Schmelzen«, sage ich.

Klaus taxiert mich: »Genau so ist es.«

Marc schiebt sich zwei Gabeln Reis in den Mund. »Hab doch gesagt, er ist ein Genie.«

Hinter Klaus' Pupillen geht eine unsichtbare Veränderung vor. Eben noch verschwendete er seine Zeit an eine lästige Person, die seinen guten Wein trank und die noch dazu seine lesbische Schwägerin angeschleppt hatte, jetzt plötzlich sitzt ihm jemand gegenüber, der seinen Gedanken folgen, ihm vielleicht sogar das Wasser reichen kann, womöglich gar ein Gegner?

»Und?«, fragt er, während er Messer und Gabel auf dem Teller kreuzt, »ist dieses Genie auch des Schachspiels mächtig?«

Wir spielen im Wohnzimmer. Ich werde angewiesen, auf einem weißen Ledersofa Platz zu nehmen. Klaus trägt die Weingläser herbei, schenkt nach, zieht sich einen Stuhl heran, damit wir uns gegenübersitzen. Lilith bringt Nicklas ins Bett, Bernhard hilft Andra in der Küche, Marc geht auf den Balkon und raucht seinen Gute-Nacht-Joint.

Der Couchtisch besteht zu zwei Prozent aus Messing und zu 98 aus Glas. Klaus stellt ein gläsernes Schachbrett darauf, mit gläsernen Figuren. Wann immer er auf meinen nächsten Zug wartet, sehe ich durch das Brett und den Tisch hindurch, wie sein rechter Schuh unhörbar auf den weißen Teppich klopft.

Bei Zug Nummer 18 öffne ich Klaus unauffällig eine Hintertür zu meiner Festung, an der er munter vorbeigaloppiert. Drei Züge später öffne ich die Vordertür. Er grübelt einen Moment und schiebt seinen Läufer daran vorbei. Mit dem 24. lasse ich die Zugbrücke herab und warte so lange, bis sein Bauer praktisch darüberstolpert. »Ha«, ruft Klaus, als er begreift, was ihm da in den Schoß gefallen ist. Sechs Züge später erstürmt eine Spezialeinheit die Hoheitsgemächer und reißt meinem König den Kopf ab.

Klaus steht auf und gibt mir die Hand. »Gut gespielt«, sagt er. Jetzt, da er glaubt, mich geschlagen zu haben, siezt er mich sogar. »Was Ihnen fehlt, ist der Wille.« Er bohrt seinen Zeigefinger durch eine imaginäre Burgmauer direkt in mein Brustbein hinein. »Die Stoßrichtung muss stimmen.« Er lächelt milde. »Leider lässt sich das nicht erlernen. Das ist einem gegeben. Oder eben nicht.«

»Danke«, sage ich.

Lilith sitzt noch mit ihrer Schwester in der Küche, als Bernhard, Marc und ich ins Bett gehen. Schon beim Zähneputzen merke ich, dass Marc etwas beschäftigt. Kaum hat Bernhard die Tür hinter uns geschlossen, platzt es aus ihm heraus.

»Wieso lässt du den gewinnen, hey? Und erzähl mir jetzt nicht, er sei besser als du. Ich hab's an deinem Gesicht gesehen – du hast nicht mal richtig nachgedacht.«

»Doch«, entgegne ich. »War wirklich nicht einfach.«

»Was war nicht einfach?«

»Ihn gewinnen zu lassen.«

Einen Moment bilden wir ein perfektes Dreieck, Bernhard, Marc und ich. Als ich auf den Boden sehe, erkenne ich, dass wir Figuren sind, auf einem diagonal verlegten Schachbrett, mit Feldern in 30 mal 30, alle in Weiß.

»Du hast ihn gewinnen lassen?«, fragt Bernhard.

Ich rücke zwei Felder nach links und bringe mich aus der Schusslinie. »Ich dachte, wenn ich ihn gewinnen lasse, hat er vielleicht mal Zeit für seinen Sohn«, sage ich.

Marc und ich teilen uns das Doppelbett. Wir sitzen auf der Kante und zählen Bernhards letzte Liegestütze mit, als sein Handy klingelt und er aufspringt, als sei er ertappt worden. Noch ganz außer Puste, checkt er das Display, zieht verwundert die Brauen in die Höhe, hält sich das Handy ans Ohr und sagt: »Hallo!«

Marc und ich sehen uns an. So, wie Bernhard ›Hallo‹ sagt, kann das nur eins bedeuten: Zoe ist dran.

Minutenlang hören wir Bernhard Sätze mit maximal zwei Worten sagen: Ja, nein, kein Problem, natürlich nicht, in Genf, ja, Und warum? Aha, macht nichts, bestimmt, nein, ganz sicher, ganz bestimmt, elf zwanzig, Genf, am Flughafen, klar doch, bis dann. Im letzten Satz steigert er sich auf drei Worte: »Ich freu mich.« Er beendet die Verbindung und starrt sein Handy an, als erwarte er einen aus dem Display springenden Boxhandschuh.

»Das war Zoe«, sagt Bernhard.

Marc: »Ach.«

Ich: »Echt?«

»Sie fragt, ob wir sie doch mitnehmen können.«

Marc und ich tauschen einen weiteren Blick.

»Sie hat einen Flug gebucht, Ankunft elf Uhr zwanzig. Ich hab ihr gesagt, dass wir sie abholen.« Bernhards Blick ist eine Mischung aus *ich weiß, ich hätte euch wenigstens fragen müssen* und *sagt jetzt bloß nicht nein!* Noch immer hält er sein Handy umklammert.

Marc steht auf und macht das Licht aus: »Freut mich, dass auch dir kleinere Umwege nichts mehr ausmachen.«

Bernhard schläft wie aufgebahrt, auf dem Rücken liegend, die Hände auf der Brust gekreuzt. Marc hat sich neben mir in seine Decke eingerollt, sich zur Wand gedreht und schnarcht. Lilith und Andra reden noch in der Küche. Manchmal wird Lilith energisch, dann sagt Andra, sie solle doch bitte leiser sein. Irgendwann weint Andra. Oder Lilith. Oder beide. Ich frage mich, was Onkel Hugo an meiner Stelle getan hätte – ob er Klaus hätte gewinnen lassen. Oder eben nicht.

Es ist nach drei, als Lilith ins Zimmer kommt. Ich schließe die Augen und stelle mich schlafend. Einen Moment verharrt sie neben dem Bett. Sie riecht gut. Eine Mischung aus Seife und Sonne. Schließlich stößt sie ein »Pffft« aus und legt sich auf die freie Matratze.

»Schläfst sowieso nicht«, flüstert sie ins Dunkel des Zimmers hinein.

Eine Zeitlang ist nur Marcs gleichmäßiges Schnaufen zu hören. Dann sagt Lilith plötzlich: »Wie kann man sich nur so klein machen?«

Ich antworte nicht.

»Ich meine meine Schwester«, ergänzt sie.

»Dachte ich mir.«

»Dachte ich mir, dass du dir das dachtest.«

»Du willst wieder das letzte Wort haben, stimmt's?«

»Immer.«

»Gute Nacht.«

»Selber.«

11

Als ich sieben war, schenkte mir Onkel Hugo einen Schachcomputer zu Weihnachten. Meine mathematische Begabung ließ ihm keine Ruhe.

»Einen Mephisto Roma?«, fuhr mein Vater ihn an. »Warum nicht gleich Figuren aus Massivgold?«

Das Spielbrett war aus Holz, wie das von Vater, mit gedrechselten Figuren. Nur dass es zusätzlich ein Fach zum Ausziehen gab, in dem ein Modul eingearbeitet war, 32 Bit, wie Vater erklärte. In der Mitte zeigte ein fingergroßes LCD-Display die Züge an. Inzwischen wusste ich auch, was das Wort »Begabung« bedeutete. Meine Lehrerin hatte es mir erklärt. Begabung war, wenn man etwas besser konnte als andere.

Sebastian bekam ein Rennrad, zwölf Gänge, nachtblau, mit goldener Schrift. Er hatte sich eins von Peugeot gewünscht, aber Vater hatte entschieden, dass es ein deutsches Fabrikat sein sollte. »Die Franzosen verstehen nichts von Technik«, meinte er.

Als Vater dieses Jahr fragte: »Wie sieht's aus, Hugo?«, sagte mein Onkel zu mir: »Wie sieht's mit *dir* aus, Felix? Möchtest du zuschauen?«

Ich nickte und folgte ihnen ins Arbeitszimmer.

Vater verlor, wie jedes Jahr. Er hatte mehr Geld, aber Onkel Hugo war schlauer.

»Eines Tages krieg ich dich«, sagte Vater, »und dann reiße ich deinem König den Kopf ab.«

Er stand auf, ließ Hugo und mich im Arbeitszimmer zurück und ging ins Wohnzimmer, wo er sich einen Whiskey aus der Hausbar einschenken würde, einen großen.

»Wieso will Papa deinem König den Kopf abreißen?«, fragte ich.

Onkel Hugo blickte auf das Brett und begann seine Pfeife zu stopfen. »Ich fürchte, er war zu lange beim Militär – das färbt ab. Außerdem hasst er es zu verlieren.«

Beim Militär, das hatte Vater mir erklärt, lernte man zu kämpfen. Ich hoffte, dass ich nicht auch zum Militär musste, wenn ich groß war. Ich wollte den Kopf nicht abgerissen bekommen, und ich wollte auch niemandem den Kopf abreißen müssen.

»Hasst du es auch, wenn du verlierst?«, fragte ich.

»Nein.« Onkel Hugo rieb sich das Kinn. »Hass bringt nichts.«

»Warum lässt du ihn dann nicht einfach mal gewinnen?«

»Das könnte ich schon machen.« Onkel Hugo ließ den Gedanken in der Luft schweben wie einen seiner Rauchkringel. »Aber weißt du: Eigentlich, glaube ich, spielt dein Vater gegen mich, um zu verlieren.«

Das verstand ich nicht. »Aber warum?«

Onkel Hugo senkte wieder seinen Blick und betrachtete die stummen Zeugen von Vaters Niederlage. Der Kampf war vorbei. Die Bauern, die überlebt hatten, standen herum und fragten sich, wohin.

»Ganz ehrlich«, sagte er, »ich weiß es nicht. Vielleicht will ich auch nur, dass er meinem König nicht den Kopf abreißt.« Er nahm Vaters schwarzen König und stellte ihn an seinen Platz zurück. »Soll ich dir die Regeln erklären?«

Zweiter Tag

What is the purpose of my life
If it doesn't have to do
With learning to let it go

(Jack Johnson)

12

Liliths Schwester wohnt nicht, wie wir erwartet haben, in Genf selbst, sondern in einem kleinen Vorort, der sich über einen Berghang verteilt und über einen schmalen Serpentinenweg zu erreichen ist. Auf dem Frühstückstisch türmt sich das Schweigen. Nach dem Gespräch mit ihrer Schwester letzte Nacht sind selbst Andra die Worte ausgegangen. Hinter der Panoramatür erstrahlt ein neuer Tag in hellem Glanz. Ein Zipfel des Sees leuchtet türkisfarben zu uns herauf. Die Boote, die am Abend ihren Schlafplätzen zutrieben, ziehen mit gestärkten Segeln dem Tag entgegen.

Klaus ist hinter der Neuen Zürcher Zeitung verschwunden. Irgendwann stolpert Patrick herein, 18 Monate alt. Er hat die blonden Locken seiner Tante, rudert beim Gehen mit den Armen in der Luft und schafft es bis zum Tisch, ohne hinzufallen.

»Hier stinkt's«, bemerkt Klaus.

Wortlos erhebt sich Andra, nimmt Patrick auf den Arm und geht ihm die Windel wechseln. Wenig später faltet Klaus die Zeitung zusammen und verlässt die Wohnung, um am Cern seine Magneten zu kühlen. Marc, Bernhard und ich packen unsere Sachen zusammen. Als ich aus dem Bad komme, stehen Lilith und Andra in der Küche. Lilith hat Patrick auf dem Arm, Andra räumt den Aufschnitt in seine Tupperdose zurück und verstaut diese im Kühlschrank.

»Hat dein Mann eigentlich einem seiner Kinder auch schon mal selbst den Hintern abgewischt?«, fragt Lilith, während Patrick mit seinen Fingern in ihren Haaren Verstecken spielt.

»Schön wär's.«

»Und warum nicht?«

Andra wischt sich ihre Hände an einem Küchentuch ab. »Er macht es einfach nicht.«

»Und du nimmst das einfach so hin, ja?«

Statt zu antworten, wendet Andra sich ab und räumt die Teller in die Spülmaschine. Ich gehe packen.

Marc und ich sitzen über unseren Taschen und beobachten Bernhard dabei, wie er seinen Alukoffer einsortiert. Plötzlich betritt Lilith das Zimmer und lehnt sich gegen die Tür, als wolle sie uns den Ausgang versperren.

»Jungs …« Sie verschränkt die Arme, was etwas mit ihren Brüsten macht, das Bernhard innehalten lässt, und kaut auf der Unterlippe. Irgendwann treten Tränen in ihre Augen. Die Verschlüsse von Bernhards Alukoffer klicken. Fertig, wir können. »Nehmt ihr mich mit?«

Wir sitzen im Bus und warten. »Gebt mir zehn Minuten«, hatte Lilith gesagt, als sie uns zur Tür hinausschob. Inzwischen sind zwanzig vergangen. Bernhard blickt nervös auf seine Uhr. Er fürchtet, Zoe könnte auf dem Absatz kehrtmachen und wieder in den Flieger steigen, wenn wir nicht da sind, um sie in Empfang zu nehmen. Wir sind ohnehin schon spät. Die Morgensonne glänzt heiß auf dem Asphalt und schneidet ihn entlang der Häuserschatten in zwei Teile. Vom Bäcker an der Ecke weht der Duft von Baguettes und Croissants über die Straße.

Gegenüber öffnet sich die Gartenpforte. Liliths Locken glänzen in der Sonne wie eine Verheißung. Sie ringt sich ein Lächeln ab. Ihr T-Shirt liegt enger an, als es müsste, ist rot wie ein STOP-Schild, und als sie zu uns auf die Schattenseite wechselt, erkennen wir auch den Schriftzug, der sich über ihre Brust spannt:

FREMDE LÄNDER
FREMDE TITTEN

Als sie auf den Beifahrersitz klettert, kleben drei Augenpaare an ihrem T-Shirt.

»Ich dachte, ich gehe es mal offensiv an«, erklärt sie. Und dann: »Also von mir aus können wir.«

Der Genfer Flughafen ähnelt einem Kreuzfahrtschiff. Langgezogene Decks mit Bars und Shops, gefüllt mit gelangweilten Menschen: alles gesehen, alles erlebt. Wie von Bernhard prophezeit, kommen wir zu spät. Doch Zoes Flug hat noch mehr Verspätung als wir, eine halbe Stunde, mindestens.

Wir lassen uns durch die -1-Ebene treiben und landen im »Montreux Jazz Café«, wo wir uns unter ein künstliches Kellergewölbe aus Pappmaché setzen. Aus unsichtbaren Lautsprechern plätschern Jazz-Standards, die man nicht voneinander unterscheiden kann, die man aber alle zu kennen glaubt.

Bernhard findet, wir sollten uns lieber nicht hinsetzen, sonst verpassen wir am Ende Zoe, aber Marc meint, wenn sie erst einmal anfangen, Verspätungen anzuzeigen, wird es am Ende sowieso immer noch mehr. Außerdem: »Erst den ganzen Morgen brauchen, um seinen Koffer zu packen, aber dann keine Zeit für'n Kaffee.«

Noch bevor die Getränke an unseren Tisch gebracht werden, beginnt Marcs linkes Bein zu wippen. Er verachtet Jazz. Stundenlang um dieselben Harmonien kreisen, ohne jemals irgendwo anzukommen. Wer denkt sich so was aus? »Alt werden im Laufrad und sterben, ohne dass es jemand merkt«, erklärt er. »Das ist Jazz.«

Bernhard sagt nichts. Er denkt an Zoe und dass wir sie möglicherweise verpassen könnten. Lilith an ihre Schwester. Irgendwann wendet sie mir den Kopf zu.

»Findest du, ich sollte ein schlechtes Gewissen haben, weil ich nicht geblieben bin?«

»Ist keine Frage von sollen, oder?«

Lilith schüttet sich so viel Zucker in den Kaffee, dass die Tasse gerade nicht überläuft. »Die hatte mal so viel Spaß.« Sie taucht den Löffel ein und rührt. Kurz darauf steht die Tasse in einer Kaffeepfütze. »Macht mich richtig wütend«, stellt sie fest. Sie rührt und rührt. »Scheiß drauf.« Sie nimmt den Löffel aus der Tasse, leckt ihn ab, sagt: »Uuuaaargh – ist das süß!«, und schiebt die Tasse von sich weg. »Die *will* doch nur, dass ich ein schlechtes Gewissen habe. Glaubst du, die hätte einmal danach gefragt, wie es *mir* gerade geht?«

Als wir an den KLM-Schalter zurückkehren, ist Zoe bereits eingetroffen. Weniger Verspätung als angekündigt. Sie sitzt auf einer Bank, als warte sie noch immer auf Chicago: dunkelblaues

Kostüm, weiße Bluse, den Rollkoffer neben sich geparkt, die Haare wie aus einer Shampoo-Werbung. Erfolg, ich komme! Trotzdem ist da noch mehr: eine Ahnung von Tragik, die sie umgibt.

Sie tippt auf der Tastatur ihres Laptops herum, bis sie merkt, dass sie umstellt ist. »Und ich dachte schon, ihr kommt nicht mehr!« Beinahe rutscht ihr der Laptop vom Schoß.

Einer nach dem anderen werden wir umarmt. Ich kann mich nicht erinnern, je so viel Erleichterung auf ihrem Gesicht gesehen zu haben. Dann ist die Reihe an Lilith.

»Das ist übrigens Lilith«, sagt Marc. »Lilith, das ist Zoe.«

Lilith mustert Zoe, als wolle sie sagen: genau meine Kragenweite. Zoe starrt derweil Liliths T-Shirt an.

»Lilith behauptet, lesbisch zu sein«, wirft Bernhard ein.

Lilith lächelt. Zum ersten Mal erlebe ich sie in Verlegenheit. Aber nicht lange.

»Was auch passiert ist«, begrüßt sie Zoe, »ich bin auf deiner Seite.«

Auf dem Weg zum Bus erklärt Bernhard, was passiert ist, weshalb wir Lilith im Gepäck haben: Dass wir völlig sinnlos auf diesen Felsen raufgekraxelt sind, und als wir runterkamen, stand da dieser Maserati, die Tür flog auf, Lilith stieg aus und schrie: »Amore am Arsch, du Wichser!«

»Da mussten wir sie natürlich mitnehmen«, schließt er.

Zoe wendet sich Lilith zu. Das hätte sie gestern Morgen gerne mit Ludger gemacht, ihm »Amore am Arsch, du Wichser!« zugerufen.

»Glückwunsch!«, sagt sie und bekommt zum Dank Liliths strahlendstes Lächeln.

Wir steigen ein. Marc sitzt neben mir, Lilith zwischen Bernhard und Zoe auf der Rückbank.

»Ich weiß nicht, ob ich es schon gesagt habe …« Lilith blickt von einem zum anderen. »Danke, dass ihr mich mitnehmt.«

»Gilt auch für mich«, ergänzt Zoe und wirft ein Lächeln in die Runde.

Bernhard findet es selbst kindisch, wie sehr es ihn mit Stolz erfüllt, dass Zoe jetzt doch mit uns nach Frankreich fährt, statt mit Ludger zu dieser Konferenz zu fliegen. Er würde da gerne drüberstehen. Tut er aber nicht. Was soll's. Steht er eben nicht drüber. Fakt ist: Als es Zoe gestern dreckig ging, rief sie *ihn* an, Bernhard, und jetzt sitzen sie gemeinsam in Marcs Bus, auf dem Weg ans Meer.

»Ist doch selbstverständlich«, sagt er stellvertretend für uns alle, und zu Marc: »Kannst du nicht eine CD einlegen – irgendwas … Stimmungsvolles.«

Als wir das Parkhaus verlassen, rückt der Minutenzeiger auf der Uhr neben der Schranke auf die Zwölf vor. High Noon. Die Sonne zieht mir die Haut zusammen. Am Horizont haben sich ein paar träge Schweizer Wolken versammelt. Der Rest ist ein endloses Blau, zum Greifen nah. Marc hat eine CD ausgewählt. Während wir uns gen Frankreich wenden, besingt Jack Johnson mit sanfter Stimme den Tag, an dem er *sein* Fahrrad heimlich an *ihres* kettete, damit sie nach der Schule nicht ohne ihn wegfahren konnte. Noch heute, mehr als zehn Jahre später, sind sie ein glückliches Paar. Stimmungsvoller geht es nicht.

Bis zur Autobahnauffahrt kann Bernhard noch an sich halten, doch kaum habe ich den vierten Gang eingelegt, bricht es aus ihm heraus: »Was ist eigentlich passiert, Zoe?«

Zoe blickt aus dem Fenster. Sie möchte nicht darüber reden, was geschehen ist. Nicht, weil wir es nicht wissen sollen, sondern weil dann nur alles wieder hochkocht: gestern und vorgestern und die letzten anderthalb Jahre gleich mit.

»Ludger ist …«, setzt sie an, doch dann schiebt sie den Gedanken mit beiden Händen von sich weg. »Ach, ich weiß auch nicht, was er ist.«

13

Eifersüchtig ist er, so viel scheint klar. Als Zoe ihn nach dem Fußballspiel anrief, um ihm zu sagen, dass sie kurzfristig mit uns, ihren alten Freunden, nach Südfrankreich fahren werde, da konnte er schlecht Einwände erheben. Seine Frau stand neben ihm, außerdem hielt er gerade Smalltalk mit einem wichtigen Mandanten. Doch die Vorstellung brannte ihm unter den Nägeln. Sobald sich die Gelegenheit ergab, rief er zurück und verlangte von Zoe, auf die Reise zu verzichten. Stattdessen solle sie ihn auf die Konferenz begleiten, nach Chicago, drei Tage, nur sie und er. Er könne auch noch zwei dranhängen: fünf Sterne, Essen ans Bett. Tagsüber dekadenter Luxus, abends ins Konzert, nachts der Ritt durchs Paradies. Echtes Commitment, fünf ganze Tage. Also hatte sie ihre alten Freunde, ihr voriges Leben, ziehen lassen. Sorry.

Als sie am nächsten Morgen in die Kanzlei kam, fragte sie bei Ludgers Sekretärin nach, ob ihr Flug nach Chicago bereits gebucht sei, und bekam zur Antwort, dass bis jetzt nur die Buchungsbestätigungen für Ludger, seine Frau und die Kinder vorlägen. Und zwar seit gestern. Der Sekretärin sprang die Schadenfreude förmlich aus dem Gesicht. Ludger hatte Zoe das Blaue vom Himmel versprochen, obwohl er bereits Flüge für seine Frau und die Kinder hatte buchen lassen.

Zoe stürmte sein Büro und bekam kein Wort heraus. »Jetzt beruhig dich mal«, beschwichtigte Ludger und kratzte sich mit dem kleinen Finger an der Nasenwurzel – ein Tick von ihm. »Alles halb so wild, Zuckerschnecke.« Er nannte sie tatsächlich Zuckerschnecke. In anderthalb Jahren hatte sie ihm das nicht abgewöhnen können. Das mit seiner Frau und den Kindern sei nun einmal nicht zu ändern, erklärte er, aber Zoe könne ja trotzdem mitfliegen, inkognito sozusagen, sich im selben Hotel ein anderes Zimmer nehmen und sich dort für ihn bereithalten. Die Kosten werde selbstverständlich er tragen.

Noch in seinem Büro stehend, hatte Zoe trotz aller ohnmächtiger Wut und Enttäuschung einen Moment seltener Klarheit erlebt: Sie war nie etwas anderes für ihn gewesen als … Ja, was eigentlich? Stand-by-Geliebte? Wie auch immer: Sollte er jemals seine Frau verlassen, dann ganz sicher nicht ihretwegen.

In der Mittagspause ging sie zum Arzt, der sie sofort krankschrieb, den Rest des Nachmittags verbrachte sie in einem Tränenbad, abends rief sie Bernhard an und buchte den Flug nach Genf, noch während sie miteinander telefonierten.

»Egomane«, sagt Lilith.

»Was?«, fragt Zoe.

»Dein Ludger. Du weißt nicht, was er ist? Ich sag's dir – ein eifersüchtiger, habgieriger Alphamännchenkontrollfreakegomane.«

Zoe pflückt unsichtbare Fusseln von ihrem Rock. Sie weiß, dass er das ist, und sie weiß es nicht erst seit gestern – auch wenn sie ungerne darüber nachdenkt, weil es einen Schatten auf sie wirft, dass sie ausgerechnet von so einem nicht ablassen kann. Aber so ist es eben. Es ändert nichts. Sie will ihn, Egomane hin oder her.

»Du willst den dicksten Fisch im Teich«, stellt Lilith fest.

Zoe nistet sich in ihrem Schweigen ein. Ja, sie will den dicksten Fisch im Teich. Und ja, wahrscheinlich will sie ihn vor allem deshalb – weil er der dickste ist.

Bernhard ist seit einigen Minuten damit beschäftigt, sich seinen eingerissenen Daumennagel abzupulen. Dabei reißt ein Stück Haut ab, und das Nagelbett füllt sich mit Blut.

»Mist«, sagt er und beobachtet, wie das Blut langsam seinen Nagel überzieht.

Dabei wird er selbst immer blasser. Blut ist nicht sein Ding. Ein Gefühl wie beim Arzt, wenn der vor einem sitzt und die Spritze aufzieht. Schließlich wickelt er sich ein Taschentuch um den Daumen.

»War noch nie anders«, sagt Marc. »Schon bei den Neandertalern ging es darum, wer das größte Mammut erlegt. Und der durfte dann die behaartste Frau mit auf sein Lager nehmen.«

»Na schönen Dank auch«, wirft Bernhard ein, der behaarte Frauen ungefähr so sexy findet wie behaarte Erdbeertorten.

»Und die Frauen ihrerseits waren natürlich ganz scharf darauf, vom erfolgreichsten Jäger besamt zu werden«, führt Lilith den Gedanken zu Ende.

Zoe ist ein bisschen beleidigt, weil das jetzt so klingt, als sei sie nie über das Stadium einer Neandertalerin hinausgekommen.

»Und woher wollt ihr das so genau wissen?«, wirft Bernhard ein.

»Gar nicht«, sagt Marc. »Ist reine Spekulation. Aber wie sonst könnte man erklären, dass Frauen freiwillig mit jemandem wie … Dieter Bohlen ins Bett gehen?«

Bernhard ist entwaffnet. Außerdem glaubt er es ja selbst – das mit den Mammuts. Und er weiß auch, dass er das größte Mammut immer einem anderen überlassen hätte. Er besieht sich den Daumen. Das Stück Haut, das er mit dem Nagel abgerissen hat, war zwar nicht groß, aber irgendwie neuralgisch. Jedenfalls hört es nicht auf zu bluten.

»Hast du Pflaster?«, fragt er.

»Der Verbandskasten liegt irgendwo hinter dir«, antwortet Marc.

Bernhard beugt sich über die Rückbank und beginnt zu suchen.

Zoe, die gedankenverloren aus dem Fenster sieht und ein bisschen schmollt, sagt unvermittelt: »Na und?«

Bis auf Bernhard, der zwischen den Taschen wühlt, richten alle den Blick auf sie. Marc hat einen wunden Punkt getroffen. Und wie das so ist, wenn man auf Öl stößt: Da bohrt man gleich noch ein bisschen tiefer.

»Und warum will *er dich* nicht?«

»Vielleicht ist sie nicht behaart genug«, kommt Bernhards Stimme von hinten.

Zoe wirft Marc einen strafenden Blick zu. »Er *will* mich doch!«

»Und warum« – Bernhard ist zwischen den Taschen verschwunden und klingt, als habe er einen Knebel im Mund – »weiß dann seine Frau nichts davon, dass er dich will?«

»Er wartet auf den geeigneten Zeitpunkt.«

»Seit zwei Jahren?«, fragt Marc.

Zoe verschränkt die Arme vor der Brust. »Seit anderthalb.«

Jetzt ist eigentlich der Punkt gekommen, sie in Ruhe zu lassen.

Aber Bernhard kann nicht. Zoe und Ludger, das ist wie eine Zecke, die sich irgendwo festgebissen hat. »Und wann, glaubst du, wird der geeignete Zeitpunkt gekommen sein?«, fragt er.

Zoe lehnt sich zurück und blickt aus dem Fenster. Dann macht sie ihre Kapitulation perfekt: »Nächsten Sommer.«

Alle außer Lilith fangen an zu schmunzeln, sogar Zoe selbst. »Nächsten Sommer« war zwei Jahre lang ein Running-Gag zwischen uns, damals, als wir uns nach der Schule regelmäßig auf der kleinen Wiese im Mauerpark getroffen haben. Marc hatte immer seine Gitarre dabei, Bernhard sein aufblasbares Sitzkissen, Zoe ihre D&G-Handtasche. Natürlich gab es noch andere, die hin und wieder auftauchten und nach einer gewissen Zeit wieder verschwanden. Meist waren es Verehrer von Zoe oder Verehrerinnen von Marc oder aber Leute, mit denen er zusammen Musik machte.

Irgendwann kam dann die Sache mit »Nächsten Sommer« auf. Ich glaube, es war Bernhard, der uns von seinem Vorhaben erzählte, den Marathon mitzulaufen, und zwar in unter drei Stunden dreißig.

»Wann soll'n das passieren«, fragte Marc, »in deinem nächsten Leben?«

»Nein«, antwortete Bernhard entschieden, »nächsten Sommer.«

Seit diesem Tag war »Nächsten Sommer« das Synonym für »passiert sowieso nie«. Wenn Bernhard Marc provozieren wollte, indem er sagte: »Hey, Marc, hab gehört, du hast vierzehn Punkte in der Lateinklausur«, antwortete Marc: »Nächsten Sommer.« Und wenn Marc Bernhard provozieren wollte und sagte: »Stimmt das, Bernhard – du hast mit Zoe geschlafen?«, war die Antwort: »Nächsten Sommer.«

Wir haben Genf den Rücken gekehrt und tauchen in den ersten von zahlreichen Tunneln ein. Bernhard hat den Verbandskasten nicht gefunden und blutet gerade das dritte Taschentuch voll. Im Rückspiegel betrachte ich die vorbeijagenden Lichter, die als Randmarkierung dienen und uns wie in einem schlechten Sience-Fiction in eine andere Dimension zu schleusen scheinen.

»Wollte meine Schwester auch« – Lilith sieht sich ein letztes

Mal nach der Stadt um, die gerade hinter der Tunnelbiegung verschwindet –, »den dicksten Fisch im Teich.« Da niemand antwortet, fährt sie von alleine fort: »Hat ihn auch bekommen ... einen richtigen kleinen Einstein.« Im Rückspiegel sieht es für einen Moment so aus, als würden die Lichter eins nach dem anderen in Liliths Ohren verschwinden. »Wie auch immer ...«, schließt sie.

Kurz darauf passieren wir die Grenze. Frankreich. Die neue Dimension. Zwischen uns und dem Meer liegen ungefähr 700 Kilometer. Vorgestern saß ich um diese Zeit in meinem Bauwagen, wartete auf den Abend und darauf, dass Hit and Run käme und sich sein Fressen holte. Merkwürdig, denke ich, immer wartet man auf etwas. Wenn nichts Unvorhergesehenes geschieht, können wir bis Mitternacht da sein, am Meer, in Hugos Haus, dessen Schlüssel ich seit zwei Tagen in der Hosentasche herumtrage. Vielleicht, denke ich weiter, hätte ich lieber in Berlin bleiben sollen, in meiner Tonne, hätte aufhören sollen zu warten.

Feels so good to be free ...
  From time to time ...

Marc hat die Jack-Johnson-CD gegen eine von Donavon Frankenreiter ausgetauscht. Der besingt die Freiheit, die kleinen Wunder – *Free-eeeeeee* –, und außerdem verhöhnt er Bernhard, der immerzu gefangen ist in seinem Alltag und seinen selbsterfundenen Zwängen. Rechte Winkel, wo man hinsieht. Freiheit – pfff ... Marc hat mir auf YouTube mal das Video zu dem Song gezeigt, da ist Donavon Frankenreiter beim Surfen zu sehen, in der Abendsonne, und eine Delphinfamilie springt über die Wellen, einfach so, weil es Spaß macht. Bernhard würde Frankenreiter am liebsten den Hals umdrehen.

Wir befinden uns zwischen Chambéry und Grenoble. Zum ersten Mal nach Genf rücken richtige Berge heran. Auch die Wolken machen Ernst. Vorhin betupften sie noch arglos den Horizont, dann spannten sie sich wie eine anrückende Armada über den Himmel, inzwischen stecken die Berge bis zur Baumgrenze in einer geschlossenen Decke. Nur noch selten reißt ein Gipfel ein Loch hinein, dann ziehen im Zeitraffer Lichtflecken über die Berghänge. Ein kleiner Bach windet sich, wie ein Tränenrinnsal aus den Wolken kommend, durch einen Tannenwald, um sich von einem Felsvorsprung in die Tiefe zu stürzen.

Bei dem Gedanken an Onkel Hugo und sein Haus stellt sich ein Gefühl ein, als lebe er noch und erwarte uns dort. Einmal, an meinem fünften Geburtstag, habe ich mir vor Freude über seinen Besuch in die Hose gepinkelt. »Was bist du nur für ein Idiot«, sagte Vater, und dann musste ich mich so hinstellen, dass alle es sehen konnten.

Der Verkehr wird dichter und kollabiert schließlich. Die Wolken drücken die Hitze auf den Boden, auf die Autobahn und direkt in den Bus, der mit hängender Zunge in den aufgeweichten Teer sinkt. Wir lassen die Fenster herunter und ziehen die Schiebetür auf, doch es hilft nichts. Wir stehen, die Luft steht, auf der Standspur stehen Menschen mit durchgeschwitzten T-Shirts. Eine Frau hält ihre kleine Tochter mit angewinkelten Beinen vor den Bauch, die im hohen Bogen in die Senke neben der Fahrbahn pinkelt. Andere recken die Köpfe, um zu sehen, wann es endlich weitergeht.

»Erinnert mich an die Geschichte mit Ramona«, wirft Marc in die Runde, und es ist unklar, was genau ihn daran erinnert.

»Die aus der Schule, die zwei Stufen über uns war?«, fragt Bernhard sofort.

»Eine Stufe«, antwortet Marc.

»Doch nicht die Tennis-Ramona?«, fragt Zoe.

»Genau die. Erinnert ihr euch noch?«

»Allerdings«, sagt Bernhard.

»Klar erinnere ich mich«, sagt Zoe. »Die ist inzwischen Moderatorin bei MTV!«

»Kann sein. Mit Ramona jedenfalls hab ich eine echt krasse Geschichte erlebt. Damals hab ich's nicht kapiert, aber später ist mir klargeworden, dass es ein Gleichnis ist, eine … Felix, wie heißt das?«

»Parabel«, sage ich.

»Parabel, genau. Und ich mittendrin, in der Parabel.«

Ich stelle den Motor ab, Marc baut einen Joint, Bernhard macht an der Dachreling zwei Dutzend Klimmzüge, Zoe und Lilith legen wie auf ein Zeichen die Beine hoch. Und dann erzählt Marc die Geschichte von dem Urlaub mit Ramona und ihren Eltern.

14

Die halbe Schule war hinter Ramona her. Ihr Vater besaß eine pharmazeutische Firma, hatte mit einem Medikament Millionen gescheffelt und ließ seine einzige Tochter jeden Morgen von einem Angestellten namens Karl-Heinz in einem schwarzen Jaguar vor dem Schultor absetzen. Einerseits verachtete Marc sie natürlich für ihren Jaguar, andererseits hätte er selbst gerne dringesessen. Damals war er noch so drauf.

Um auf die wichtigen Dinge zu sprechen zu kommen: Vom vielen Tennisspielen hatte Ramona den festesten Hintern der Oberstufe, wahrscheinlich sogar der Welt. Der Tennisclub lag ihr und ihrem Hintern zu Füßen. Viermal die Woche, wann immer Ramona trainierte, füllte sich 15 Minuten vor Trainingsbeginn die Terrasse des Clubs. Die Plätze mit der besten Aussicht waren sogar schon eine halbe Stunde vorher vergeben. Es sah toll aus, wenn Ramona mit schweißglänzender Stirn und gegrätschten Beinen im Sand rutschte, und wenn sie beim Aufschlag diese Mischung aus Seufzer und Schrei ausstieß, erstarrte alles Leben auf der Terrasse. Aber genügte das? Marc spielte nicht einmal Tennis und würde es auch nicht lernen.

Trotzdem eroberte er sie. Bereits damals war er ein Paradiesvogel, hatte die Schule geschmissen und spielte Gitarre wie sonst niemand. In der Folge seiner Eroberung stellte er fest, dass sich hinter Ramonas Upperclass-Etikette ein Sexhunger verbarg, den er bis dahin nur aus Filmen kannte, die man nicht im Kino zu sehen bekam. Unter diesen Umständen ließ sich auch die langweiligste Beziehung ertragen.

»Stellt euch vor: Die war nymphoman!«

Bernhard muss trocken schlucken. »Bestimmt ist sie es immer noch.«

Ramonas Eltern unternahmen jedes Jahr einen mehrwöchigen Segeltörn auf der Familienyacht. Im Sommer nach Ramonas Abi durfte Marc mitkommen. Die Eltern, die ihre Tochter für eine Perle der Tugendhaftigkeit hielten, wiesen ihnen getrennte Kajüten zu – diametral entgegengesetzt – und erstickten so jede Chance auf auch nur den flüchtigsten Sex, von den Schweinereien, die Marc und Ramona im Kopf hatten, ganz zu schweigen. Tagelang saßen die beiden an Deck, hielten artig Händchen und schipperten von einer griechischen Insel zur nächsten, bis Marc dachte, dass nicht nur ganz Griechenland, sondern auch sein Unterleib aus antiken Trümmern bestand. Zwischendrin sickerte die Erkenntnis durch, dass Ramona und er sich nicht viel zu sagen hatten und auch nie haben würden. Zu allem Unglück hatte er nicht mal eine Gitarre dabei.

Nach ungefähr zwanzig Jahren erreichten sie eine kleine Insel, auf der es nichts zu besichtigen gab. Ramonas Augen leuchteten auf, und bevor der Anker den Grund berührte und ihre Eltern Einwände erheben konnten, verkündete sie: »Wir gehen mal die Insel erkunden«, nahm Marc an der Hand und sprang mit ihm von Bord.

Es war nicht einfach nur Sex, wonach Ramona verlangte, nicht einfach nur »einmal mehr«. Es sollte – es musste! – perfekt sein: der erste nachschulische Erwachsenensex. Heute würden sie sich die Weihen für den nächsten Lebensabschnitt erwerben, Schluss mit dem Kinderkram. Sie zogen los und suchten nach der perfekten Bucht für den perfekten Sex.

Die ersten drei Buchten schieden aus, der Abstand zu Ramonas Eltern war noch nicht ausreichend. Die nächste wurde von einigen Hippies belagert, die um eine erloschene Feuerstelle herum dösten. Einer von ihnen steckte sich einen Joint an einem halb verkohlten Holzscheit an und sagte: »Yo, Mann!« Es folgten einige Strände, die Marcs Ansprüchen durchaus genügt hätten, aber die Vorstellung, dass hinter der nächsten Biegung ein noch schönerer – der perfekte! – Strand auf sie warten könnte, ließ Ramona nicht zur Ruhe kommen. Sie waren seit Stunden unterwegs, und Marc hatte einen schmerzhaften Sonnenbrand im Nacken, als Ramona entschied, die nächste Bucht zu nehmen, komme, was wolle. Marcs Beine waren müde, sein ganzer Körper war wie sprödes Holz. Ramonas athletische Schenkel trugen sie mühelos den

Steinwall hinauf, während Marc sich, den brennenden Schweiß im Nacken, mit den Händen auf den Knien abstützen musste. Aus irgendeinem Grund hatte Ramona auch keinen Sonnenbrand bekommen. Doch sie eilte voraus, und sie hatte ihr Tennisröckchen an und nichts darunter, und als sie über ihm die Felsen erklomm, machten ihre Pobacken die unglaublichsten Dinge.

Die Hoffnung auf den ultimativen Sexkick hatte Marc insgeheim aufgegeben und außerdem große Zweifel, ob ihm nach den Strapazen der vergangenen Stunden noch all das gelingen konnte, was er sich vorgenommen hatte. Aber Ramonas Pobacken brachten beide noch einmal richtig in Fahrt. Plötzlich war es nicht mehr die Suche nach dem perfekten Strand für den perfekten Sex, jetzt war klar: Der nächste Strand *war* der perfekte Strand. Er würde dazu werden durch den perfekten Sex, den sie dort gleich zelebrieren würden.

So arbeiteten sie sich den felsigen Ausläufer hinauf, schauten atemlos und bebend vor Erregung in die benachbarte Bucht hinunter und erblickten – die Yacht von Ramonas Eltern. Das Ende ihrer Beziehung kam im Frühherbst.

15

Wir bewegen uns wieder, im Gänsefüßchentempo. Die Reifen kleben am Teer wie Kaugummi. Bernhard schlägt vor, das Radio einzuschalten, vielleicht bringen sie was über den Stau. Marc sucht eine Radiostation, findet einen lokalen Sender, und der Bus füllt sich mit einer Mischung aus Boogie-Woogie, Blasorchester und Chanson.

»Die Franzosen schrecken vor nichts zurück«, stellt Marc fest, doch er raucht gerade den Joint, den er vorhin gedreht hat, was ihn stets mit der Welt und all ihren merkwürdigen Ausformungen versöhnt.

Zoe hingegen hat genug: genug von diesem Stau und genug von Marcs Weisheiten. Sie will anhalten und auf Toilette, und zwar *jetzt*, einfach zehn Minuten über gar nichts nachdenken und niemanden um sich haben müssen, der ihr mit schlauen Sprüchen und belehrenden Parabeln kommt.

»Ich hab's kapiert, Marc«, sagt sie, »deine Parabel. Aber bilde dir bloß nicht ein, dass du besser bist als Ramona – nur dass du nicht nach dem perfekten Strand suchst, sondern nach der perfekten Melodie.«

Marc zieht an seinem Joint und grinst. Er könnte es ihr erklären – dass es ein schmaler Grat ist zwischen »das Richtige finden« und »krankhaft suchen«. Wem nichts gut genug ist, der läuft eben immer nur im Kreis. So viele schöne Strände …

»Heißt das, du stehst auf mich?«, fragt er.

»Bild dir bloß nichts ein!«

Für Zoe wird es im Bus von Minute zu Minute enger. Vor uns liegt Grenoble. Die Ausläufer eines tristen Außenbezirks strecken ihre Tentakel nach uns aus. Rostige Hallen wechseln sich mit umzäunten Höfen ab, auf denen Aluprofile, Blumenkübel und Steinfliesen schwitzen. Zwischendrin eine Paintball-Arena, in der erwachsene Männer nach Feierabend so tun, als würden sie sich gegenseitig totschießen, und das lustig finden. Nach einer halben Stunde nähert sich endlich eine Autobahntankstelle. Weitere zwanzig Minuten später haben wir die Ausfahrt erreicht.

Auf der Raststätte ist es so voll, dass wir auf eine freie Parklücke warten müssen. Alle wollen sich vom Stau erholen, sich mit der Kühle eines gekachelten Bades umgeben, kaltes Wasser ins Gesicht spritzen. Zoe eilt voraus, Marc und Lilith folgen in gebührendem Abstand. Bernhard sucht sich einen Rasenflecken und macht Liegestütze, bei 32 Grad und 90 Prozent Luftfeuchtigkeit. Ich steige inzwischen auf das Busdach. Das ist übrigens *mein* Tick: Ich betrachte die Dinge gerne von oben. Marc meint, das kommt, weil ich als Kind zu viel Zeit im Heizungskeller verbracht habe. Keine Ahnung, ob das stimmt, aber letztlich spielt es auch keine Rolle.

Oft genügten Vater Kleinigkeiten, um mich in den Keller zu sperren. Wer einen Grund finden will, muss nicht lange suchen. Wenn er unter Druck stand, reichte es schon, wenn ich meine Schuhe seiner Meinung nach nicht richtig hingestellt hatte. Der Raum für den Öltank hatte keine Tür, sondern eine Luke. Bis auf Augenhöhe war alles zugemauert – damit das Öl nicht in den Keller lief, falls der Tank irgendwann ein Leck hätte. Er war sehr groß, 7000 Liter Fassungsvermögen. »Sicherheit«, erklärte Vater, »es gibt nichts Wichtigeres im Leben.«

Nachdem man das Fundament für das Haus gegossen hatte, war ein Schwerlastkran gekommen, hatte den Tank in die Baugrube hinabschweben lassen und ihn auf einem zuvor markierten Rechteck abgesetzt. Das Haus wurde anschließend um ihn herum gebaut. Außer der Luke gab es nur ein kleines, vergittertes Kippfenster, hoch oben in der Wand, durch das der Schlauch gesteckt wurde, wenn der Tanklaster kam. Zwischen dem Tank und der Wand war so wenig Platz, dass ich nur seitwärts daran entlanggehen konnte. Es roch immer wie an der Tankstelle, und im Winter gluckerte und rülpste es im Tank.

Viele Ängste waren mit mir zusammen in diesem Raum eingesperrt. Mit manchen schloss ich nach und nach Freundschaft, oder zumindest Frieden. Die größte war, dass der Tank ein Loch hätte, das Öl auslaufen und ich darin ertrinken würde. Ständig kroch ich auf dem Boden herum und suchte nach feuchten Stellen. Die Wände waren mit Ölfarbe gestrichen, es gab nichts, woran ich mich hätte festhalten können. Wenn die Angst so schlimm wurde, dass ich glaubte, ersticken zu müssen, fing ich an zu zählen, zuerst gerade und ungerade Zahlen, später Quadrat- und vor allem Primzahlen.

Als ich stark genug war, um mich mit den Füßen an der Wand abzustützen und mich den Tank hochzuschieben, kletterte ich nach oben. Auch zwischen Tank und Decke war nicht viel Platz, aber genug, um mich hinzulegen und aus dem vergitterten Fenster zu blicken. Meist lag ich allerdings auf dem Rücken, die Decke vor der Nase, die Handflächen auf dem Tank. Wenn er gluckerte, spürte ich die Vibration in den Fingern.

Mutter sagte nichts, aber wenn mich Vater wieder herausholte, wärmte sie mir das Essen auf, und ich durfte alleine bei ihr in der Küche essen. Manchmal war das das Schlimmste: Zu wissen, dass ich ohne seine Hilfe nicht wieder durch die Luke kommen würde. Ein einziges Mal habe ich sie gefragt: »Warum tust du nichts?«

»Er ist dein Vater«, gab sie zur Antwort.

Während meine Hose langsam mit dem Dach verklebt, wird die benachbarte Parklücke frei, und ein schwarzer Mini schießt hinein wie ein zorniges Insekt. Zwei Frauen und ein Mann steigen aus, ungefähr mein Alter, hip, dynamisch, zielorientiert. Sie tragen Sneaker mit originellen Namen und Sonnenbrillen, die gerade groß genug sind, um sicher zu landen, falls sie aus einem Flugzeug springen müssen.

»Ich geh mal drei Latte und ein paar Crösies schießen«, sagt die eine, klappt ihre Sonnenbrille wie ein Visier herunter und geht auf einem unsichtbaren Strich Richtung Raststätte. Der Mann breitet eine alubeschichtete Picknickdecke auf dem Rasen aus. Fünf Meter weiter stemmt Bernhard mit seinen Händen Löcher in den Boden: ein-und-vier-zig, zwei-und-vier-zig …

Später wabern Satzfetzen herüber. Offenbar arbeiten die drei bei einer Werbeagentur und sind auf der Suche nach dem geeigneten Slogan für die Markteinführung eines neuen Autos. Ausdrücke wie »interior images« und »down to earth feeling« kommen vorbei.

Die Frau, die »Crösies schießen« war, kommt mit einem Gesteck von Einwegbechern zurück und schwenkt eine Brötchentüte.

»Endlich mal ein paar Tage relaxen!«, verkündet sie und lässt sich mit ausgebreiteten Armen auf der Decke nieder.

Der Mann, der mit dem Rücken zu mir sitzt, ruft: »Das ist es!« und präsentiert mit einer schwungvollen Geste einen imaginären Schriftzug: »Relax!«

Die beiden Frauen sehen ihn an, als habe er gerade Wasser in Wein verwandelt.

16

Hinter Grenoble holt uns der Stau wieder ein. Dieselben frustrierten Gesichter, dieselben Schweißflecken unter den Achseln, dasselbe ungeduldige Auf-der-Stelle-Treten. Der Wolkenteppich hängt noch immer wie eine ausgerollte Plane über unseren Köpfen, doch in der Ferne, im Süden, wo irgendwann das Meer anfängt, spannen sich hellblaue Bänder mit Goldbesatz über den Horizont. Eine Behelfsausfahrt kriecht auf uns zu. Wir haben die Wahl, ins Ungewisse abzufahren oder auf dem sicheren Weg zu darben. Ich fahre ab. Wir drehen Runden in einem Kreisverkehr und lesen die Wegweiser, bis Marc schließlich sagt: »Gap kann nicht ganz falsch sein.«

Die Berge rücken näher, manche ihrer Ausläufer ragen bis an den Straßenrand. Keiner spricht es aus, doch allen ist klar, dass wir das Meer heute nicht mehr erreichen werden. Schmale Gassen führen uns durch halbverlassene Dörfer mit verwachsenen Häusern. Vor Haustüren sitzen verwachsene Männer auf knarzenden Stühlen. Manchmal lässt einer eine Bemerkung fallen, manchmal wird sie aufgehoben und weitergereicht. Fenster und Balkone sind noch geranienbehangen, Rosa, Rot, Weiß, und auch die Kühe sehen aus wie im Allgäu, doch es riecht bereits nach Süden, nach dunklen Bergen, mächtigen Pinien und kupferfarbenem Licht.

Zoes Stimmung hellt sich langsam auf. Als hätte sie auf dem Rastplatz etwas abgestreift und dort zwischen den Autos liegengelassen. In Lilith scheint sie eine Seelenverwandte gefunden zu haben. Bei aller Unterschiedlichkeit eint sie die gleiche Erfahrung: Das Spiel der Liebe als Grand Dame zu beginnen, um als Bauernopfer zu enden. Die gleichen zerstörten Illusionen, der gleiche Schmerz, die gleichen Rachegelüste.

Während Bernhard selbstvergessen aus dem Fenster blickt, erzählt Zoe von ihrem Job und Lilith von ihrem Studium. Später weitet sich die Unterhaltung: zeitgenössische Kunst, Essen, welchen Film man zuletzt im Kino gesehen hat. Marc unterlegt das Gespräch mit barocker Lautenmusik. Wenn ihm danach ist, zieht er gerne auch mal das klassische Register. Sonaten von Scarlatti. Die spielt er bevorzugt, wenn er auf der Leiter meines Bauwagens sitzt und es Abend wird. Er meint, Scarlatti passe zu mir. Als ich ihn gefragt habe, wie er das meine, antwortete er: »Will nicht mehr sein, als er ist.« Da sei Bach ganz anders. Marc tremoliert, was das Zeug hält. Jede zweite Note wird mit einem Triller verziert, einfach weil es ihm Spaß macht. Wie bei den Delphinen, wenn sie über die Wellen springen.

Plötzlich sagt Bernhard zu Zoe: »Hat Lilith dir eigentlich schon erzählt, dass sie gepiercte Brustwarzen hat?«

Zoe starrt Liliths T-Shirt an, als sehe sie den Schriftzug zum ersten Mal.

»Echt?«, fragt sie.

Lilith lässt sie einen Moment auf die Antwort warten, beginnt zu schmunzeln und sagt: »Willste mal sehen?«

Marcs letzter Triller bleibt unvollendet in der Luft hängen. Wir erklimmen den ersten Pass. Der Motor dröhnt, als wolle er sich ins Wageninnere fressen.

Bevor Zoe eine Antwort herausstottern kann, dreht Lilith ihr den Oberkörper zu, klemmt sich die Zigarette zwischen die Lippen und schiebt ihr T-Shirt hoch. Ihre Brüste wirken noch größer als unter dem Stoff, noch fester, noch wohlgeformter. Alles eins mehr. Die Gitarre verstummt, der Motor brüllt. Die Piercings sind identisch: durch die Brustwarzen gestochene Nadeln mit jeweils einer kleinen Kugel zu beiden Seiten. Bernhard schielt aus dem Augenwinkel wie bei einer Mathearbeit, doch Lilith hat ihm den Rücken zugedreht. Zoe dagegen trinkt mit den Augen.

»Willst du mal anfassen?«, fragt Lilith.

Sie zieht das T-Shirt bis unter die Achseln. Ihre Ellenbogen stehen ab wie Stummelflügel.

»Darf ich?« Zoe scheint alles um sich herum vergessen zu haben.

Lilith lächelt schief. Von ihrer Zigarette steigen feine Kringel auf. »Bei dir kann ich ja wohl schlecht nein sagen.«

Zögernd nimmt Zoe ihre Hand aus dem Schoß, die langsam Liliths Brust entgegenschwebt. Die letzten Zentimeter jedoch kann sie nicht überwinden.

»Keine Angst«, sagt Lilith, »die beißt nicht.«

Sie klemmt sich das T-Shirt unters Kinn, ergreift Zoes Handgelenk und führt deren Finger an ihre Brust. Zoe muss schlucken, und ich meine, im Rückspiegel Bernhards Halsschlagader pulsieren zu sehen. Wie in Zeitlupe legt Marc die Gitarre bäuchlings über seine Oberschenkel und tastet nach dem Haschischdöschen.

Lilith hat Zoe fest im Griff und fest im Blick. »Die sind nicht aus Zuckerwatte«, sagt sie. »Du hast doch selber zwei. Die wirst du doch wohl mal angefasst haben?«

Zoes Impuls ist, ihre Hand zurückzuziehen, doch gegen Lilith hat sie keine Chance. Ihre Antwort ist ein Räuspern. »So noch nicht.«

Bernhard starrt inzwischen meinen Hinterkopf an. Marc hat sein Döschen ertastet, leckt eine Zigarette an, trennt das Papier auf und lässt den Tabak in den Dosendeckel fallen.

»Na, dann wird's aber Zeit.«

Lilith spreizt Zoes Zeige- und Mittelfinger ab und führt Zoes Hand an ihre Lippen. Sie hebt das Kinn von der Brust, worauf ihr das T-Shirt bis auf die Brustwarzen herabrutscht, nimmt die Zigarette, schiebt sich Zoes abgespreizte Finger in den Mund und umschließt sie mit den Lippen. Marc hat seine Dose auf den Gitarrenrücken gestellt, entzündet sein Feuerzeug und hält die Flamme unter das Piece. Lilith klemmt die Zigarette wieder zwischen die Zähne und führt mit beiden Händen – es gibt kein Entrinnen – Zoes befeuchtete Finger an ihre Brustwarze. Das T-Shirt rutscht über Zoes Handrücken. Lilith schmiegt ihre Brust in Zoes Handfläche, drückt sanft zu und lässt Zoes Finger über ihr Piercing gleiten.

»Cool, oder?«, sagt Lilith. »Warm und kalt gleichzeitig.«

Sie schließt die Augen, atmet tief ein, ihr Brustkorb hebt sich, und sie legt leicht den Kopf in den Nacken. Zoe sieht aus, als würde sie zur Schlachtbank geführt werden und könne sich nichts Schöneres vorstellen.

»Mmmm«, macht Lilith.

Direkt an meinem Ohr ertönt die Hupe eines Sattelschleppers.

Im nächsten Moment bricht der Außenspiegel ab, und wir scheuern auf dem letzten Streifen losen Gerölls entlang, bevor es nur noch Abgrund gibt und freien Fall. Ich reiße das Steuer herum, Marc verbrennt sich die Finger, schreit auf, und der Inhalt seiner Dose verteilt sich über den Fußboden.

Lilith gibt Zoe ihre Hand zurück, streicht sich das T-Shirt glatt und drückt ihren Rücken gegen die Lehne. Ihr Gesicht ist eine Mischung aus gespielter Unschuld und unverhohlenem Triumph.

»Ist was, Jungs?«

Bernhard blickt aus dem Fenster, Zoe scheint ihre Hand verbergen zu wollen.

Marc sagt: »Meine Dose ist runtergefallen.«

17

Bernhard wendet sich Lilith zu: »Was willst du jetzt eigentlich machen? Ich meine, mit dem Studium und so …«

Lilith macht eine Bewegung, als verscheuche sie lästige Insekten. Mehr kommt nicht.

Bernhard reicht ihr eine Flasche isotonischen Durstlöschers. Neonblau. Das Getränk. Eine Farbe, mit der man wilde Tiere vertreiben könnte.

»Nur Mut«, sagt Marc.

Lilith trinkt die halbe Flasche in einem Zug. »Also gut.« Sie schiebt eine Kunstpause ein und macht es kurz und schmerzlos: »Woanders weiterstudieren, natürlich, Berlin vielleicht – wollte ich sowieso hin. Ich werde eine berühmte Archäologin, da hält mich niemand von ab. Die weibliche Indiana Jones. An mir werden sich eine ganze Menge Leute die Zähne ausbeißen.« Sie zündet sich die Zigarette an, die Marc ihr hinhält. »Schätze, weiter bin ich noch nicht.«

»Und was ist mit Kindern?«, hakt Bernhard nach. »Du weißt schon – Familie, ein Zuhause …«

»Ich weiß, was Kinder sind – danke, Bernhard.« Lilith tippt sich gegen die Unterlippe, denkt an ihre Schwester und ihre beiden Neffen. »Mal sehen, was kommt, würde ich sagen. Hab nichts gegen Kinder …«

»Aber da braucht es einen Mann für.«

»Falsch, da braucht es Sperma für.«

»Hat jemand eine Ahnung, wo wir sind?«, fragt Zoe.

Die Berge haben uns eingekreist und wachsen in die Wolken hinein. Wir schwanken von einem Tal ins nächste, während sich hinter unseren Rücken die Felsen ineinanderschieben. Von Zeit zu Zeit tauchen kleine Seen unter uns auf, die mit flüssigem Silber gefüllt sind.

»RN 85«, liest Marc einen Meilenstein am Straßenrand.

»Wir sind auf der RN 85?« Zoe ist wie aus dem Schlaf gerissen. »Das ist doch die Route Napoléon!«

Sagt Marc so viel wie die chemische Formel von Oktan. »Und?«, fragt er, »was ist an der so besonders – abgesehen von ihrem Kurvenreichtum?«

»Mann, Marc, wo warst'n du in Geschichte?«

»Im Mauerpark, Gitarre üben. Weißt du doch. Aber zum Glück hatte ich ja dich.«

Er leckt eine neue Zigarette an und unternimmt einen zweiten Versuch, sich den Joint zu drehen, der sich vorhin im Bus verteilt hat. Alle sehen dabei zu. Zoe schweigt. Sie will gefragt werden.

Als Marc fertig ist und dreimal gezogen hat, hält er mir den Joint hin. »Auch mal?«

»Nächsten Sommer«, antworte ich.

Von hinten kommt Zoes Stimme: »Sag mal, Felix: Wie erträgst du es eigentlich, dass Marc so viel kifft?«

Ich bin mit Schalten, Lenken, »entgegenkommenden Fahrzeugen ausweichen« und »nicht den Berg runterfallen« beschäftigt, also antworte ich kurz: »Er erträgt ja auch, dass ich nicht kiffe.«

»Was ist denn das für eine Logik? Das stimmt doch hinten und vorne nicht.«

»Wieso?«

»Normal ist ja wohl, nicht zu kiffen.«

»Normal ist auch, von neun bis fünf im Büro zu sitzen«, antworte ich.

Bernhard schaltet sich ein: »Was soll denn daran verkehrt sein – von neun bis fünf im Büro zu sitzen? Mach ich schließlich auch.«

»Hab auch nicht gesagt, dass daran irgendwas verkehrt ist«, erkläre ich.

»Bis um fünf«, sinniert Zoe. »Von so was träume ich.«

Marc reicht den Joint an Lilith weiter: »Also los, Zoe«, er lächelt sein Herzensbrecherlächeln, »was hat es mit der Route Napoléon auf sich?«

Zoe erklärt, dass die Strecke deshalb so heißt, weil Napoleon damals diesen Weg wählte, als er mit seinen 1000 Getreuen das Zwangsexil auf Elba verließ, um in Frankreich die Macht zurückzuerobern. Über 300 Kilometer, in nur einer Woche! Alle, die sich ihm entgegenstellten, liefen innerhalb kürzester Zeit zu ihm über. Ab Grenoble war sein Marsch ein einziger Triumphzug. Auf diesem schmalen Pfad wurde Weltgeschichte geschrieben!

Eben noch hat sie auf Marc und seine Kifferei geschimpft, jetzt jedoch ist Zoe so von ihrer Geschichte ergriffen, dass sie sich den Joint geben lässt und selbst einige Züge nimmt. Es ist ein starker Joint, ich rieche es.

»Der Weg, den wir gerade fahren?«, fragt Marc ungläubig.

»Wahnsinn, oder?«, antwortet Zoe. »Außer, dass er damals natürlich noch nicht ausgebaut war. Hui – jetzt schaukelt's aber ganz schön!«

Lilith blickt aus dem Fenster, wie um sich zu vergewissern. Von Wolken umwehte Bergkuppen recken sich wie versteinerte, weißbärtige Häupter aus den schroffen Felsen – Richter über Tod und Leben.

»Der hat seine komplette Privatarmee durch diese Berge getrieben, um wieder da einzumarschieren, wo man ihn vorher rausgeschmissen hat?« Der Joint hat den Weg zurück zu Lilith gefunden. Sie inhaliert und denkt genau so lange nach, wie sie den Rauch in den Lungen behält. »Weshalb bleibt der nicht einfach auf seiner Insel, isst Sahneeis und lässt sich jeden Tag von einem anderen Getreuen den Rücken massieren?«

Zoe kann nicht anders, als für Napoleon Partei zu ergreifen. Alphamännchenkontrollfreakegomanen ziehen sie an wie schwarze Löcher. »Er will eben mehr vom Leben, als seinen Hintern auf einer öden Insel plattzusitzen.«

»Aber muss er deshalb gleich Tausende Franzosen verheizen? Soll er doch einen Töpferkurs belegen oder Yoga machen.«

»Als würdest *du* dich mit einem Töpferkurs zufriedengeben – Miss Indiana Jones.«

»Auf jeden Fall muss ich keinen Krieg vom Zaun brechen, um mein Ego zu befriedigen. Was gibt's denn da zu grinsen?«

Gemeint ist Marc, der vergnügt in sich hinein schmunzelt, kurz vorm Kichern. Er mag es, Zoe aus der Reserve zu locken. Die ist jetzt wieder da, wo sie heute auf gar keinen Fall mehr hinwollte: Bei der Frage, was man vom Leben wollen soll.

»Ach nichts«, antwortet er, dreht die Gitarre wieder auf den Rücken und versammelt ein paar getreue Töne um sich.

Ist das der Sinn des Lebens, frage ich mich. Ist es das, was wir wollen sollen – mehr? Sollte auch ich »mehr« wollen? Und wie könnte das aussehen? Napoleon wollte mehr vom Leben, gebongt. Was hat es ihm gebracht? Drei Monate nachdem er die Macht wieder an sich gerissen hatte, musste er endgültig abdanken und wurde erneut verbannt. Und diesmal gab es kein Zurück.

Zoe hat die Schmollerei aufgegeben und geht in die Offensive. Napoleon scheint ihre Angriffslust gestärkt zu haben. »Dann sag *du* doch mal, was du vom Leben willst«, fordert sie Marc heraus. »Du belächelst immer nur alles. Das kann jeder.«

Marc zieht ein letztes Mal an seinem Joint, schnippt ihn aus dem Dach, legt den Kopf in den Nacken und sieht dabei zu, wie der Rauch, den er durch das Schiebedach bläst, vom Fahrtwind verwirbelt wird. Solange er spricht, lässt er den Kopf im Nacken und blickt in die Wolken. »Okay«, beginnt er. »Ich will: Musik machen. Gitarre spielen. Die Melodie finden, die mir seit gestern im Kopf rumeiert. Und dann will ich noch« – er breitet die Arme aus wie Schwingen – »im Meer schwimmen, von Bergen gucken, träumen und gerettet werden.« Er wirft Zoe einen verschwörerischen Blick zu. »Und natürlich Göttinnen lieben und wie ein Gorilla Sex mit ihnen haben – bevor das Ganze im Orkus verschwindet.«

»Wow«, gluckst Lilith, »du bist ja richtig poetisch.«

Zoe lässt sich gegen die Lehne fallen. »Weißt du, was das Problem mit dir ist, Marc?«

»Du liebst mich?«

»Nächsten Sommer. Das Problem mit dir ist: Wenn *du* so etwas sagst, dann glaubt man es sogar. Ich geb auf.«

Lilith, die grundsätzlich der Ansicht ist, dass Frauen sich Männern nicht geschlagen geben sollten, interveniert: »Ich finde, du solltest dir wenigstens eine Chance geben, Zoe. Was Marc kann, kannst du schon lange. Los: Was willst *du* vom Leben? Und keine Ausflüchte, bitte. Komm uns jetzt nicht mit ›Weltfrieden‹ oder so 'nem Scheiß.«

Nichts läge Zoe ferner. Nicht, dass sie etwas gegen Weltfrieden einzuwenden hätte – klar, kann man machen. Ist aber kein Gedanke, der sie morgens aus dem Schlaf reißt. Wenn sie morgens aufwacht, geht es in erster Linie um *ihre* Belange, um das, was Zoe für *sich* will. Und da rangiert – sorry – Weltfrieden nicht auf den vordersten Plätzen.

»Vergiss es«, winkt sie ab. »Ich bin ein offenes Buch.«

Bernhard beugt sich vor, um an Lilith vorbeizusehen. »Und: Was steht drin?«

Wir haben uns unbemerkt in die Höhe geschraubt. Die Luft ist klar, wie gereinigt. Am Hang auf der anderen Seite des Tals kann man die Bäume einzeln zählen, dabei trennen uns mindestens fünf Kilometer. Der Geruch wilder Kräuter weht herein, und durchwirkt ist das alles vom Zirpen der Zikaden, das mal leiser wird, dann wieder direkt in den Bus zu springen scheint, aber niemals völlig verstummt.

Zoe ist tatsächlich ein offenes Buch. Sie will, dass Ludger seine Frau verlässt und sie heiratet. Und zwar big time: mit Schloss am See, einer Schleppe, so lang, dass niemand hinter ihr gehen kann, Myrrhe, Weihrauch, Party und Champagner bis zum Abwinken. Der ganze Zinnober. Dann: zwei bildhübsche Kinder, Junge und Mädchen, eine schicke Villa in München, mehr Geld, als sie ausgeben kann. Außerdem: Sicherheit. Sicherheit ist wichtig. Was an den 70ern so spannend gewesen sein soll, hat sie nie verstanden. Dann noch: Erfolg im Job, Anerkennung, Verehrung, ein Ferienhaus in Südafrika mit zwölf Metern Pool im Garten. Das war's so ziemlich. Ist eitel, schon klar, na und? Sorry, Freunde, ihr wolltet die Wahrheit? Das ist sie.

Lilith tätschelt Zoes Knie. »Sei nicht traurig. Marc gewinnt zwar die Romantik-Wertung, aber in der Kategorie ›realistische Weltwahrnehmung und Altersvorsorge‹ holst du es wieder rein.«

Plötzlich zieht mich jemand am Ohrläppchen. »Felix!« Seit sie am Joint gezogen hat, sitzt Lilith der Schalk im Nacken. »Schätze, jetzt bist du dran. Also, was ich von dir weiß, ist: Du schläfst nicht, du isst nicht, du trinkst nicht, du rauchst nicht, du redest nur, wenn es sein muss … Aber du atmest, stimmt's? Haha, hab dich! Tja, mein Lieber, musst du durch, auch wenn's schwerfällt. Einatmen, ausatmen – kommst du nicht dran vorbei. Offenbar bist du also eine Art ... Asket. Und da frage ich mich natürlich: Was will ein Asket wie du vom Leben?«

Ich winke ab, wie Zoe. Lieber nicht. Doch die anderen lassen nicht locker, ziehen reihum an meinem Ohrläppchen, und schließlich grinst selbst Marc und ruft: »Diogenes! Was willst du vom Leben, Asket? Lass uns teilhaben! Bitte!«

Ich versuche zu erklären, dass ich weder weiß, ob es das überhaupt für mich geben kann, noch, wie es aussehen könnte, oder ob ich es nicht vielleicht längst schon gefunden habe ... Aber wenn ja, dann möchte ich gerne verstehen, wozu ich auf der Welt bin.

Meine Erklärung kommt nicht gut an. »Geht's nicht noch ein bisschen abstrakter?«, wirft Lilith ein.

Und dann höre ich mich sagen: »Ich möchte bereit sein, den Tod anzunehmen.« Und mir wird klar, dass es tatsächlich das ist, was ich will: Keine Angst mehr haben, vor gar nichts. »Und ich möchte niemandem geschadet haben«, füge ich hinzu.

»Buuh«, ruft Lilith. »Wir haben noch das ganze Leben, um uns mit dem Tod anzufreunden.«

»Und niemandem zu schaden«, ergänzt Zoe.

»Genau«, bestätigt Bernhard.

Marc kichert wie ein Eichhörnchen. Der hat leicht reden. Wenn ich sein Talent hätte, wüsste ich, wozu ich auf der Welt wäre. Ich merke, dass alle ganz schön breit sind. Sogar Bernhard. Der hat natürlich nicht am Joint gezogen, aber der Bus hängt inzwischen so mit THC voll, dass einfaches Atmen völlig ausreicht.

Zoe meint: »Um dein Glück zu finden, müsstest du erst einmal begreifen, was dir überhaupt etwas be*deutet*. Du willst immer nur loslassen. Gibt's auch mal irgendwas, das du festhalten willst?«

»Ja, Asket«, sagt Bernhard, »was bedeutet dir denn überhaupt was?« Er ist ein bisschen Zoes Papagei, seit er den Joint mitgeraucht hat.

Ich überlege: Es gibt Dinge, die mir etwas bedeuten. Diese Fahrt bedeutet mir etwas. Dass ich mit Marc und den anderen in diesem Bus sitze und diese Reise unternehme. Dass ich nicht allein sein werde, wenn ich Onkel Hugos Haus betrete. Doch von all dem sage ich nichts.

In der Kita, für die ich den Fahrdienst mache, gibt es einen Jungen, der mir etwas bedeutet. Benno. Die Kita ist übrigens eine Behinderteneinrichtung. 40 zarte Seelen, die alle ein Los gezogen haben, das keiner freiwillig ziehen würde. Alles dabei, was andere gerne als Schimpfwort benutzen, vom »Mongo« bis zum »Vollspasti«, mit dem man nichts anderes tun kann, als ihn richtig zu lagern, damit er keine Druckstellen bekommt und nicht an seinem Erbrochenen erstickt. Jeden Morgen fahre ich durch Kreuzberg, Friedrichshain und Treptow, um sieben dieser Seelen einzusammeln. Am Nachmittag bringe ich sie zurück.

Benno ist eine von ihnen. Sechs Jahre alt. Autist. Niemand kann mit Bestimmtheit sagen, was in seiner Welt gerade vorgeht, wie es sich dort anfühlt. Veränderungen jeglicher Art sind der Horror für ihn, insbesondere räumliche. Wenn ich ihn abhole, tritt und schlägt er um sich und schreit aus Leibeskräften, bis er vor Erschöpfung in seinem Sitz einschläft. Ich bin sicher, dass er jeden Morgen aufs Neue für immer seiner Familie entrissen wird, sein Zuhause, seine Eltern und Geschwister verliert – alles, was ihm Sicherheit gibt. Seine Mutter zerfließt stets in ohnmächtigem Mitleid, wenn ich davonfahre und Benno gegen die Scheibe trommelt. Nachmittags ist es dann umgekehrt: Er kratzt und beißt und schlägt um sich, weil er auf keinen Fall aus dem Bus steigen will. Als hätte er seine Großmutter, die ihn in Empfang nimmt, noch nie gesehen.

»Komm, Benno«, verspricht die Oma, »wir gehen in die Waschküch'. Ich zeig dir, wo die Maschinen stehn.« Das ist die einzige Möglichkeit, Benno ohne Gewaltanwendung aus dem Bus zu bekommen. »Komm, die Omi zeigt dir die Maschinen.«

Irgendwann beruhigt er sich, überlegt noch einige Minuten und lässt sich schließlich von mir aus dem Sitz heben. Einen Moment krallt er sich noch an der Armlehne fest, aber irgendwann lässt er los. Der Ruf ist unwiderstehlich: »Komm, wir gehen zu den Waschmaschinen ...«

Vor zwei Wochen, an einem Tag wie jedem anderen, nahm er morgens, als wir in der Kita ankamen, beim Aussteigen meine Hand. Er sah nicht zu mir auf oder so, sondern schob nur seine Hand in meine, wie zufällig. Als ich mich von ihm lösen wollte, verstärkte er seinen Griff. Seit zwei Jahren hole ich ihn morgens ab und bringe ihn nachmittags zurück, und bis zu diesem Tag gab es keinen Hinweis darauf, dass er mich jemals wahrgenommen hätte. Er zog mich sanft in die Kita, vorbei an den Gruppenzimmern, durch einen dunklen Flur, der größtenteils aus blauem Linoleum bestand, bis zum Zimmer der Gruppe 6, der Integrationsgruppe.

Dort waren bereits alle versammelt. Die Erzieherinnen sagten, ich solle Benno einfach machen lassen, er sei vogelfrei, der Einzige ohne feste Gruppe. Also folgte ich ihm zu einem Spielzeugregal, vor das er sich setzte, als wolle er meditieren. Erst als er sicher war, dass ich nicht aufstehen würde, ließ er meine Hand los. Anschließend begann er, eine nach der anderen, die Sachen aus dem Regal zu räumen: Puppen, Steckspiele, Holzringe, eine Schlitztrommel, ein Xylophon und so weiter. Bald saßen wir inmitten eines Spielzeugkraters.

Ganz hinten im Regal lagen, übereinandergestapelt, drei alte Versandhauskataloge. Benno entschied sich für Quelle. Den Katalog vor sich auf dem Boden, begann er, die Seiten umzublättern. 1000 Seiten, zehn Sekunden pro Seite. Für diesen Tag schien er nicht mehr viel vorzuhaben.

Mein Hintern schlief bereits ein, als Benno plötzlich innehielt. Ich sah ihn an, und dann begriff ich: Aufgeschlagen vor uns lag eine Doppelseite mit Waschmaschinen. Benno sah mich nicht an, doch seine Augen leuchteten. Ich nickte. Dann stand ich auf. Er schien einverstanden.

»Das also hat dir etwas bedeutet«, überlegt Zoe, um abschließend ihr Votum zu verkünden. »Na ja – fair enough.«

Der Joint hat sie versöhnlich gestimmt. Erst hat er sie mit Marc Frieden schließen lassen, jetzt mit mir. Vielleicht sollte sie öfter mal ziehen.

»Du kannst also doch reden«, sagt Lilith.

Marc, der für die Dauer meiner Geschichte die Gitarre abgestellt hat, sucht eine CD heraus, Jack Johnson, »die neue diesmal«, wie er sagt. Was unerheblich sei, weil sowieso alle gleich klängen. Trotzdem schön. »Egal, wie oft du die hörst – geht immer wieder die Sonne auf.«

Unterdessen hat Jack Johnson zu singen begonnen – davon, wie es ist, wenn man wieder von dieser Melancholie überwältigt wird, von Trauer und Zweifel. Doch da ist immer auch das andere: Hoffnung, Liebe, Morgen.

> *There's a world we've never seen*
> *There's still hope between the dreams*
> *The weight of it all could blow away with a breeze*

Wir haben die Route Napoléon verlassen. Keiner weiß mehr, wann und wo. Die Straße, auf die es uns verschlagen hat, ist noch enger und noch kurvenreicher, krallt sich an steile Berghänge und schlüpft durch überhängende Felsen wie durch offene Mäuler. Keiner kann sich daran erinnern, wie lange die letzte durchquerte Ortschaft zurückliegt oder wann uns zuletzt ein Auto begegnet ist.

Bernhard ist an der Reihe. Alle anderen haben sich erklärt. Sogar ich. Habe die Geschichte von Benno erzählt, sie geteilt. Vielleicht habe ich sie sogar mit Benno geteilt, für den Moment. Am nächsten Tag war er wie immer. Schien mich nicht zu kennen. »Gibt's auch mal irgendwas, das du festhalten willst?«, hat Zoe gefragt. Ich habe Zweifel, ob das Konzept funktioniert – festhalten. Bei Benno offenbar nicht, bei Zoe offenbar ja.

Für Bernhard gleicht die Frage, was er vom Leben will, der Büchse der Pandora. Sobald er sie öffnet, entweicht alles, was ihn krank macht. Sein größter Wunsch ist es, Ludger zu sein, oder Napoleon, in jedem Fall der dickste Fisch im Teich, seine Frau sitzenzulassen, Zoe das Ferienhaus in Südafrika zum Geschenk zu machen, Pool inklusive, und alles für sie zu tun, was es braucht, um von ihr begehrt zu werden. Manchmal wünscht er sich das so sehr, dass er gar keine eigene Identität mehr besitzt. Dann weiß er gar nicht mehr, wer *er* ist und was *er* eigentlich will. Aber das sagt er nicht. So viel Haschisch gibt es auf der ganzen Welt nicht.

Ein einziges Mal hat Bernhard sein Herz an eine andere vergeben, als er beim Bund war, dem Vaterland dienen. Katharina. Er hat sie auf Händen getragen, ihr jeden Wunsch von den Lippen abgelesen, ihr die Sofakissen zurechtgerückt und sich ihren Launen unterworfen. Katharina sagte, sie fühle sich eingeengt, er lasse ihr keine Luft zum Atmen. Weiß Gott, woher Bernhard das hat, dieses »sich unterwerfen«, sich kleiner machen, als er ist. Wie ein Ritual. Wie früher sein Dackel. Entsetzlich.

Irgendwann stand Katharina auf und ging. Eigentlich war sie schon längst weg, nur dass jetzt ihr Körper folgte. Bernhard wartete die halbe Nacht auf ein Lebenszeichen von ihr. Um zwei Uhr morgens schickte er ihr eine SMS: *Kommst du noch?* Die Antwort folgte prompt: *Ja, aber nicht mit dir.* Seither hat Bernhard sein Herz an Zoe gehängt. So kann er sicher sein, dass sich seine Sehnsüchte niemals an der Realität messen lassen müssen.

»Lügen zwecklos«, sagt Lilith, die Bernhard nach zwei Tagen besser zu kennen scheint als er sich selbst.

Und dann sagt er etwas, das uns alle überrascht: »Ich will, dass meine Mutter endlich stirbt.« Sein Blick ist auf die Hände in seinem Schoß gerichtet. Die Stelle an seinem Daumen, die vorhin erst aufgehört hat zu bluten, reißt wieder auf. Er schlägt die Hände vor das Gesicht. »Ich kann nicht glauben, dass ich das gerade gesagt habe.«

Die anderen sitzen ratlos im Kreis und schweigen, während Jack Johnson das macht, was er am besten kann: sich wie eine tröstende Hand in den Nacken legen.

> *I see you slowly swim away*
> *As the light is leaving town*
> *To a place that I can't be*
> *But there's no apologies*

Die Dinge sind, wie sie sind.

Bernhard kramt in der Hosentasche und wischt sich die Tränen mit einem der Taschentücher ab, die er vorhin um seinen Daumen gewickelt hat. Danach ziehen sich rötliche Schlieren über seine Wangen.

»Tut mir leid«, entschuldigt er sich. Dann kommen neue Tränen.

Zoe hat eine von diesen Tischlein-deck-dich-Handtaschen, die nicht größer sind als eine Zigarettenschachtel, aber in die alles hineinpasst, um, egal wo, ein neues Leben zu beginnen. Sie zieht ein Päckchen Taschentücher heraus und reicht es Bernhard. Mit dem ersten wischt er sich die Tränen aus dem Gesicht, mit dem zweiten putzt er sich die Nase, das dritte wickelt er um seinen Daumen. Es ist sehr still. Nur das Zirpen der Grillen ist zu hören und das gleichmäßige Klappern des Auspuffs.

Bernhard zieht ein viertes Taschentuch aus der Packung und macht eine hilflose Geste. »Manchmal ...«

> *There's still so many things*
> *I want to say to you*
> *But go on*
> *Just go on*

Es gibt Tage, da bewegen sich nicht einmal mehr ihre Augen. Dann liegt sie einfach nur da, und Bernhard zweifelt, ob sie ihn überhaupt noch wahrnimmt. Immer wieder denkt er, dass sie gerade gestorben ist, aber dann setzt der Atem doch wieder ein.

Bernhard versteckt erneut das Gesicht hinter den Händen. Ein Blutstropfen rinnt über seinen Daumen und versickert im Unterarm. »Ja, es stimmt!«, gurgelt er. »Ich wünsche mir, dass sie stirbt!« Er nimmt die Hände herunter, blickt aus dem Fenster und zieht die Taschentücher Nummer fünf und sechs heraus. »Und gleichzeitig habe ich totale Angst davor, weil ... weil ich mir einfach nicht vorstellen kann, wie es danach weitergehen soll.«

18

Keiner weiß, wie weit das Meer noch weg ist. Weit, vermutlich. Immerhin haben wir das Ende der Wolkendecke erreicht. Die Abendsonne übergießt die Felsen mit Honig und lässt die noch frischen Blätter der Steineichen silbrig flimmern. Der Bus füllt sich mit Licht wie ein Aquarium mit Wasser. Schwerelos treibt der Staub umher. Als ich das Fenster öffne, zieht kühle Luft herein. Ich schätze, wir befinden uns auf 800 Metern Höhe, vielleicht auch 1000. Im Rückspiegel begegnen mir müde Gesichter – erschöpft von einem langen Tag im Bus, von der Suche nach dem Sinn des Lebens, von dieser Straße, auf der wir uns bewegen, ohne jemals vorwärts zu kommen.

Marcs Joint hat alle etwas tiefer in die Polster sinken lassen. Zoe hat hin und wieder versucht, ein Netz für ihr iPhone zu finden. Vergeblich. Wir haben uns verloren.

Ohne Bernhards isotonische Durstlöscher würden wir inzwischen wie Dörrobst in der Gegend liegen. Lange schon könnte die Straße hinter der nächsten Kurve in einen steinigen Feldweg münden, sich noch ein Stück durch ein Geröllfeld winden und schließlich in der Landschaft aufgehen, Teil der Berge werden. Zuerst verschwanden die Strommasten, dann die Mittelstreifen, inzwischen franst an den Rändern die Fahrbahn aus. Seit Bernhard den Inhalt seiner Pandorabüchse hat entweichen lassen, ist kein Wort mehr gewechselt worden.

Plötzlich erscheint eine Brücke hinter einer Biegung, und die Erde bricht unter uns auf. Sobald man hinabblickt, macht der Magen Dinge, die er sonst nicht macht.

»Große Güte!« Bernhards Hände tasten nach etwas, das ihnen Halt geben soll, und finden die Sitzlehne.

»Sieht aus, als hätte Gott sich mit der Axt ausgetobt«, bemerkt Marc.

»Das muss zum Gorges gehören!«, ruft Lilith aus.

Marc fühlt sich langsam, als habe er nicht das Gymnasium, sondern die Sonderschule geschmissen. »Zu wem?«, fragt er.

»Der Gorges du Verdon – die größte Schlucht Europas. Das hier muss eine Seitenschlucht sein.«

»Wie ist denn das gemeint – die größte?«, fragt Bernhard. »Heißt das, es ist die längste, oder die tiefste?«

»Die längste *und* die tiefste«, gibt Lilith zurück. »Kannst du nicht mal ranfahren, Felix? Bitte!«

Im Straßenknick am Ende der Brücke zweigt ein Schotterplatz ab, auf dem man parken kann. Am Kopfende schließt ein Weg an, den eine rostige Schranke absperrt. Ein verlassener Kiosk wartet auf die Felskletterer und Bungee-Springer, die im Juli und August hier einfallen. Bis dahin hält er seinen Rollladen dicht geschlossen.

Ich parke den Bus neben dem einzigen Auto auf dem Schotterplatz, einem silbergrauen Citroën. Menschen sind nirgends zu sehen. Der Blick geht weit – in jede Richtung. Garriguebewachsene Felsplateaus, die in der Ferne zu Bergrücken ansteigen. Eine Gebirgskette löst die nächste ab, dahinter scheint eine weitere auf, und immer so weiter, bis jedes Gefühl für Entfernung unmöglich wird.

»Lasst uns auf die Brücke gehen«, schlägt Lilith vor.

Die Bogenbrücke überspannt kaum mehr als 50 Meter, doch bereits nach wenigen Schritten zieht kühle Luft aus der Schlucht herauf und greift mit kalten Fingern nach meinen Knöcheln. Von der Mitte der Brücke aus offenbart sich dann die ganze tragische Tiefe des Canyons. Es ist, wie Marc gesagt hat: Als habe sich Gott in blinder Wut an seinem eigenen Werk vergangen.

Im oberen Drittel ist der Trichter noch breit und steigt terrassenartig zur eigentlichen Schlucht hinab. Widerspenstige Zwergsträucher klammern sich an den Felsen, treiben ihre Wurzeln in die Ritzen und strecken sich nach jedem Lichtstrahl. Weiter unten wird es steil, still und dunkel. Beinahe senkrecht stürzt die Felswand in die Tiefe. Ich lasse einen Stein hinunterfallen und zähle die Sekunden. Ungefähr 300 Höhenmeter. Auf dem Grund scheint die Zeit stillzustehen. Dort ist die Schlucht nur noch wenige Meter breit und besteht aus nichts als weißlichem, pockennarbigem

Gestein – eine kryptische Mondlandschaft, der das Wasser die Farbe ausgewaschen hat.

Zur Schneeschmelze verwandelt sich das jetzt reglose Flussbett in einen Strom, der alles mitreißt, was er zu fassen bekommt. Dann sägt das Wasser in nur wenigen Tagen tonnenschwere Brocken aus dem Kalkstein, schleift die Überhänge ab und schmirgelt sie glatt. Zurück bleibt eine neue Mondlandschaft. Jetzt jedoch ist alle Bewegung erstarrt. Zerklüftet durch herabgestürzte Felsen, haben sich Krater gebildet, steilwandige Becken, die mit flacheren Wannen wechseln, in denen sich das Geröll gesammelt hat. Es gibt Wasserlöcher, die wenige Zentimeter oder auch mehrere Meter tief sein können.

Keiner sagt etwas. Die Kulisse ist über jeden Kommentar erhaben. Demut. Mehr bleibt nicht.

»Davon hat Laura immer geschwärmt«, sagt Lilith nach einer Weile. »Irgendwann wollte sie mit mir herkommen und mich runterlassen. Sie oben, und ich an ihrem Seil. ›Bei mir bist du sicher‹, hat sie gesagt. Blöde Bitch.«

Die Sonne hat den Grund verlassen und klettert langsam die Steilwand herauf. Unter uns zieht ein majestätischer Vogel scheinbar mühelos seine Kreise, breitet die Schwingen aus, spreizt die Federn und lässt sich tragen. Manchmal nimmt er ein Sonnenbad, dann wieder taucht er in den Schatten ein. Ein Königsadler. Das Männchen vermutlich. Die Paarungszeit ist vorbei. Das Weibchen ist mit Brüten beschäftigt. Nächsten Monat werden im Abstand von drei bis vier Tagen die Jungen schlüpfen. In diesen drei Tagen frisst sich das Erstgeborene so viel Kraft an, dass es auf seinem Geschwister herumhacken, ihm die besten Bissen wegschnappen oder es gar in den Tod stürzen wird. Kain und Abel, immer wieder.

Als wir zum Bus zurückkehren, stehen ein Mann und eine Frau neben dem silbergrauen Citroën und halten sich in den Armen, als wollten sie miteinander verschmelzen. Ein Versprechen, denke ich. Sie geben sich ein Versprechen. Zoe, Lilith und Bernhard bleiben abrupt stehen. Es ist, als hätten sich ihre gemeinsamen Sehnsüchte in einer menschlichen Skulptur vereinigt.

»Ich könnte kotzen bei dem Anblick«, flüstert Zoe.

Wir gehen zum Bus.

Es sind Amerikaner. Sie kommen gerade aus der Schlucht. Es gibt einen Weg hinunter. Die Blicke des Mannes kleben an Liliths T-Shirt, während er ihr von dem Abstieg erzählt. An einer Stelle ist eine rostige Leiter in den Felsen eingelassen, die am seidenen Faden hängt, und manchmal muss man sich mit dem Rücken an der Felswand entlangschieben, aber es geht, man kommt bis ganz nach unten, »it's terrific!«.

»Wenn der wüsste, was auf dem T-Shirt steht«, raunt Marc mir zu.

Der Mann versucht, sich nichts anmerken zu lassen, doch seine Augen sind magnetisiert. Vor zwei Minuten hat er seiner Freundin das größte Liebesversprechen gegeben, Lilith und ihre Brüste aber zersetzen sein Versprechen schneller als Salzsäure einen Hundeknochen. Lilith hingegen taxiert seine Freundin: süß. Passt ins Beuteschema. Die Freundin, der letzte Punkt in dem Dreieck, das sie bilden, versucht so zu tun, als sei nichts. Ihren Freund wird sie später unter vier Augen zur Rede stellen, und Liliths Blicke machen sie nur nervös.

Der Weg sei nicht offiziell freigegeben, erfahren wir, aber man findet ihn, er ist markiert. Nicht weit hinter dem Parkplatz beginnt der Einstieg. »You have to hurry, if you still want to go down. There are yellow dots along the way.«

Der Mann winkt Lilith, als sie vom Parkplatz fahren, die Frau blickt demonstrativ geradeaus.

Liliths Gesicht glüht vor Tatendrang. Miss Indiana Jones. Und diese Schlucht gehört ihr.

Marc sieht mich an, als sei ich die entscheidende Instanz: »Was meinst du?«

Auch Zoe sieht mich an.

»Ohne mich«, sagt Bernhard, dem schon bei dem Blick hinab das Herz in die Hose rutscht.

Ich schätze den Sonnenstand ab. Eine Stunde noch, maximal anderthalb. Dann wird es dunkel. Und kalt. Ich ziehe die Schultern hoch.

»Na dann los!«, sagt Lilith, als hätte ich das Signal gegeben.

19

In unregelmäßigen Abständen begegnen uns die gelben Punkte, von denen der Amerikaner erzählt hat. Unnötig eigentlich. Hat man den Einstieg erst gefunden, ist der Rest selbsterklärend. Es gibt nichts mehr zu entscheiden. Wir finden die Leiter, die der Amerikaner uns beschrieben hat, und an einer Stelle drückt sich Zoe schwer atmend gegen den Fels und sagt: »Das schaff ich nicht.«

Da stehen wir auf einem zwei Hand breiten Sims, der im 90-Grad-Winkel um eine Felskante führt, rechts Stein, links Leere. Wer einmal seinen Fuß darauf gesetzt hat, kann nicht mehr umkehren.

»Geht nicht, gibt's nicht«, antwortet Marc, für den jeder Schritt mit seinem unzuverlässigen Fuß auf dem schmalen Vorsprung eine Konzentrationsübung bedeutet.

Und so steigen wir langsam in diese fremde Welt hinab, lassen die Vegetation hinter uns, den Adler, tauchen ein ins Schattenreich.

Unten angekommen, sind alle erleichtert, wieder festen Boden unter den Füßen zu haben. Zoe ist ganz schlecht vor Aufregung.

»Mann, ist das abgefahren«, stellt Lilith fest, und ihre Stimme verliert sich in dem Steingeflecht wie in einer Kathedrale.

Wir beginnen, in der Schlucht herumzuklettern. Einmal steigen wir über einen Felsen, der so feucht und so weiß ist, dass ich danach Kreide unter den Fingernägeln habe. Den Tag über hat sich der Canyon aufgeheizt, doch jetzt spürt man, wie die Kühle aus den Wänden dringt. Liliths Worte von heute Mittag kommen mir in den Sinn, als sie Zoes Hand auf ihre Brust legte: warm und kalt zugleich.

Weit kommen wir nicht. An der zweiten Biegung sind drei garagengroße Felsen miteinander verschmolzen. Wir können hinaufklettern, doch die Senke, die sich auf der anderen Seite anschließt, ist mit Wasser gefüllt – ein verzweigter Swimmingpool, der hinter der Biegung verschwindet.

Nichts regt sich, alles schweigt. Keine Zikaden, kein Auspuffklappern, nicht einmal ein Windhauch oder tropfendes Wasser. Drei Meter unter uns bedeckt der blaue Abendhimmel, der sich dort spiegelt, den Boden. Das Wasser ist so glatt, dass man glaubt, es müsse zerbrechen, sobald man einen Stein hineinwirft.

Tut es aber nicht. Ich ziehe einen Kiesel aus einer Vertiefung und lasse ihn fallen. Widerstandslos taucht er ein, begleitet von einem Geräusch, das sich selbst verschluckt. Mit perfekter Gleichmäßigkeit rollen Wellen über das Wasser, brechen sich an den Rändern, werden zurückgeworfen und kreuzen sich, bis nur noch ein Zittern erkennbar ist. Kurz darauf liegt uns der Himmel wieder klar umrissen zu Füßen.

»Das war's dann wohl«, sagt Bernhard.

Wie Affen hocken wir auf dem Felsen und blicken in die Schlucht.

»Ich hätte ja gerne gewusst, wie es *hinter* der Biegung aussieht«, sagt Lilith.

Ich ziehe einen zweiten Stein aus der Vertiefung, lasse ihn ins Wasser fallen und zähle die Sekunden, bis er im Dunkel verschwindet. Danach noch einen, zur Sicherheit. Ungefähr drei Meter, und kein Grund.

»Was gibt'n das, wenn's fertig ist?«, fragt Marc, als ich mir die Schuhe abstreife.

Ich ziehe mir das T-Shirt über den Kopf, ohne zu antworten.

»Meine Güte«, sagt Lilith, als sie meinen nackten Oberkörper sieht, »du solltest echt mal was essen.«

Inzwischen stehe ich und knöpfe meine Hose auf.

Marc wird nervös: »Ey, Alter, was soll'n das geben?«

Ich rolle meine Hose zusammen und lege sie auf die Schuhe.

»Du hast sie doch nicht alle«, bemerkt Bernhard.

»Ich glaube, es ist tief genug«, antworte ich.

Und springe.

»Felix!«, kommt Zoes Stimme von hinten, doch da habe ich den Kontakt zur Erde bereits verloren.

Das Wasser ist so kalt, dass mein Gehirn zwei zusätzliche Sekunden benötigt, bis es begreift, dass es *wirklich* so kalt ist. Noch bevor ich wieder die Oberfläche erreiche, legt es meinen Armen Manschetten an und schnürt mir die Luft ab.

Vier Köpfe recken sich über den Felsrand.

»Ist das nicht scheißkalt?«, fragt Zoe.

Sie ist besorgt, denke ich, und komme mir seltsam geadelt vor. »Nein«, rufe ich, »genau richtig.«

Bei Marc würde das nie funktionieren. Dem würde keiner glauben. Mir jedoch traut niemand einen Hinterhalt zu.

Ausgerechnet Marc springt als Nächster. Nachdem er aufgetaucht ist und den ersten Schock überwunden hat, zischt er mir ins Ohr: »Dafür wirst du büßen, Schweinehund.« Den anderen ruft er zu: »Geil!«

Lilith steht als Nächste auf. Mit einer Bewegung, die Bernhard gerne in Marmor meißeln würde, streift sie sich ihr Fremde-Länder-fremde-Titten-T-Shirt ab und entblößt ihre Brüste.

»Und es ist garantiert tief genug?«, ruft sie.

So steht sie da, eine Amazone, mit nichts als einem String bekleidet, bereit, das Leben im Sturm zu erobern.

»Auf jeden!«, antwortet Marc.

Sie stellt die Füße parallel, breitet die Arme aus, setzt zum Sprung an, dreht einen anderthalbfachen Salto und taucht kerzengerade ins Wasser ein.

Dreimal sagt Bernhard: »Ihr spinnt doch!«, aber als sogar Zoe ihr T-Shirt auszieht und springt, kann er schlecht auf dem Felsen sitzen bleiben.

Er tut es. Springt. Und so, wie er dabei die Augen zusammenkneift und sich die Nase zuhält, denke ich, dass es wahrscheinlich das Mutigste ist, was er in seinem Leben bisher getan hat.

»Ich hab's gewusst!«, schreit er, als er an die Oberfläche kommt und nach Luft schnappt. »Ihr Schweine!«

Und dann werde ich von allen so lange untergetaucht, bis mein Puls in wilder Panik gegen die Schädeldecke trommelt.

Das Wasserloch würde Zoes Traumhaus in Südafrika alle Ehre machen – ein langgezogener Schlauch, von dem seitlich Kammern und Grotten abzweigen, alle umschlossen von demselben weich-gespülten Stein.

Bernhard befühlt einen Bogen, der mühelos als Tor zur Unter-welt durchginge: »Das ist ja wie bei ›Herr der Ringe‹.«

»Nur kälter«, bemerkt Lilith.

Vorsichtig tastet sich Bernhard in die Grotte vor: »Hat jemand Golum gesehen?«

Von irgendwoher erschallt Zoes Stimme: »Kann mal einer kommen? Felix! Felix!!«

Wir schwimmen um die Biegung und finden Zoe hektisch auf der Stelle rudernd vor einem Felsüberhang. Ihre Haut leuchtet weiß, die Lippen schimmern bläulich, ihre Haare scheinen aus dem Wasser zu wachsen und sich um ihren Kopf zu ranken – ein Märchen aus Fleisch und Blut. Das reflektierte Licht streicht ihr über die nackten Schultern und züngelt sich den Hals hinauf.

Ihre Stimme ist von Angst belegt: »Was ist'n das?«

Aus dem Dunkel funkelt uns etwas an – ein Auge. Ein Fellrü-cken schimmert matt aus dem Wasser. Davor ragt etwas aus der Oberfläche, das ich zunächst für einen Ast halte, das sich jedoch bei näherer Betrachtung als Reißzahn erweist.

»Ein Wildschwein«, sagt Bernhard, »ein Keiler.«

Zoe ist alles andere als beruhigt: »Und was macht der hier?«

»Verwesen«, sagt Lilith, »sieht man doch. Dem fehlt ja schon das halbe Gesicht.«

»Wie appetitlich«, sagt Bernhard.

Zoe kann ihren Blick nicht abwenden: »Und wie kommt der hierher?«

Ich blicke die Steilwände hinauf: »Ist wahrscheinlich zur Schneeschmelze in die Schlucht gespült worden und nicht mehr rausgekommen.«

In diesem Moment kommt uns allen derselbe Gedanke.

»Wie kommen *wir* hier eigentlich wieder raus?«, fragt Bern-hard.

Der Stein verweigert jeden Halt. Keine Kanten, keine Riefen, nichts, woran man sich hochziehen oder einen Fuß darauf setzen könnte. Wir schwimmen in einem Steintrichter. Dem Wasserlauf folgend, wird das Becken durch einen abgerundeten Felsen begrenzt, der wie eine Domkuppel aus dem Wasser ragt. Mit Anlauf und Gummisohlen würde man vielleicht hinaufkommen. Aber nicht mit bloßen Händen. Und über Wasser laufen kann keiner von uns. Die drei Felsen am anderen Ende des Beckens sind so sehr miteinander verwachsen, dass man sie für einen halten könnte. Lediglich dort, wo sie aufeinandertreffen, klafft ein rundes Loch, eine Linse, die das letzte Tageslicht einfängt. Möglicherweise könnte sich einer von uns hindurchzwängen.

»Kommen wir da irgendwie ran?«, fragt Marc.

Ich schätze die Entfernungen ab und vermesse im Geiste die Wände in alle möglichen Richtungen. Keine Chance. Es müsste eine Flutwelle kommen, um den Wasserspiegel derart ansteigen zu lassen. Die Linse blickt auf uns herab wie das Auge eines Sauriers.

»Nicht vor der nächsten Schneeschmelze«, antworte ich.

Ich spüre, wie Bernhard neben mir von Angst ergriffen wird. »Ich hab gleich gesagt, dass es eine Scheißidee war, in die Schlucht zu steigen.«

»Warum bist du dann nicht oben geblieben?«, fragt Marc. »Da wärst du uns jetzt die größere Hilfe.«

Bernhard antwortet nicht. Eine der Eigenschaften, die er an sich selbst am meisten verachtet, ist seine Unentschlossenheit. Wenn man lange genug an ihm zieht, knickt er um. »Ein schwacher Charakter«, hat sein Vater das genannt. Danach hat er sich scheiden und nie wieder blicken lassen. Einen Sohn mit schwachem Charakter zu haben war ihm unerträglich. Und jetzt wackelt Bernhard wie eine Kaulquappe in diesem Wasserloch herum. Dabei wollte er nicht springen, auf keinen Fall.

»Scheiße!«, schreit er und schlägt mit der flachen Hand auf den Fels ein. »Scheiße, Scheiße, Scheiße!«

Bernhards Wutausbruch endet so abrupt, wie er begonnen hat. Übrig bleibt ein farbloses Gemisch aus Trauer, Groll und Fatalismus.

»Leute?« Alle drehen sich zu Zoe um, die hinter uns Wasser tritt und zu dem Saurierauge aufsieht. »Ich hab Angst.«

Plötzlich sehe ich uns von oben, als säße ich auf dem Felsen zwischen unseren Schuhen und den T-Shirts von Lilith und Zoe:

Fünf Gestalten, die vor einem Steinwall im Wasser rühren. Stumme Ratlosigkeit.

»Und was machen wir jetzt?«, fragt Lilith.

»Wie wär's mit um Hilfe rufen?«, schlägt Zoe vor.

»Spitzenidee«, sagt Lilith.

»Hast du eine bessere?«

Ich spüre meine Finger und Zehen nicht mehr. Und kann sie auch nicht bewegen. So geht es los. Hab ich mal gelesen. Sobald deine Temperatur um mehr als zwei Grad absinkt, stellt dein Körper die Versorgung der Extremitäten ein, um die lebenswichtigen Organe zu schützen. Zuerst kommt es dir vor, als schliefen deine Zehen ein. Dann kriecht eine schleichende Lähmung deine Beine herauf. Am Schluss windet sich dein Körper in reflexhaften Zuckungen, die du bereits nicht mehr steuern kannst.

Im Knie der Biegung ist das Wasser nicht ganz so eisig, weil es dort am längsten von der Sonne gewärmt wurde. Bernhard kann sich sogar, wie ein Turner an zwei Steinen hängend, zu zwei Dritteln aus dem Wasser hieven. Aber nicht weiter. Und nicht lange. Inzwischen hat auch er angefangen, um Hilfe zu rufen. Ich glaube, er macht es vor allem, um Zoe nicht alleine zu lassen. Deren Rufe sind in ihrer einsamen Verzweiflung nicht zu ertragen.

»Wo ist denn hier der Warmwasserhahn?«, fragt Marc.

Er erhält keine Antwort. Es ist kein Platz mehr für Humor. Nicht einmal für Galgenhumor.

»Ich hab das Lied noch nicht fertig«, sagt er.

»Als würde das jetzt noch einen Unterschied machen«, sagt Bernhard.

»Klar würde es das. Nichts, das mal da war, geht wieder ganz verloren. Ist wie eine Kerbe in der Matrix. Jeder schöne Moment, jede schöne Idee – Scheiße, ist das kalt! – hinterlässt einen Abdruck. Fang jetzt nicht an zu diskutieren, Bernhard, ist echt kein guter Moment. Alles, was ich sage, ist: Wenn dieses Lied fertig geworden wäre …«

»Was dann?«

Marc verstummt. Selbst er scheint zu kapitulieren. »Was weiß ich …«

Lilith ist mit ihrer eigenen Matrix beschäftigt: »Mein Gott, wie absurd ist *das* denn?«, überlegt sie. »Der Gorges, in den Laura immer mit mir hinabsteigen wollte, und jetzt hänge ich hier drin und komme nicht mehr raus.« Und dann fängt auch sie an, um Hilfe zu rufen. »Hilfe! Scheiße! Hilfe! Kann uns jemand hören? Hilfe!«

Mit dem Licht schwindet die Hoffnung. Der Lichtstreifen, der am Rand der Steilwand emporklettert, wird kleiner und kleiner. Erst färbt er den Stein orange, schließlich taucht er ihn in ein leuchtendes Rot. Über uns zieht der Königsadler im Abendlicht seine Kreise – der Erstgeborene, der überlebt hat. Der andere, den er aus dem Nest gedrängt hat, durfte nie erfahren, wie es ist, seine Flügel zu spreizen und sich tragen zu lassen.

Vor drei Stunden saßen wir im Bus, und ich wollte bereit sein, mein Ende anzunehmen. Jetzt strampeln wir in einer Eiswanne, und der Tod kriecht uns die Beine herauf. Bin ich bereit? Ich weiß es nicht. Es scheint nicht mehr wichtig zu sein. Knieabwärts hat mir die Kälte die Beine amputiert. Ich schlage mir gegen die Unterschenkel. Nichts. Kein Gefühl. In den Beinen nicht, in der Hand nicht.

»Marc?«, sage ich.

Ich will den Moment nicht verpassen. Matrix, Abdruck, Energie – all das eben. In zehn Minuten ist es vielleicht zu spät.

»Was?«

»Danke.«

»Hör bloß auf mit dem Scheiß, Mann. Du redest, als wären wir schon tot! Was soll'n das werden? Sagen wir uns jetzt alle noch mal, wie lieb wir uns haben? Wir sind noch nicht tot, und wir werden auch nicht sterben, jedenfalls nicht hier und nicht heute. Überleg dir lieber, wie wir hier rauskommen. Los, du Genie! Streng deine grauen Zellen an! Irgendeinen Weg muss es geben.«

»Nein«, antworte ich. Inzwischen jagt mir jeder Atemzug eine Nadel durch die Lunge. »Aus eigener Kraft kommen wir hier nicht raus.«

»*Wie* wir hier rauskommen, ist mir scheißegal. Von mir aus könnt ihr auch beten. Aber wir werden nicht in diesem Loch absaufen, jedenfalls *ich* nicht. Ich hab noch zu viel vor, Mann.« Marc versucht, seine Finger zu bewegen, doch zu einer Faust lassen sie sich nicht mehr ballen. Er reckt seinen Kopf aus dem Wasser, so gut es geht: »Hörst du, Gott: Ich hab einfach noch zu viel vor!«

»Warum betest *du* nicht?«, fragt Bernhard.

»Weil Gott nicht blöd ist, Mann! So einfach lässt der sich nicht verarschen. Wenn *ich* zu ihm bete, dann schickt er uns bestenfalls einen Blitz, damit es schneller geht.«

Das letzte Licht hat die Schlucht verlassen. Die Linse zwischen den Felsblöcken erblindet. Das ausgewaschene Gestein verliert seine Konturen, hüllt sich in weiße Schleier wie ein Gespenster-reigen. Auf einmal streift es Tausende Tonnen Gewicht ab und wird leicht wie Gaze.

Als auch Zoe ihre Beine nicht mehr spürt und das mögliche Ende Gestalt annimmt, schwellen ihre Rufe zu einem panischen Ge-sang.

Bernhard beginnt zu beten. »Lieber Gott …«

Ich beginne zu zählen. Am Ende macht jeder seins. Ungerade Quadratzahlen. Die geraden mag ich nicht. 1521. Da fange ich an. Ist eine meiner Lieblingszahlen.

1681.

1849.

2025.

Bernhard bittet um Vergebung, bereut, nicht stark genug ge-wesen zu sein. Immer war er irgendwie verkehrt, dabei wäre er so gerne richtig gewesen. Und niemals hätte er den Wunsch zulassen dürfen, seine Mutter möge sterben. Die Geschichte seines Le-bens: Nie der gewesen zu sein, der er hätte sein wollen. Und jetzt stirbt er noch vor seiner Mutter.

2209. Heute in zweihundert Jahren. Bis dahin ist jeder von uns lange von Würmern zerfressen worden, zu Staub zerfallen und von der Natur mehrfach recycelt worden.

2401

2601.

2809. Noch eine Lieblingszahl von mir.

3249.

Ich wünschte, es gäbe etwas, das ich sagen könnte. Etwas, das es ihm leichter machen würde. Doch wie so oft habe ich keine passenden Worte. Wahrscheinlich rede ich deshalb so wenig. Zwischen dem, was ich fühle, und dem, was ich sage, klafft immer eine Lücke.

»Dreitausendfünfundzwanzig«, sage ich.

»Was soll denn das jetzt?«

»Die hab ich vergessen«, erkläre ich, »dreitausendfünfundzwanzig. Kommt vor dreitausendzweihundertneunundvierzig. Das Quadrat von fünfundfünfzig.«

»Du und deine Scheißzahlen!«, schreit Bernhard.

3481.

In Bernhards Gebet mischen sich Tränen. Bad energy, wie Marc sagen würde. In einer halben Stunde werden wir vermutlich ertrunken sein. Und alles, was er sich noch zu sagen hat, sind Vorwürfe.

3721.

3969.

Zoes Hilferufe münden in Schreie. Wie die eines Kindes. Wie die von Benno, wenn ich ihn morgens seiner Welt entreiße. Wie meine eigenen, im Heizungskeller. In diesem Moment wird mir klar, dass Zoe als Erste ertrinken wird.

Die Quadrate der Zahlen 66 bis 88 überspringe ich. Die mochte ich noch nie.

7921.

Marc sieht mich ungläubig an. Seine Haut ist durchscheinend wie eine Bibelseite. »War's das jetzt?«

8281.

8649.

9025.

9409.

9801. Das Quadrat von 99. Das ist das Ende.

»Hey, Felix! Ich hab dich was gefragt!«

»Was?«

»War's das jetzt?«

Ich überlege noch, was ich Marc antworten soll, als von hoch oben eine Stimme erschallt. Bis sie uns erreicht, wird sie so oft zwischen den Felswänden hin und her geworfen, dass sie von überall gleichzeitig kommt und die Worte übereinanderpurzeln: »Spart euch den Atem – bin doch nicht taub!«

Sekundenlang herrscht ungläubiges Schweigen.

»Habt ihr das gehört?«, fragt Lilith.

»Ich schon«, antwortet Marc.

Lilith beginnt, wie eine Irre zu lachen: »Das gibt's doch nicht – Zoe, du kannst aufhören, Zoe! – Hast du nicht gehört?!«

Bernhard, der nicht mehr unterscheiden kann, wo die Realität aufhört und die Imagination anfängt, fragt tatsächlich: »War das Gott?«

»Na sicher«, entgegnet Marc und beginnt ebenfalls zu lachen. »Der kommt jeden Abend hier vorbei und klopft sich auf die Schulter, weil alles so hübsch aussieht. Und weil ihr so dicke Kumpels seid, du und der liebe Gott, sag ihm doch bitte, dass er sich beeilen soll. Hast du gehört, GOTT? BEWEG DEINEN ARSCH! BITTE! Amen.«

20

Gott heißt Jürgen. Und er ist nicht so, wie man sich Gott gemeinhin vorstellt. Er lebt eine halbe Autostunde entfernt von der Artuby-Schlucht, in der wir feststecken, in einem kleinen Dorf namens Pui. Wie jeden Samstag ist er den nervigen Weg zur Schlucht hinaufgekurvt, um hier Maria, die Frau des Dorfpolizisten, zu vögeln.

Manchmal fragt sich Jürgen, ob die ganze Fahrerei die Sache noch wert ist, aber allein die Genugtuung, die er dabei Maurice gegenüber empfindet, diesem froschfressenden Bullenwichtel, der noch dazu alles hasst, was deutsch ist … Doch, lohnt sich.

Jürgens Maschine hatte einen Motorschaden. Brigitte. Eine Yamaha Genesis. 136 PS. Zornige kleine Schlampe. Bei 7000 Umdrehungen ging die erst so richtig ab. Bei 13 500 hat's dann den dritten Zylinder zerlegt. Bald zehn Jahre ist das jetzt her. Da saß Jürgen in diesem Kaff fest mit einer kaputten Brigitte, und der einzige Mensch im Ort, der etwas von Motoren verstand, hatte drei Traktoren in der Werkstatt. Aber es gab das *Louis*, und es gab Jeanne, die schon damals dort arbeitete. Und bis Brigitte wieder fahrtüchtig war, hatte Jürgen unbemerkt Anker geworfen.

Die Bauern in der Region nennen Jürgen nur L'Allemand, den Deutschen. Wenn jemand nachfragt, was genau er eigentlich macht, bekommt er zur Antwort, Jürgen sei »so eine Art Tierarzt«. Tatsächlich mästet er alles, was vier Beine hat, mit allem, was sich auf Spritzen ziehen lässt.

Früher hat sich Jürgen das Zeug, das er heute den Kühen verabreicht, selbst gespritzt. Equipoise zum Beispiel. Verringert den Wassergehalt in den Muskeln. Wurde ursprünglich für die Pferde- und Rinderzucht entwickelt, funktioniert aber beim Menschen genauso. Macht mageres Fleisch, schön rot. Kühe sind eben auch nur Menschen. Spritz ihnen anabole Steroide in den Arsch, und du steigerst den Aufbau von Eiweiß in der Muskulatur bei gleichzeitiger Verminderung des Körperfetts. Besser geht's nicht. Und so einfach. Hätte die Natur auch selbst drauf kommen können. Aber der fallen immer nur komplizierte Sachen ein: Photosynthese zum Beispiel, oder Pilze – Mann, sind die komplex! Könnte alles viel einfacher gehen.

Jürgen jedenfalls hat das Zeug nicht geschadet. Im Gegenteil: Hat ihn stark gemacht. Und geil. Wie Maria. Die ist auch geil. Und versaut. Auf jeden Fall zu geil und zu versaut für ihren Mann, Maurice. Der schnallt sich zum Boulespielen extra eine Großkalibrige um, aber in seiner Hose steckt nur ein Pusteröhrchen. Sagt Maria.

Der Treffpunkt von Jürgen und Maria ist das Ende eines unbefestigten Weges, der gefährlich nah an der Kante der Steilwand entlangführt und für die Öffentlichkeit gesperrt ist. Benutzt werden darf er nur als Feuerwehrzufahrt, wenn im Sommer mal wieder ein Tourist in der Wand steckengeblieben oder in die Schlucht gestürzt ist. Maria, die sich hier jeden Samstag den Rock hochschiebt, findet die Kulisse romantisch. Jürgen ist das so was von egal, das gibt's gar nicht.

Er hatte bereits ein komisches Gefühl, als er beim Öffnen der Schranke diesen Streifenhörnchenbus auf dem Schotterplatz stehen sah. Orange und Weiß. Welcher Idiot dachte sich Orange als Farbe für ein Auto aus? 'ne Schwulette, jede Wette, oder irgendwelche Baumhocker, die die Büsche abnagten und sich händchenhaltend im Kreis aufstellten, um gemeinsam der Energie des Ortes nachzuspüren.

Jürgen brachte die Lehne des Beifahrersitzes in die Waagerechte, Maria kam, stieg wie immer wortlos auf der Fahrerseite ein und steckte sich die Haare hoch, während Jürgen seine Hose auf die Oberschenkel herabzog und sich in Position brachte, um sich anblasen zu lassen, als plötzlich ein weiblicher Hilferuf das nervtötende Grillengezirpe zerschnitt.

An dieses Scheißgezirpe hatte sich Jürgen nie gewöhnen können. Der Mistral, der einem das Hirn aus der Schale pustete; die Boule spielenden Flachwichser aus dem Dorf; selbst die Sprache, dieses »Worte in der Nase kneten und dann rauswürgen« – alles zu ertragen. Aber diese Zikaden … Mann, die konnten einem echt auf den Sack gehen. Und natürlich die Skorpione. Das Einzige auf der großen weiten Welt, wovor Jürgen Angst hatte. Krochen im August durch jede Scheißritze, um ins Haus zu kommen. Fand sich immer was. Kein Wunder, so wie die Franzosen ihre Türen bauten. Ein offenes Garagentor hält mehr Skorpione ab als dieser Dreck. Was wollen die überhaupt hier? Ist doch nicht Afrika, oder was. Gibt nicht einmal Palmen. Noch so was. Keine Autostunde südlich von hier hat's Palmen, dass du die Sonne kaum siehst, aber hier? Buchsbaum, stinkender Thymian und 40 Grad im Schatten. Aber nicht eine gottverdammte Palme.

Da war es wieder: Eine Frau, die um Hilfe rief. Mit amtlich Hall auf der Stimme. Kam auf jeden Fall aus dem Canyon. Bei diesem Gewinsel würde Jürgen garantiert keinen hochkriegen, und wenn ihm Maria den doppelten Rittberger machte. Die leckte sich bereits die Finger an und beugte sich über den Sitz.

Der Hippiebus, hundert Pro. Touriekretins, die kurz vor Sonnenuntergang noch in die Schlucht stiegen. Die Schlimmsten von allen. Schlimmer als jede Schwuchtel. Die Schwuletten trauten sich ja nicht mal auf die Brücke. *Uhuuu, geht das tief runter!* Logisch geht das runter. Hat ein Canyon so an sich, dass er runtergeht. Eigentlich sollte man die in dem Gorges übernachten lassen.

Maria fängt an, seinen Schwanz zu reiben, doch das Ergebnis ist mager. Fragend sieht sie zu ihm auf. Also, was macht Jürgen? Kurbelt die Lehne hoch, steigt aus – was bleibt ihm anderes übrig –, knöpft sich die Hose zu und steigt auf einen Felsvorsprung, von dem aus er die Schlucht überblicken kann. Es sind mehrere, drei oder vier, Männer inklusive. Deutsche. Sehen kann er sie nicht, aber hören. Oder doch sehen? In einem der Becken flimmert das Wasser, als bewege es sich. Schöne Scheiße.

»Spart euch den Atem!«, ruft er hinab. »Bin doch nicht taub.«

Er geht zum Wagen, öffnet den Kofferraum und holt Taschenlampe und Abschleppseil heraus. Als Maria ihn mit dem Seil über der Schulter sieht, sagt sie: »Mais pas si fort.« Aber nicht so fest.

»C'est pas pour toi«, antwortet Jürgen. Ist nicht für dich. »Fahr nach Hause, das hier wird länger dauern. Wir treffen uns um zehn bei mir, dann holen wir's nach.«

»Bei dir zu Hause?«

»Was soll schon sein? Heute ist Saisonauftakt. Dein Mann trägt auf dem Bouleplatz seine Knarre spazieren, und Jeanne arbeitet bis Mitternacht im *Louis*.«

21

»Die quiekt ja wie ein Schwein!« Jürgens Stimme kommt näher und ertönt mit weniger göttlichem Hall. Auf halber Höhe der Steilwand blitzt ein weißer Lichtschein auf. »Hör endlich auf zu kreischen! Wenn man weiß, dass man gerettet wird, säuft man nicht mehr ab.«

Es stimmt, denke ich, der Mensch nährt sich von Hoffnung. Unterdessen wird mir bewusst, dass ich den Stein unter meinen Fingern nicht mehr spüre und meine Hand abrutscht, ohne dass ich etwas dagegen tun kann. Ich werde vom Wasser verschluckt, das sich um meinen Hals schließt und über meinem Kopf zusammenzieht. Zoes Schreie zucken wie Fische durch das Becken. Lilith und Marc haben versucht, sie zu beruhigen, doch sie kann nicht aufhören, klammert sich an ihre Hilferufe wie an den letzten Strohhalm – solange ich schreie, kann ich nicht sterben. Mein Körper beginnt sich zu winden, meine Arme zucken. Ich sehe die Oberfläche auf mich zukommen, durchstoße sie und kann wieder atmen.

Auf dem Felsen, von dem wir ins Becken gesprungen sind, erscheint Jürgen, der sich breitbeinig über uns aufbaut. Wie ein Jäger, der nachsieht, was ihm in die Falle gegangen ist. Er sucht nach einem sicheren Halt für seine Füße, knotet das mitgebrachte Seil zu einer Schlinge und legt sich das andere Ende um die Hüfte.

»Den Schreihals zuerst«, sagt er.

Gegen den Abendhimmel kann ich lediglich seine Silhouette erkennen, ein schwarzer Umriss mit einer Stimme, die direkt aus dem Felsen spricht. Wahrscheinlich ist es diese Stimme, deretwegen ich eine plötzliche Eingebung habe: Sobald er Zoe hat, lässt er uns ertrinken.

Doch wir haben keine Wahl. Zoe schreit nicht mehr. Ihr Atem geht in kurzen Stößen und hält sie nur noch sekundenweise über

Wasser, bevor ihr Kopf untertaucht und ein panisches Zucken ihres Körper sie wieder an die Oberfläche treibt. Sie muss als Erste raus.

Bernhard umfasst ihre Taille und zieht sie hinter sich her unter den Felsen. Sie bewegt sich nicht, aber ich höre ihren Atem und sehe ihre Augen in der Dämmerung verschwimmen. Sie wirft mir einen letzten Blick zu, der mich über seine Bedeutung im Ungewissen lässt, weil er zu wenig von sich preisgibt und zu viel für sich behält. Weiß auch sie, was Jürgen vorhat? Ich möchte helfen, doch meine Hände sind zu Sicheln geformt und lassen sich nicht mehr bewegen. Dafür sind Marc und Lilith da, die Zoe gemeinsam die Schlinge überstreifen. Stück für Stück steigt sie auf, bis sie vollständig über dem Wasser schwebt, die weißlich schimmernden Arme schlaff von ihren Schultern hängend, die Brüste unter dem Seil zur Unkenntlichkeit zerquetscht, die Beine zuckend, als suchten sie einen Halt.

Jürgen zieht Zoe auf den Vorsprung, umgreift mit beiden Händen die Schlinge und schleift sie wie einen sterbenden Fisch zwischen seinen gegrätschten Beinen an einen Platz, von dem sie nicht herunterrutschen kann. Jetzt hat er, worauf er aus war.

Wir werden sterben. Ich bin sicher. Das Stechen in meiner Brust wird in Kürze meine Atmung lähmen. Mein Herz schlägt um sein Leben. Nicht, dass es noch darauf ankäme. Das Wasser glänzt schwarz in der Dunkelheit. Jeder meiner Atemzüge hallt von den Steinen wider. Ich habe gelesen, dass es sehr schnell geht – ertrinken. Viel schneller, als man denkt. Für ungefähr eine Minute lässt sich der Atemreflex unterdrücken, bevor er einen dazu zwingt, seine Lungen mit Wasser zu füllen. Danach ist man sofort ohnmächtig. Den schlimmen Teil – die Spasmen, das letzte Aufbäumen, den Kollaps – macht der Körper mit sich aus.

Ich hoffe, dass ich der Letzte sein werde. Ich will nicht, dass die anderen mich sterben sehen. Der Reißzahn des Keilers schimmert auf der Oberfläche wie eine verblassende Erinnerung. Wasser steigt mir in die Nase. Noch einmal reiße ich den Kopf zurück und sehe, wie die Felsen über mir ihre Köpfe zusammenstecken.

Liliths geflüsterte Stimme wandelt über das Wasser und kriecht mir ins Ohr: »Du säufst jetzt nicht ab, oder?«

»Keine Sorge.« Es sind meine letzten Worte. »Ich warte auf euch.«

Ich spüre meinen Körper nicht mehr. Am Himmel glaube ich einen ersten Stern zu erkennen, den Abendstern. Möglich auch, dass ich ihn mir nur einbilde. Schön ist er, so oder so.

Ich gleite durch das Wasser, ohne mich zu bewegen. Neben mir schwimmt ein Schatten – Marc. Ich begreife, dass ich *nicht* der Letzte sein werde. Mein bester Freund wird mich ertrinken sehen. Ich möchte ihm sagen, dass es mir leid tut, doch meine Lippen bewegen sich nicht. Spielt keine Rolle. Er weiß es, so oder so.

»Bis gleich«, sagt er.

Ich versuche zu lächeln. Etwas schnürt mir die Brust zusammen. Ein Schmerz steigt mir in den Kopf und explodiert an tausend Synapsen gleichzeitig. Ich sehe, wie sich das Wasser von mir entfernt, die Köpfe der anderen. Dann verliere ich das Bewusstsein.

22

»Ihr habt mir meinen Fick versaut.« Während Zoe sich trockene Sachen anzieht, begutachtet Jürgen unverhohlen ihren Körper. »Wird nachgeholt«, stellt er fest.

Wir sitzen im Bus, eingewickelt in speckige Umzugsdecken, mit denen Marc die Boxen und Instrumente schützt, wenn er mit einer Band unterwegs ist. Falls es einen Muskel in meinem Körper gibt, der nicht schmerzt, wüsste ich gerne, welcher.

Anderthalb Stunden hat der Aufstieg gedauert. An den gefährlichen Stellen hat Jürgen die Taschenlampe zwischen die Zähne geklemmt und Zoe wie einen Kartoffelsack geschultert. Unterdessen hat sich der Himmel wieder zugezogen, und es ist Nacht geworden. Die Leselampe im Bus ist die einzige Lichtquelle im Umkreis von 20 Kilometern. Die Mücken und Falter feiern es wie Silvester.

Jürgen hat seinen Wagen geholt, eine Sporttasche von der Rückbank genommen und eine Schachtel sowie ein Spritzbesteck hervorgekramt. In der Schachtel lagern in passgenauen Schaumstoffsärgen Glasampullen Reih in Reih.

»Sind Sie Arzt?«, fragt Lilith.

»So was Ähnliches.«

»Und was ist da drin?«, will Bernhard wissen.

Jürgen zermatscht ein Insekt auf seinem Unterarm, knackt eine Ampulle und zieht den Inhalt auf eine Spritze. »Das hier«, antwortet er und klopft die Luftblasen aus dem Kolben, »entspricht vierundzwanzig Kilo Obst. Bisschen Koffein ist auch dabei. Wenn du das einer kalbenden Kuh spritzt, drückt die in zwei Minuten ihr Kälbchen raus. Ärmel hoch.«

Jürgen hat eine Art, »Ärmel hoch« zu sagen, dass man nicht auf die Idee kommt zu widersprechen. Reihum bekommt jeder eine Ampulle injiziert.

Jürgen sieht auf seine Uhr: »Zweimal in drei Stunden 'nen Fick versaut – ihr seid echt spitze.«

Mit diesen Worten steigt er in seinen Wagen und jagt vom Parkplatz. Der aufspritzende Kies wird bis in den Bus geschleudert.

Als die Rücklichter hinter der Biegung verschwinden, sagt Lilith: »Danke.«

Zoe hat noch keinen Laut von sich gegeben. Eingesponnen in ihrer Decke sitzt sie auf der Rückbank und bedenkt mich mit dem gleichen Blick, den sie mir im Canyon zugeworfen hat – bevor Jürgen sie aus dem Wasser fischte.

Der intravenöse Obstcocktail zeigt Wirkung. Als sei ich an einen Stromkreislauf angeschlossen worden. Ich bin hellwach, kann aber kaum die Kraft aufbringen, die Schiebetür zuzuziehen.

»Nichts gegen vierundzwanzig Kilo Koffein und ein bisschen Obst«, sagt Lilith, die ihre zitternde Hand betrachtet, »aber wenn ich nicht heute noch etwas zu essen bekomme, könnt ihr mich morgen früh an den Adler verfüttern. Kannst du noch fahren, Felix?«

Eine halbe Stunde, hat Jürgen gesagt, bis zu diesem Ort, Pui. Ich nicke. Eine halbe Stunde hält der Cocktail mindestens vor. Den anderen geht es wie Lilith: ein Königreich für eine gegrillte Eidechse! Ich ziehe den Schlüssel aus der Tasche.

»Okay, Felix.« Es sind Zoes erste Worte seit unserer Rettung. Zwei nur, aber genug, um jeden von uns innehalten zu lassen. »Du warst bereit, da unten den Tod anzunehmen«, fährt sie fort. »Ich hab es in deinen Augen gesehen. Glückwunsch: Hast eine überzeugende Show abgeliefert. Aber weißt du was? Statt dich dafür zu bewundern, hat es mir nur Angst gemacht. Du tust mir leid, Felix, ganz ehrlich. Und weißt du auch, warum? Du bist nur deshalb bereit, den Tod anzunehmen, weil du zu wenig am Leben hängst. Kannst es kaum erwarten, was? Loslassen – da macht dir echt keiner was vor.« Sie blickt in die Nacht hinaus, eine Welt Schwarz in Schwarz. Das Einzige, was sie sieht, ist ihre Reflexion in der Scheibe. Nichts bewegt sich. Nur die Insekten, die um die Lampe tanzen. »Brauchst nicht zu antworten. Fahr einfach los.«

Ich schalte die Innenraumbeleuchtung aus, drehe den Schlüssel und lasse den Bus vom Parkplatz rollen.

Wir kriechen auf einer endlosen Serpentine ins Tal hinab, wo wir die Spitze eines Sees umfahren. An einer Badestelle liegen, aufgereiht wie gestrandete Delphine, Kanus im Sand. Auf der anderen Seite schraubt sich die Straße wieder in die Höhe, schlägt eine Schneise durch dichten Wald, der überraschend aufbricht und uns auf ein Plateau spuckt – eine Scheibe, deren Ende in der Nacht verschwindet, in einer anderen Dimension, wo Zukunft und Vergangenheit sich gegenseitig in den Schwanz beißen.

Die Fahrt über sagt keiner ein Wort. Zoes Bemerkung hat jeder weiteren Unterhaltung schwere Steine in den Weg gelegt. Von Zeit zu Zeit ragt ein Stück Mondsichel durch die Wolken, und ein matter Schimmer senkt sich auf die Erde herab. Im Bus riecht es nach nassem Hund. Irgendwann ziehen die Lichter eines entfernten Ortes wie ein erleuchtetes Kreuzfahrtschiff über die Hochebene. Nach 45 Minuten führt uns die Landstraße in ein kleines Dorf. Insekten schwirren im gelblichen Licht der Straßenlaternen. Pui. Endlich.

23

Zum Zeitpunkt unseres Eintreffens hat Pui 627 Einwohner. Wahrscheinlich. Die meisten sterben unbemerkt. Das Dorf implodiert. Jeden Monat einer weniger. Neuzugänge sind nicht zu verzeichnen. Die letzte Geburt datiert ins Jahr 2001 und wurde gefeiert wie die Auferstehung Jesu.

Noch vor 20, 30 Jahren sah das anders aus. Es gab eine Schule, einen Kinderarzt, eine Bank, drei Restaurants, vier Bars und sogar ein kleines Kino mit 72 Sitzplätzen, betrieben von Jacques, dem Kioskbesitzer und leidenschaftlichen Cineasten, der dort freitag- und samstagabends die Filmrollen einlegte.

Die Leuchttafel über dem Vordach gibt es noch immer. Strahlt Nacht für Nacht über den verwaisten Hof, in der Hoffnung auf ein Wiederaufleben alter Zeiten, auf knutschende Teenager, Klatsch und Tratsch und den Geruch von Gitanes und salzigen Crêpes. Sogar die schwarzen Lettern klemmen noch in den Schienen. LES LIAISONS DANGEREUSES ist dort zu lesen, der letzte Film, den Jacques hier gezeigt hat, 1988, vor drei zahlenden Zuschauern. Seither wird in Pui abgelebt, nicht aufgelebt.

Heute jedoch ist ein besonderer Tag. Für die Dauer eines Wochenendes wird Pui künstlich beatmet. In den Gassen spürt man es nicht, aber der Dorfplatz hat sich herausgeputzt. Das erste Bouleturnier des Jahres, der Auftakt der Saison. Es findet stets in Pui statt. Dann hat man es hinter sich. Léon Bertou, der Bürgermeister, ist heute Morgen höchstselbst auf die Klappleiter gestiegen, um in dem Versorgungskasten, der in der großen Platane hängt, die Sicherungen für die Platzbeleuchtung zu erneuern. Außerdem hat er sämtliche »Brennstäbe« ersetzt. So heißen die Glühbirnen der Halogenstrahler bei ihm. Mittags kam der Kipplaster aus Riez und brachte neuen Kies.

Kaum war der abgeladen und hatte Léon Alphonse gezeigt, wie er ihn verteilen sollte, traf auch schon der Wanderzirkus mit seinem halben Dutzend Bauwagen ein. Léon geleitete den Zug unter immensen Komplikationen durch das Gassengewirr zum Grundstück von Gérard, der seine Wiese alljährlich als Weide für die Zirkustiere zur Verfügung stellt. Morgen, am Sonntag nach dem Bouleturnier, ist Dorffest, und der Zirkus gibt eine Sondervorstellung.

Bei Hélène herrschte den ganzen Tag Hochbetrieb. Ihr gehört der Frisiersalon im Dorf. Im Umgang mit der Schere hat Hélène in den letzten Jahren an Souveränität eingebüßt, doch der zunehmende Sehverlust ihrer Kunden gleicht es wieder aus. Gilbert, Vater des Dorfpolizisten Maurice und seinerzeit in der Résistance aktiv, hat das Gefallenendenkmal mit einem neuen Kranz geschmückt; Louis hat die Pernotvorräte seiner Kneipe aufgestockt; Jeanne hat wie jedes Jahr den gemusterten Fliesenboden des *Louis* liebevoll mit einer Sonderration Pflegemittel gewischt und die bunten Lichterketten über die Straße gespannt, bis hinüber zu den Tischen auf dem Platz.

Neben der kleinen Kirche ist eine provisorische Bühne errichtet worden, auf der ein verschmitztes Trio älterer Herren bekannte Melodien zum Besten gibt. Zwei Dutzend versprengte Menschen bilden einen losen Halbkreis, manche wippen ein bisschen mit der Hüfte, zwei klatschen den Takt mit. In der Mitte tanzt mit Stakkatobewegungen der Dorfalki und freut sich. Auf dem Dorffest ist Platz für jeden, und Boule ist das Spiel, das alle vereint und keine sozialen Unterschiede kennt. Gegenüber der Bühne hat ein Pizzawagen seine Tresen hochgeklappt, dampft nach allen Seiten und verströmt den Geruch provenzalischer Kräuter und geschmolzenen Käses. Am Ende des Platzes, im Halbschatten, wartet das vertäute Zirkuszelt auf seine Gäste.

Star des Abends ist Jeanne. In ihrer Mischung aus Tragik und Traum strahlt sie so rein und so erhaben wie Michelangelos Pietà. Indem sie die Lichterketten über die Straße gespannt hat, hat sie sich unfreiwillig ihre eigene Bühne geschaffen. Das Publikum, das sich um die Tische auf dem Platz drängt, goutiert jeden ihrer Auftritte mit heimlichen Blicken und sich drehenden Köpfen. Nicht wenige Spieler aus dem Umland lassen ihretwegen zum Saisonauftakt die Familien zu Hause.

Alphonse, der inzwischen bei seinem achten Panachet angelangt ist und Jeanne verehrt, seit sie gemeinsam die Grundschule am Ende der Durchfahrtsstraße besucht haben, hat sich bereits am frühen Nachmittag den Stuhl neben dem Eingang gesichert. Wann immer Jeanne aus der Bar kommt und mit erhobenem Tablett die Straße überquert, folgt er ihren Schritten, und bei jeder Rückkehr fällt ein kurzes Lächeln für ihn ab, das er wie eine Briefmarke zu den anderen ins Album klebt. Alphonse besitzt viele solcher Alben, ein ganzes Regal voll, und alle sind bestückt mit Jeannes beiläufigen Aufmerksamkeiten. Die Sondermarken erhalten einen Ehrenplatz: Wenn Jeanne ihm die Hand auf den Arm legt oder einen Kaffee spendiert oder ein Stück ihrer Apfeltarte. Alphonse hat nicht viel gesehen von der Welt, aber eine bessere als Jeannes Apfeltarte kann es nirgendwo geben.

Wie Alphonse gehört auch Jeanne zu der Handvoll Hängengebliebener, die sich über den Ort verteilen. Ihre Freunde haben Pui nach und nach verlassen. Marseille, Paris, manche haben es sogar ins Ausland geschafft, nach Kenia und New York. Ihr selbst hat für die großen Entscheidungen stets der Mut gefehlt. Sie hätte gerne Kunst studiert, in Aix. Zeichnen. Ist nicht weit bis Aix. »Kind, du kannst sooo schön zeichnen«, hat ihre Grand-mère gesagt. Doch allein der Gedanke daran, sich und ihre Mappe vor einem Tribunal aus Professoren präsentieren zu müssen, lähmte sie von Kopf bis Fuß. So blieb sie schließlich, was sie bereits zur Schulzeit war – das schöne, schüchterne Mädchen, das im *Louis* bedient. Es hat sie konserviert. Äußerlich hat sie sich kaum verändert.

Jeanne anzustellen war Louis' erste Amtshandlung, als er die nach ihm benannte Bar von seinem Vater übernahm. Er war 36, Jeanne 16. Heute ist er 56 und Jeanne so alt wie er damals. Ein väterlicher Freund, all die Jahre. Die anderen Kneipen sind nach und nach eingegangen. Nur das *Louis* nicht. Jeanne erwies sich für die Bar als eine Art Lebensversicherung. Mehr als einmal hat Louis ihr eine Partnerschaft angeboten, doch Jeanne wollte lieber seine Angestellte bleiben. Die Verantwortung schreckte sie ab, außerdem, das war klar, hätte sie damit sämtliche Träume zu Grabe getragen und wäre heute nur noch halb so schön.

Tagsüber ist das *Louis* Café. Wer will, kann hier sogar früh-

stücken: Café au lait und ein halbes Baguette mit Jeannes selbst-
eingekochter Aprikosenmarmelade. Abends dann, wenn das
Louis zur Kneipe wird, wechselt Jeanne für ein paar Stunden hinter den Tresen und Louis auf den Bouleplatz. Kein Leben wie im
Märchen, aber ganz schlecht ist es auch nicht. Es ist so, wie es ist,
und so, wie es ist, hat Jeanne es sich gewählt.

Was Louis bis heute nicht versteht, ist die Sache mit Jürgen.
»Da wäre mir ja Alphonse noch lieber gewesen«, war sein Kom-
mentar. Zehn Jahre lang hatte das Dorf darauf gewartet, wer bei
Jeanne den Zuschlag erhalten würde, und dann verschenkte sie ihr
Herz an einen deutschen Motorradcowboy auf der Durchreise.

Jeanne hätte es Louis gerne erklärt, weshalb ausgerechnet Jürgen, aber sie verstand es selbst nicht. Nicht wirklich. Jürgen war
ein Macho, der zu viel trank, der grob sein konnte und launisch.
Und Schuld hatten immer die anderen. Außerdem machte er mit
Maria rum und mit wer weiß wem noch. Trotzdem liebte er
Jeanne. Oder wie immer man das nennen mochte. Brauchte sie.
Auf jeden Fall war er da. Wenn es etwas zu reparieren gab, dann
machte er das. Und er hatte sie nie geschlagen. Mag sein, dass es
bessere Gründe gab, um jemandem die Treue zu halten, aber so
war es mit allem: Ein »besser« gab es immer. Außerdem: Finde
mal einen vernünftigen Mann in dieser Gegend. Entweder er geht
stramm auf die hundert zu, oder er hat nicht genug Grips, um
seine Finger zu zählen.

Jetzt ist es ohnehin zu spät. Eine Trennung würde Jürgen niemals akzeptieren. Letzten Sommer hat er im Vorbeigehen den
Kopf eines Touristen gegen den Tresen geknallt und ihm die Nase
gebrochen, einfach so, weil er Jeanne auf den Hintern gestarrt
hatte.

Vorhin hat sie Jürgen aus dem Ort fahren sehen. Kurz darauf Maria. Dieselbe Richtung. Wie jeden Samstag. Jeanne fragt nicht
nach. Sie weiß es sowieso. Der ganze Ort weiß es. Sogar Alphonse.
Nur Maurice, Marias Mann, ist nicht im Bilde. Aber der ist generell selten im Bild. Für den ist das Leben immer noch ein großes
Räuber-und-Gendarm-Spiel, nur dass er inzwischen eine echte
Uniform und eine echte Pistole trägt.

Auch Louis hat Jürgen vorbeifahren sehen. Und Maria. *Wie lange willst du das noch mitmachen?*, sagte sein Blick, als er ihr das Tablett mit den Getränken über die Theke schob. Ebenfalls wie jeden Samstag. Das Schlimmste aber waren die mitfühlenden Blicke, mit denen Alphonse sie bedachte: *Warum hast du nicht mich genommen? Ich würde dich jeden Tag deines Lebens auf Händen tragen. Und mit dem Saufen hätte ich auch nicht anfangen müssen.* Was konnte es Traurigeres geben, als von einem bemitleidenswerten Menschen bemitleidet zu werden?

24

Am Ortseingang teilt sich die Straße. Entweder man fährt nach Pui hinein oder für immer daran vorbei. In der Gabelung hängt ein überlebensgroßer Jesus unter einer Laterne und blickt mitfühlend auf die Vorbeikommenden herab: rechts oder links. Die Entscheidung liegt bei dir.

»Wow«, sagt Bernhard, als wir den Dorfplatz erreichen, »echte Menschen.«

Damit ist der Bann des Schweigens gebrochen.

»Essen!«, ruft Lilith, »ich brauche was zu essen!«

Im Umkreis des Platzes gibt es nirgends eine Parkmöglichkeit, und die Gassen sind so eng, dass jedes haltende Auto sie versperren würde, also wende ich und stelle den Bus abseits des Platzes an der Durchfahrtsstraße ab. Der Grad unserer Erschöpfung zeigt sich, als es darum geht, auszusteigen und die 300 Meter zum Dorfplatz zurückzugehen.

»Ich hab Beine wie ein junges Fohlen«, bemerkt Lilith, und damit ist alles gesagt.

Dennoch kann sie letzte Energiereserven freisetzen, als wir auf den Platz kommen und mitansehen müssen, wie der Pizzawagen seine Pforten schließt. Der Dampf dringt noch aus den Ritzen, als Lilith gegen den Verschlag klopft.

»Fermé!«, tönt eine robuste Frauenstimme aus dem Inneren.

»Glaubst du«, murmelt Lilith, geht auf die Rückseite und zieht die Tür auf.

Zehn Minuten später werden fünf Pizzaschachteln durch den Türspalt gereicht.

Keiner von uns kann mehr stehen. Zoe, die einigermaßen Französisch beherrscht, fragt Jeanne, ob wir uns mit den Pizzen an einen Tisch auf dem Platz setzen dürfen.

»Naturellement«, antwortet Jeanne lächelnd.

Das ist der Moment, in dem in Marc etwas Merkwürdiges vor

sich geht: unfassbar wie ein Geist und dennoch klar und eindeutig wie ein C-Dur-Akkord. Vorhin, da wäre er beinahe ertrunken. Jetzt ist das Leben plötzlich unerhört kurz, unendlich kostbar und jede ungenutzte Gelegenheit ein Verbrechen. Und dann steht Jeanne da und lächelt dieses Lächeln, das einem sämtliche Nackenhaare aufstellt – Marc spürt deutlich, wie sie sich gegen den Kragen seines Kapuzensweatshirts stemmen. Hinzu kommt, dass er vollständig unterzuckert ist, 24 Kilo Koffein intus hat, wie Lilith meint, und die Chemie seines Körpers völlig aus dem Gleichgewicht geraten ist.

Noch bevor wir uns gesetzt haben, sagt er, den Blick zur Bar gerichtet: »Von wo haben sie *die* denn eingeflogen?«

Bei Lilith haben die letzten Stunden ihren Bedarf an Tragik auf absehbare Zeit gestillt: »Auf *so* was stehst du?«, fragt sie und zeigt Marc dabei ihre halb zerkaute Pizza.

»Für die würde ich auf der Stelle ein besserer Mensch werden!«, bricht es aus ihm hervor, und es ist nicht auszuschließen, dass er das in diesem Moment tatsächlich glaubt.

»Die ist doch viel zu alt«, wendet Zoe ein.

»Nichts gegen reife Frauen«, sagt Lilith. Gemeint sind Frauen über dreißig. »Mit denen hat man ganz klar den besseren Sex. Jetzt guck nicht so, Bernhard. Ich weiß ja nicht, wie es bei euch Männern ist, aber nach meiner Erfahrung sind Frauen unter dreißig« – sie schickt Zoe ein schiefes Lächeln – »in ihrem Körper einfach noch nicht richtig zu Hause. Zumindest nicht die, die ich im Bett hatte. Und das waren einige.«

»Was ist mit dir?«, frage ich. »Du bist doch selbst erst achtundzwanzig.«

»Woher weißt *du* das denn?«

»Du hast gesagt, dass Laura achtunddreißig war, als ihr zusammengekommen seid, und dass es zwei Jahre her ist und sie zwölf Jahre älter ist als du, folglich müss…«

»Passt auf wie ein Schießhund, der Typ«, schneidet mir Lilith das Wort ab. »Ja, ich bin achtundzwanzig. Aber ich bin eine Ausnahme.« Sie schiebt sich das nächste Stück Pizza in den Mund. »Hab ich das richtig verstanden, Marc: Du wärst gerne die Erfüllung ihrer Sehnsüchte?«

Marc hat sich aus unserem Gespräch ausgeklinkt. Er hört Lilith kaum noch. Jeanne erscheint ihm wie eine Märchengestalt. »Dornröschen …«

»Du spinnst doch«, stellt Bernhard fest.

»Dann küss sie halt wach«, schlägt Lilith vor. »Die schreit doch danach.« Ihre Pizzaschachtel ist leer. Alle anderen sind höchstens bei der Hälfte. »Kann mich nicht erinnern, dass mir Pizza jemals so gut geschmeckt hätte. Noch jemand was über?«

Ich schiebe meine Schachtel in ihre Richtung.

Lilith betrachtet die Pizza, legt ihre Stirn in Falten und schiebt sie zurück. »Einem Einbeinigen nimmt man nicht die Krücken weg.«

Als Jeanne an unseren Tisch kommt und in all ihrer tragischen Schönheit die Bestellung aufnimmt, verschlägt es Marc beinahe die Sprache.

»Wein«, bringt er hervor, »bitte.«

»Rouge, rosé ou blanc?«

»Rot, rosé oder weiß?«, übersetzt Zoe.

»*So* viel Französisch kann ich auch«, entgegnet Marc. »Sag ihr, ich will alles. Und eine Flasche Wasser für meinen antialkoholischen Kumpel.«

»Ist das dein Ernst?«, fragt Bernhard. »Du willst jetzt Wein trinken?«

Marc nimmt, was von seiner Pizza übrig ist, und klappt es zusammen wie ein Sandwich. »Fällt dir irgendein *guter* Grund ein, heute Abend *nicht* zu trinken?«

Bernhard senkt seinen Blick. »Nein«, gibt er zu.

Der Tag war heiß. Und für die Jahreszeit viel zu trocken. Wenn das so weitergeht, wird spätestens im August das Trinkwasser knapp, und die Risse in den Mauern werden so breit, dass man die Finger hineinstecken kann. Pui liegt auf der Hochebene wie auf einem Präsentierteller. Den Tag über hat die Sonne sämtliche Feuchtigkeit aus den Ritzen gezogen, jetzt atmen die Häuser auf und wärmen den Platz.

»Ich lebe wieder«, stellt Lilith fest, als sie mit dem Finger die letzten Krümel aus der Schachtel stippt.

Nach der ersten Flasche Wein ist allen wieder warm. Die Müdigkeit senkt sich auf uns herab wie ein schwerer Nebel. Gleichzeitig lässt die Wirkung von Jürgens Obstcocktail nach. Die magere Glocke, die in dem Eisengestell auf dem Kirchturm hängt, schlägt zwölf.

»Ich glaube, das war der längste Tag meines Lebens«, sagt Bernhard und verteilt die zweite Flasche auf die Gläser der anderen.

Als auch die geleert sind, hat die Müdigkeit uns vollends in Ketten gelegt.

»Jemand eine Ahnung, wo wir schlafen sollen?«, wirft Lilith in die Runde.

Die anderen sind zu müde, um auch nur zu antworten.

Zoe erkundigt sich bei Jeanne, die jedesmal, wenn sie an unseren Tisch kommt, ein bisschen trauriger aussieht, ob es so etwas wie ein Hotel im Ort gibt.

Gab es mal, gibt es aber nicht mehr. Das nächste ist in Riez.

»C'est à combien de kilomètres d'ici?«, fragt Zoe. Wie weit ist das?

»À peu près dix«, bekommt sie zur Antwort. Zehn Kilometer, »dans cette direction«. Ihr Blick folgt der Durchfahrtsstraße und verliert sich jenseits des Ortsausgangs.

Wir sehen uns an: Zehn Kilometer sind zu weit. Selbst einer wäre zu weit. Aus Pui kommen wir heute nicht mehr heraus. Schon die wenigen Meter zum Bus scheinen unüberwindlich.

Lilith zieht sich einen zweiten Stuhl heran und legt die Beine hoch: »Von mir aus können wir einfach hier sitzen bleiben.«

»Und dann?«, fragt Bernhard.

»Nichts. Um neun macht der Laden wieder auf, dann bestell ich mir 'nen Kaffee.«

Die Musiker packen ihre Instrumente ein. Die Bühnenbeleuchtung erlischt. Auf dem von Platanen umstandenen Bouleplatz jedoch herrscht noch rege Betriebsamkeit. Das stete Klacken der Kugeln zuckt durch die Nacht, gelegentlich gefolgt von einem respektvollen Murmeln, wenn es einem Spieler gelingt, auf zehn Meter Entfernung eine feindliche Kugel aus der Bahn zu schießen. Im gleißenden Halogenlicht wirkt das Spielfeld seltsam entrückt.

Auch die dritte Flasche leert sich. Jeder hängt seinen Gedanken nach. Meine führen mich zurück in den Canyon. Ich frage mich, ob Zoe recht hatte und ich nur deshalb bereit war, den Tod anzunehmen, weil ich zu wenig am Leben hänge. Ich weiß es nicht. Was ich jedoch weiß, ist, dass Zoe die ganze Zeit mit Festhalten beschäftigt ist, und das macht sie auch nicht glücklich. Vielleicht sollten wir uns auf halbem Weg entgegenkommen.

Außerdem frage ich mich, was wohl aus Hit and Run geworden wäre, wenn ich ertrunken wäre. Vielleicht hätte ihn Ahmet eines Tages adoptiert, ihn unter den Arm genommen, auf den Beifahrersitz seines schwarzen BMWs gesetzt, wo alle geilen Chicks irgendwann landen, ihm 200 Watt Bushido in die Ohren geblasen und zu Hause einen Kratzbaum für ihn aufgestellt. Wahrscheinlicher ist, dass Ahmet ihm irgendwann eine halbe Palette Katzenfutter auf einmal geöffnet, Hit and Run sich selbst überlassen und sich eine andere Gesellschaft für sein nächtliches Bier gesucht hätte. Und einverleibt hätte es sich der Fuchs.

Wie lange wird man von einer Katze vermisst? Wie oft wäre Hit and Run noch um meinen Bauwagen geschlichen, bevor er es schließlich aufgegeben und mich vergessen hätte? Zwei Wochen, drei, einen Monat vielleicht? Oder doch nur drei Tage? Unbemerkt beginnt sich der Platz zu leeren, hier einer, da einer verschwindet in den Gassen, rollt leise aus dem Dorf.

»Ich kann es immer noch nicht glauben«, sagt Lilith. »Wenn dieser zweibeinige Pitbull nicht vorbeigekommen wäre, würden wir jetzt alle kopfunter im Wasser treiben.«

»Zusammen mit dem Wildschwein«, bemerkt Bernhard.

Lilith spült die Vorstellung mit dem letzten Schluck Rotwein herunter. »Das Leben ist eine Wundertüte.« Entschuldigend fügt sie hinzu: »Hab ich mal gelesen.«

»Eher ein Überraschungsei«, überlegt Zoe. »Solange man die Gadgets zusammenbastelt und sich die Schokolade in den Mund stopft, freut man sich wie ein Kind. Doch sobald man fertig und das Ei gegessen ist, stellt man fest, dass das Spielzeug nicht funktioniert und die Schokolade nur zwei Dinge bewirkt hat: Hunger nach mehr und Hüftspeck.«

Marc ist noch immer in Trance. Als habe sein Abstieg ins Reich des Hades alle seine Ansichten und Eigenschaften wie unter einem Brennglas vergrößert und erhitzt. »Das Leben ist eine Verpflichtung«, sagt er mit ungewohntem Nachdruck in der Stimme. »Ein Privileg und eine Verpflichtung, positive Energien in die Welt zu tragen …«

Ich sage nichts. Ich weiß nicht, was das Leben ist. Das Leben ist das Leben. Mehr fällt mir dazu nicht ein. Und es würde doch nur wieder verkehrt herauskommen. Wenn ein verborgener Sinn darin zu finden ist, dann wüsste ich gerne, wo ich danach suchen kann.

»Positive Energien …« Bernhard sieht Marc an, als habe der ihn persönlich beleidigt. Auch bei Bernhard scheint sich durch den Vorfall im Canyon verstärkt zu haben, was zuvor bereits angelegt war: die über Jahrzehnte eingegrabene Überzeugung, dass das Schicksal ihn wie einen ungeliebten Stiefsohn behandelt. »Ich kann dir sagen, was das Leben ist«, beginnt er nach reiflicher Überlegung. »Das Leben ist eine Losbude auf dem Jahrmarkt. Und daneben steht als Hauptgewinn ein funkelnder Mercedes. Sie machen dich glauben, dass irgendwo in der Glastrommel das Los ist, mit dem du den Mercedes gewinnst. Ihr wisst schon: das *große* Los. In Wirklichkeit aber, und das ist das Perfide daran, in Wirklichkeit sind nur Nieten in der Trommel – und ein paar Freilose, damit du bei der Stange bleibst. Und irgendwie weißt du das. Du weißt, dass der Hauptgewinn nur eine Illusion ist. Auch wenn er direkt vor dir steht, bleibt er doch für immer unerreichbar. Und trotzdem – es ist nicht zu glauben! –, und trotzdem trägst du dein gesamtes Taschengeld in diese verfluchte Losbude. Bis auf den letzten Cent.« Bernhard nimmt sein Weinglas, dreht es zwischen den Fingern und schleudert es zu unser aller Überraschung auf den Boden, wo es zerspringt, ohne dass irgendjemand sich dafür interessieren würde. »*Das* ist das Leben, Marc. Privileg … So ein Quatsch!«

Jeanne kommt mit Handfeger und Kehrschaufel und fegt die Scherben zusammen.

»Merci«, sagt Bernhard. Er blickt auf sie hinab, den Tränen nahe. »Tut mir leid.«

Jeanne schenkt ihm ein Lächeln und trägt die Schaufel mit den Scherben in die Bar. Als sie zurückkommt, bittet sie darum, abkassieren zu dürfen. Wir können ruhig noch sitzen bleiben, aber für sie ist Schluss.

Marc zieht sein Portemonnaie hervor, doch bevor er ihr das Geld reicht, zögert er. Das Leben ist kurz, so schamlos kurz! Und morgen schon wird er diesen Ort für immer verlassen haben.

»Warum kommst du nicht mit?«, sagt er unvermittelt. Er ist sicher, dass sie ihn nicht versteht. »Ich schreib dir ein Lied und zeig dir, wie schön das Leben sein kann!«

»Das glaube ich nicht«, stöhnt Bernhard.

Jeanne sieht Marc an, als frage sie sich, ob er es ernst meint oder sich über sie lustig macht.

»Lehn dich nicht so weit aus dem Fenster«, mahnt Zoe, »nachher versteht sie dich noch.«

Marc ist nicht mehr er selbst, heute Nacht. »Wär das schön«, sagt er. »Macht sie aber nicht, oder?« Er blickt theatralisch zu Jeanne auf, halb im Spaß, halb im Ernst. »Sprichst du etwa Deutsch, Dornröschen?«

Jeanne zieht entschuldigend die Schultern hoch: »Mieux que toi le français, en tout cas.«

»Oha«, sagt Zoe, die als einzige Jeannes Antwort verstanden hat.

»Wieso oha?« Marc blickt von einer zur anderen. »Was hat sie denn gesagt?«

Zoe und Jeanne tauschen einen Blick stummen Einverständnisses aus. »Sie hat gesagt, dass sie wünschte, sie könnte dich verstehen«, gibt Zoe zur Antwort.

Marc kapituliert. An einem anderen Ort, zu einer anderen Zeit – vielleicht. Klar, jede verpasste Chance ist ein Verbrechen, stimmt schon. Aber heute muss er eins begehen. So, wie die Dinge liegen, kann er nicht einmal mehr die Augen aufhalten.

»Ach, ich wusste es …«

Jeanne wünscht uns einen schönen Abend, verabschiedet sich mit einer schüchternen Handbewegung und verschwindet in der Dunkelheit hinter dem Zirkuszelt.

Sobald sie außer Hörweite ist, kann Bernhard nicht länger an sich halten: »Du bist so was von … *pein*lich!« Er äfft Marcs Stimme nach: »Ich schreib dir ein Lied und zeig dir, wie schön das

Leben sein kann – bei dir sind echt sämtliche Sicherungen durchgebrannt!«

»Jeder pubertiert eben, so gut er kann«, bemerkt Lilith.

Marc bedenkt Bernhard mit einem ausgiebigen Blick. Irgendwann klatscht er in die Hände. Aufbruch. Jetzt, wo Jeanne gegangen ist, gibt es ohnehin keinen Grund mehr zu bleiben. Mühsam erhebt er sich.

»Was hast *du* denn vor?«, fragt Lilith.

Marc zeigt mit dem Finger auf Bernhard. Wie unser Mathelehrer früher. »Weißt du, was dein Problem ist?«

Bernhard hebt müde eine Hand. »Verschone mich.«

Doch Marc ist nicht nach Verschonen. Er glaubt nicht daran. Heute schon gar nicht. »Dein Problem ist: Du hast den Stock zu tief im Arsch sitzen.« Er hält die Hand auf: »Felix?«

Ich sehe ihn an.

»Schlüssel.«

Ich ziehe den Busschlüssel aus der Hosentasche. Als sich Marcs Hand darum schließt, weiß ich, dass ich das nicht hätte zulassen sollen. Schon im Normalzustand ist Marcs rechter Fuß nur beschränkt zurechnungsfähig. Und jetzt, nach diesem Tag, nach 24 Kilo Koffein und drei Sorten Wein … Entschlossenen Schrittes stakst Marc mit seinem unsteten Gang Richtung Bus.

»Wohin gehen wir denn?«, ruft Bernhard ihm nach.

Marc antwortet, ohne sich umzudrehen: »Dir den Stock aus dem Arsch ziehen.«

»Da bin ich dabei«, sagt Lilith und steht ebenfalls auf.

Marc fährt nur wenige Meter. Gegenüber dem ehemaligen Kino hält er an. Am Ende der Straße hängt Jesus am Scheideweg: rechts oder links. Die Leuchttafel, auf der seit zwanzig Jahren LES LIAISONS DANGEREUSES flackert, taucht den Hof in winterliches Neonlicht. Früher gab es direkt neben dem Kino die örtliche Filiale der Crédit Agricole, doch die ist schon vor langer Zeit von einem Geldautomaten ersetzt worden. Ansonsten stehen auf dem gepflasterten Platz eine Parkbank, ein Mülleimer und eine Platane, die der Bank tagsüber Schatten spendet. Alles zusammen ergibt den unspektakulärsten Ort Frankreichs.

Marc stellt den Motor ab.

Nach einer Weile sagt Lilith: »Danke. Ich bin wirklich froh, dass ich das erleben durfte.«

Statt zu antworten, kramt Marc sein Haschischdöschen hervor und fängt an, einen Joint zu bauen.

»Und wo ist jetzt die Pointe?«, fragt Zoe.

Marc gibt sich Feuer, inhaliert und reicht die Tüte an Bernhard weiter, der sie skeptisch beäugt.

»Ziehen«, sagt Marc.

Bernhard gehorcht.

Nachdem der Joint die Runde gemacht hat, deutet Marc auf den Schriftzug an der Leuchttafel. »Umstecken.«

»Wie meinst'n das?«, fragt Bernhard.

»Ich meine die Buchstaben«, erklärt Marc. »Umstecken.«

»Und wie soll ich da raufkommen?«

»Mir egal.«

Bernhard blickt über den Hof und macht ein ratloses Gesicht. »Kann ich noch mal ziehen?« Er zieht, wartet, zieht abermals, wartet. Dann sagt er: »Mir fällt nichts ein.«

Lilith beginnt zu kichern. Sie schiebt die Tür auf und reicht Bernhard die Hand. »Los, komm!«

Hand in Hand laufen sie über den Platz, stolpern, kichern: Bernhard, der die Welt durch eine graugetönte Brille sieht, und Lilith, die weibliche Indiana Jones, mit Locken wie ein Engel und Brüsten wie Aphrodite. Sogar Bernhard muss sich ihr geschlagen geben.

Die beiden veranstalten ein ziemliches Chaos. Marc, Zoe und ich beobachten die Szene aus dem Bus heraus, als hätten wir dafür Eintritt bezahlt. Mit großem Getöse ziehen sie die gusseiserne Bank unter das Vordach, um dann festzustellen, dass sie trotzdem nicht heranreichen, und sie wieder unter die Platane zu zerren. Anschließend wuchten sie den Mülleimer auf die Bank, steigen von der Bank auf den Mülleimer und hangeln sich von dort in den Baum. Unter ausgiebigem Gelächter robben sie einen Ast entlang und klettern schließlich von dort auf das Kinovordach, wo sie in Siegerpose die Arme recken. In den umliegenden Häusern gehen die ersten Lichter an.

»Bis einer weint«, sagt Zoe.

Lilith und Bernhard ziehen sämtliche Buchstaben aus den Schienen und setzen sie zu neuen Worten zusammen. S … U … S … I …

»Susi?«, fragt Zoe.

»Kenn ich auch nicht«, antwortet Marc.

Kurz darauf leuchtet nicht länger LES LIAISONS DANGEREUSES über den Platz, sondern:

SUSI GOES ALADIN

»Das macht doch überhaupt keinen Sinn«, sagt Zoe.

»Na und?«, antwortet Marc.

»Wer weiß«, schalte ich mich ein. »Vielleicht ergibt es ja für sich genommen einen Sinn, und wir erkennen ihn bloß nicht.«

Zoe lässt den Oberkörper gegen die Lehne sinken, legt den Kopf in den Nacken und schließt die Augen. »Kapier ich nicht«, stellt sie fest.

»Weiß auch nicht genau, was ich damit meine«, gebe ich zu. Vielleicht ist es wie mit dem Leben, denke ich. Vielleicht ist der Sinn des Lebens nichts anderes als das Leben selbst. »Vielleicht ist der Sinn von ›Susi Goes Aladin‹ einfach ›Susi Goes Aladin‹.«

Zoe hält weiter die Augen geschlossen. Irgendwann sagt sie: »Verstehe.«

Bernhard hat die übriggebliebenen Buchstaben vom Vordach gesammelt und lässt sie mit einer schwungvollen Bewegung über den Platz regnen. Lilith und er fassen sich an den Händen und verbeugen sich wie nach einer gelungenen Premiere.

Der Jesus am Scheideweg beginnt zu leuchten, ein bläuliches Flackern, das heller wird, auf die Häuser überspringt und sich im Asphalt spiegelt.

»Scheiße!« Marc lässt den Motor an. »Bernhard, die Bullen!«

25

Bernhard greift reflexartig nach der Regenrinne, lässt sich über das Vordach rollen, und wie durch Zauberhand löst sich die Rinne aus der Befestigung, knickt langsam ein und setzt Bernhard behutsam vor dem Kino ab. Zurück bleibt Lilith. Ohne Regenrinne.

»Spring!«, ruft Bernhard und streckt ihr die Arme entgegen, als könne er sie auffangen.

Marc hat inzwischen den Bus gewendet und steht mit offener Schiebetür und laufendem Motor vor dem Platz. »Beeilung!«, ruft er.

Lilith steht an der Kante und schätzt die Höhe ab. »Wenn ich mich umbringen wollte, wäre ich im Canyon geblieben!«

»Los, spring!«, ruft Bernhard.

In dem Moment kommt Maurice in seinem Polizeiwagen um die Ecke und schaltet die Sirene ein.

»Haut ab«, ruft Lilith und legt sich bäuchlings auf das Vordach, »wir treffen uns später auf dem Marktplatz!«

Marc lässt den Bus anrollen. »Bernhard!«

Bernhard rennt los und hechtet in den fahrenden Bus.

Ich drehe meinen Oberkörper so, dass ich nach vorn blicke. »Links!«, rufe ich.

Marc reißt den Bus herum, taxiert ein aus zwei Scheunen gebildetes Nadelöhr und tritt das Gaspedal durch.

Unser Fluchtversuch erweist sich als ziemlich sinnloses Unterfangen. Maurice hat uns längst entdeckt und mit seinem nagelneuen Peugeot 308 die Verfolgung aufgenommen.

»Rechts!«, rufe ich.

Bernhard wird durch den Bus geschleudert und klatscht gegen die Seitenscheibe. Bei der nächsten Linkskurve kann er sich in letzter Sekunde an der Führungsschiene der Schiebetür festhalten, während die Fliehkraft seinen Körper aus dem Bus weht.

Durch einen verzweifelten Sprung rettet er sich zu Zoe auf die Rückbank und stößt mit dem Fuß die Schiebetür zu.

Wir jagen ziellos durch die Gassen, doch das Geheul der Sirene und das Blaulicht sitzen uns im Nacken. Es gibt keine Chance für Maurice, uns zu überholen, ebensowenig wie für uns, ihn abzuhängen.

»Was jetzt?«, fragt Marc.

»Rechts«, antworte ich.

Marc blickt in den Rückspiegel: »Du musst dir etwas Besseres einfallen lassen, der klebt uns am Arsch wie Kaugummi!«

»Wie wär's mit Anhalten?«, ruft Zoe. »So machen wir doch alles nur noch schlimmer!«

Marc sieht mich an.

Ich ziehe die Schultern hoch. Klingt plausibel.

Ein Krachen zerschneidet das Geheul der Sirene.

»Hat der etwa gerade ge*schossen*?«, ruft Marc, während ein Blumenkübel unter dem Vorderrad zerquetscht wird und er den Bus eine steile Gasse hinaufzwingt, in der wir eigentlich steckenbleiben müssten, es aber aus irgendeinem Grund nicht tun.

»Glaube schon«, antworte ich.

»Der hat sie doch nicht alle!«, ruft Bernhard entrüstet.

Im selben Augenblick kracht ein zweiter Schuss durch die Gassen. Plötzlich hat die Heckscheibe ein Loch und ist von tausend feinen Adern durchzogen.

»Großer Gott!«, brüllt Zoe, »halt an, Marc! Der schießt auf uns!«

»Und was, glaubst du, macht er, wenn ich anhalte – uns zum Tee einladen?!«

»Halt an, Marc, ich bitte dich!«

»Ich glaube, Zoe hat recht«, sage ich.

»Den Fehler hab ich schon einmal gemacht. Seitdem hab ich ein Loch im Bein!« Marc versucht, einen Haken zu schlagen, und jagt unter einem Torbogen hindurch. Aber mit dem Bus Haken zu schlagen ist ungefähr so, als würde man versuchen, sich mit einer Grillzange die Augenbrauen zu zupfen.

Im Lichtkegel tauchen zwei Katzen auf und retten sich in einen Hauseingang. Bei dem Ausweichmanöver neigt sich der Bus zur

Seite und kippt nur deshalb nicht um, weil ihn ein Fenstersims in die Spur zurückschiebt. Danach rammt Marc zwei Müllcontainer und hält auf die nächste Gasse zu.

»Das ist 'ne Einbahnstraße!«, brüllt Bernhard.

»Du meinst, wir riskieren einen Strafzettel?«

Wir kommen auf einen wohnzimmergroßen Platz, umfahren im Slalom parkende Autos und tauchen in die nächste Gasse ein.

»So hängen wir den nie ab!«, ruft Zoe.

»Willst *du* lieber fahren?«, fragt Marc.

Mit röhrendem Motor rasen wir in eine Senke, setzen auf, zwängen uns am Brunnen und dem alten Waschhaus vorbei und finden uns plötzlich auf dem Dorfplatz wieder. Die Verwunderung, die wir hervorrufen, könnte kaum größer sein: Die zwei Dorftrottel, die das natürliche Gegengewicht zu den beiden Intellektuellen im Ort bilden, der englische Exilkünstler, Menschen, die zwischen diesen Mauern geboren und alt geworden sind – so etwas hat noch keiner von ihnen erlebt. Zigaretten kleben an geöffneten Lippen, Boulekugeln hängen an ausgestreckten Armen in der Luft.

Zweimal umkreisen wir das Zirkuszelt und ziehen Maurice wie an der Hand hinter uns her, bevor wir mit quietschenden Reifen den Bouleplatz umrunden, gefolgt von den ungläubigen Blicken der Spieler.

»O Scheiße«, ruft Zoe, »ich muss mich übergeben!« Zwei Sekunden später würgt sie ihre unverdaute Pizza und den Wein auf den Boden.

Marc entscheidet sich für die Straße neben dem Rathaus, und wir stürzen erneut ins Gassengeflecht. Ein dritter Schuss fällt.

»Versuch's mal links«, sage ich, »hier waren wir schon.«

Ein Haus rast auf uns zu, dreht im letzten Moment ab, und dann rennt plötzlich direkt vor uns eine mit einem String-Tanga bekleidete Frau aus einem Hauseingang, ihre Kleidungsstücke eng an die Brust gepresst. Sie reißt die Augen auf, doch statt zur Seite zu springen, lässt sie nur ihre Sachen fallen und kreuzt die Arme vor dem Gesicht.

»Links!«, schreie ich und sehe ihre nackten Brüste am Seitenfenster vorbeifliegen.

Durch die Heckscheibe erkenne ich, wie die Frau über die Straße taumelt und Maurice nichts anderes übrigbleibt, als eine Vollbremsung zu machen, die ihn eine Handbreit vor ihren Füßen zum Stehen bringt, und das auch nur, weil er bei dieser Gelegenheit seinen Wagen gegen eine Steintreppe rammt.

»Rechts!«, rufe ich.

Wir lassen die letzten Häuser hinter uns und holpern über einen Kiesweg. Irgendetwas wird unter den Bus geschleudert. Dann stehen wir auf einer Wiese zwischen zwei Olivenbäumen, vor uns nichts als Nacht, im Rücken die erleuchteten Fenster des Dorfes.

»Wir sollten das Licht ausmachen«, schlage ich vor.

26

Als Jeanne nach Hause kommt, liegt Jürgen bäuchlings in ihrem gemeinsamen Bett. Nackt. Von seiner Hüfte stehen seitlich zwei Beine ab, wie bei einer Spinne. Sie gehören Maria, Maurices Frau, die unter ihm liegt, mit der Matratze verschmilzt und immerfort quiekt: »Oui, oui, ouiiii!« Sie ist ziemlich laut, und das, obwohl Jürgen eine Hand auf ihren Mund gepresst hält.

Maria bemerkt Jeanne, bevor Jürgen es tut. Sie hört auf zu quieken und versucht, etwas zu sagen, doch da Jürgen ihr den Mund zuhält, kommt nur Gegurgel heraus. Schließlich schlägt sie ihm auf den Hintern.

»Je m'en occupe!«, sagt er. Ich mach ja schon.

Doch Marias Leidenschaft ist die Luft ausgegangen. Stumm deutet sie zur Tür.

Jürgen nimmt die Hand von Marias Mund und hört auf zu vögeln. »Was machst *du* denn schon hier?«, fragt er.

Jeanne geht in die Küche, setzt sich an den Tisch und wartet darauf, dass Maria endlich die Wohnung verlässt. Nicht zu Hause. Das war das ungeschriebene Gesetz. Sie konnte über alles hinwegsehen, sofern es nicht zu Hause in ihrem gemeinsamen Bett passierte.

Unterdessen erhält Maurice, der noch auf dem Bouleplatz zugange ist, einen Notruf seines Vaters – direkt auf das Sprechfunkgerät des Wagens: »Ah Maurice, misérable bon à rien!«, krächzt Gilberts Stimme über den Platz, »lâche la boule sur le champ et viens ici!« Maurice, du elender Nichtsnutz! Lass sofort die Kugel fallen und komm her!

Maurice tut, wie ihm geheißen: lässt seine Kugel fallen, überspringt den Baumstamm, der den Platz begrenzt, und eilt im Laufschritt zu seinem Wagen. Gilbert erklärt ihm, was er für einen Schlappschwanz zum Sohn hat und dass dieser Schlappschwanz gefälligst seinen Arsch in Bewegung setzen soll, weil Gilbert höchstselbst von seinem Fenster aus gerade Zeuge wird, wie zwei betrunkene Deutsche versuchen, den Bankautomaten neben dem Kino zu knacken. Als rechtschaffener Bürger würde er sie ja auf der Stelle selbst erschießen, doch die Leute veranstalten ja neuerdings wegen jeder Lappalie ein Riesengeschrei. Maurice überprüft den Sitz seines Holsters, schaltet das Blaulicht ein und jagt vom Platz.

Eine halbe Ewigkeit vergeht, ehe Maria alle ihre Klamotten eingesammelt und endlich die Tür hinter sich zugezogen hat. Jürgen kommt aus dem Schlafzimmer und stellt sich in den Türrahmen. Er hat sich nicht einmal etwas angezogen – ein Tier, das aus sämtlichen Poren nach Sex riecht und aus nichts als Trieben besteht. Er ist nicht gekommen, hat nicht abgespritzt. Gleich sprengt ihm das Testosteron die Schädeldecke weg.

»Ich hab heute fünf Menschen das Leben gerettet«, sagt er, als erkläre das alles andere.

Plötzlich ist die Gasse von Sirenengeheul erfüllt. Ein Auto rast vorbei, ein anderes bremst, direkt vor dem Haus, und schrammt gegen die Mauer. Blaues Licht flackert an der Küchendecke. Jürgen geht zum Fenster und blickt auf die Straße. Unten steigt Maurice gerade aus seinem Polizeiwagen und fragt sich, was seine Frau um diese Zeit, mit einem String-Tanga bekleidet, vor Jeannes und Jürgens Wohnung zu suchen hat. Kurz darauf erstirbt die Sirene.

Jürgen tritt vom Fenster zurück: »Was ist«, fragt er, »kommst du ins Bett, oder willst du hier sitzen und flennen?«

Jeanne reagiert nicht. Jürgen will sie vom Tisch wegziehen, doch sie schreit ihn an, dass er sie nicht anfassen und verdammt noch mal abhauen soll. Auf einmal ist es sehr still.

Lediglich das Blaulicht flackert noch von der Straße herauf. Jürgen weiß nicht recht, was er machen soll. Schließlich geht er zurück zum Fenster. Maria und Maurice sammeln Marias Sachen ein und steigen in den Wagen. Das Blaulicht erlischt, dann fahren sie davon. So viel zu Jürgens Affäre. Halb so wild. Hatte sich sowieso abgenutzt. Er wendet sich Jeanne zu, die seinem Blick aus-

weicht, kratzt sich am Bauch, schlurft an ihr vorbei ins Schlafzimmer, zieht sich an und geht zurück ins *Louis*, um sich zu be-
trinken.

Jeanne nimmt eine Flasche Rotwein aus dem Regal, entkorkt
sie, trinkt und starrt in die Nacht hinaus.

27

Ich liege in Marcs Schlafsack auf dem Dach des Busses. Über mir spannt sich ein undurchdringliches schwarzes Nichts. Auf der Wiese ist es sehr viel kühler als zwischen den Mauern des Dorfes. Der Himmel hängt so tief, dass man ihn fühlen kann. Nicht ein Stern ist zu sehen. In Wellen fegt ein feuchter Wind über die Hochebene, Vorbote eines Gewitters. Noch sind keine Blitze zu sehen, doch der Wind trägt bereits Reste des Donners mit sich.

Die anderen schlafen. Für wenige Minuten hielt das Adrenalin ihre Augen noch geöffnet, doch kaum hatten sie sich in ihre Decken eingewickelt und sich die mit den lachenden Sonnen bestickten Kissen in den Nacken gelegt, da waren sie bereits eingeschlafen. Keiner kam mehr auf die Idee, zu fragen, was wir jetzt machen sollten. Schlafen. Eine andere Option gab es nicht.

Als das Donnergrollen näher rückt und erste schwere Tropfen auf meiner Stirn zerplatzen, steige ich hinunter und setze mich auf den Beifahrersitz. Wieder tropft es auf mein Gesicht. Das Schiebedach. Ich versuche, es zu schließen, und halte plötzlich die Kurbel in der Hand. Irreparabel. Auf dem Armaturenbrett sammeln sich Tropfen. Inzwischen schießen Blitze aus den Wolken. In der Ferne, am Ende der Hochebene, scheinen für Sekundenbruchteile die Umrisse der Berge auf. Die Olivenbäume, die eben noch flüsterten, beginnen zu rauschen. In einer Viertelstunde wird der Regen die Wiese in ein Reisfeld verwandeln. Ich nehme eine Rolle Gaffa, klettere zurück auf den Bus und verklebe die Öffnung mit Tape.

Ich reiße den letzten Streifen von der Rolle, als ich merke, dass die gesamte Wiese von leuchtenden Tropfen benetzt ist – lauter kleine Lichter, die um den Bus tanzen. Mein Verstand sagt mir, dass ich halluziniere. Kein Wunder, nach diesem Tag. Doch meine Augen beharren darauf, im Recht zu sein. Mir wird klar, dass es Glühwürmchen sind. Regungslos stehe ich auf dem Dach und betrachte dieses Netz aus tausend kleinen Lichtern, zwischen denen der Bus träge auf und ab zu schaukeln scheint.

Ich steige wieder hinunter und gehe ein paar Schritte durch den Regen. Das nasse Gras streicht mir um die Knöchel. Weit weg bellt ein Hund. Von den Glühwürmchen in der Schwebe gehalten, verliere ich den Boden unter den Füßen. Ich kann mich nicht erinnern, jemals etwas Schöneres gesehen zu haben.

Leise steige ich ein und schließe die Tür. Der Regen plattert auf das Dach. Hoffentlich, denke ich, liegt Lilith nicht völlig durchnässt auf dem Vordach des alten Kinos. Morgen fahren wir zum Haus von Onkel Hugo. Meinem Haus. Das ich nie gesehen habe. Wir schwimmen in einem Lichtermeer.

Keine 30 Meter vor uns schlägt ein Blitz in einen Baum. Der Donner bricht über uns herein, lässt die Scheiben erzittern und mein Herz aussetzen. Marc zuckt zusammen, wacht jedoch nicht auf. Er hat sich in zwei Decken gehüllt. Sein Kopf ist in den Nacken gesunken, sein Mund weit geöffnet. Von Bernhard kann ich nicht viel sehen, doch ich höre ihn schnarchen.

Im Schlaf höre ich eine Stimme: »Felix?« Ich träume mit offenen Augen. »Felix, schläfst du?«

Die Welt um mich herum nimmt Gestalt an.

»Zoe?«

»Woran denkst du?«, will sie wissen.

Ich bin wieder im Bus angekommen. Auf dem Beifahrersitz. Neben mir Marc. »Ich frage mich, was Lilith gerade macht«, antworte ich.

Nach einer Weile fragt Zoe: »Hast du die Glühwürmchen gesehen?«

»Ja.«

»Wahnsinn, oder?«

Ich versuche, das richtige Wort zu finden. »Erfüllt einen mit Dankbarkeit«, sage ich. Besser kann ich es nicht.

Ein weiterer Blitz zuckt durch die Nacht, diesmal hinter uns. Zoe sagt: »Ja, das tut es.«

Das Zentrum des Gewitters ist über dem Dorf angelangt. Im Widerschein eines Blitzes leuchtet die Kirchturmglocke auf.

»Ich wollte dir was sagen«, fährt Zoe fort.

Ich warte.

»Es tut mir leid, wegen vorhin – als ich gesagt habe, du könntest es kaum erwarten.« Sie stupst Bernhard an, der kurz mit dem Schnarchen aussetzt. »Es war, weil ich sauer war«, fährt sie fort. »Ich hab mich geschämt. Weil ich da unten in dieser Schlucht total ausgefreakt bin, während du völlig cool geblieben bist.«

Ich möchte ihr sagen, dass sie keinen Grund hat, sich zu schämen. Schließlich waren es ihre Schreie, die uns gerettet haben. Ohne sie wären wir jetzt noch immer in der Schlucht. Zusammen mit dem Wildschwein. Zoe hasst es, sich selbst oder anderen eine Schwäche einzugestehen. Wenn sie sich bei mir entschuldigt, muss sie das große Überwindung kosten. Auch das könnte ich ihr sagen – dass ich weiß, wie viel diese Geste ihr abverlangt.

Am Ende sage ich: »Okay.«

Bernhards Schnarchen hat wieder eingesetzt.

»Ach, und Felix?«

»Ja.«

»Ich glaube, um Lilith musst du dir keine Sorgen machen. Die kommt schon zurecht.«

»Ja«, sage ich.

Wahrscheinlich stimmt es. Lilith ist so jemand. Die kommt zurecht. Doch ihr Rucksack liegt noch im Kofferraum, und wie weit kommt sie ohne den?

28

Lilith überlegt tatsächlich, ob sie nicht einfach auf dem Vordach liegen bleiben soll. Genug. Genug für heute, für eine Woche, wenn nicht für ein halbes Leben.

»Ich will nicht mehr«, sagt sie zu sich selbst. Es klingt, als bitte sie um Gnade.

Doch eine Indiana Jones lässt sich nicht so einfach vom Schicksal zur Strecke bringen, jedenfalls nicht auf einem Kinovordach. Indiana würde seine Peitsche zücken, sich in die Platane schwingen und von dort auf einen fahrenden LKW springen. Und wenn er seine Peitsche verlegt hätte, so wie Lilith jetzt, dann würde es eben ohne gehen müssen. Lilith steht auf, springt, greift sich das Ende eines Astes und schaukelt so lange daran hin und her, bis sie ihn mit den Füßen umfassen kann. Schweinebaumel hieß das früher. Immerhin.

Drei Minuten später hat sie den Stamm erreicht, sucht sich den niedrigsten Ast, hängt sich daran, schließt die Augen, tastet mit den Füßen nach dem Mülleimer, lässt los und klatscht neben der Bank auf das Steinpflaster.

»Aua«, sagt sie und reibt sich das Knie. »Gut gemacht, Indiana.«

Die Hände in den Taschen, trottet sie zum Dorfplatz zurück. Sie hat nicht einen Euro bei sich, die anderen sind weg, ihr Rucksack ebenfalls. Zeitgleich mit ihr trifft Jürgen ein, der gerade von seiner Havarie mit Jeanne kommt und nur einen Vorsatz hat, nämlich sich besinnungslos zu trinken. Vor dem *Louis* stoßen sie zusammen.

»Dich kenn ich doch«, sagt Jürgen.

»Selber«, antwortet Lilith.

Louis ist damit beschäftigt, die Stühle übereinanderzustapeln und die Tische in den Schuppen zu räumen. Könnte stürmisch werden heute Nacht. Die Fensterläden der alten Schule fangen bereits an zu klappern. Ein sicheres Zeichen, dass etwas im Anmarsch ist. Die letzten verbliebenen Gäste ziehen sich in die Bar zurück.

Unter Liliths Jeansjacke leuchtet ihr T-Shirt hervor – das mit den Ländern und Titten.

Jürgen zeigt mit dem Finger auf ihre Brüste. »Interessantes T-Shirt.«

»Gibst du mir einen aus?«, fragt Lilith.

Sie setzen sich an die Bar.

»Was willst du trinken?«, fragt Jürgen.

»Was trinkst du?«

»Whiskey.«

Lilith zuckt mit den Schultern. »Schätze, es gibt für alles ein erstes Mal.«

Drei Whiskeys später fragt Jürgen: »Wo hast'n die anderen gelassen?«

Lilith erzählt, was passiert ist: Wie sie auf das Vordach geklettert sind und die Buchstaben umgesteckt haben, wie die Polizei kam und die anderen ohne sie abhauen mussten. Mit all ihren Sachen.

»Maurice«, murmelt Jürgen. »Dämlicher Froschfresser.«

In Jürgen haben doppelt so viele Whiskeys Platz wie in Lilith. Zum Schluss hat sie sieben getrunken, er vierzehn. Lilith ist schlecht, Jürgen nicht. Betrunken sind beide.

Jürgen hat eine Superidee: »Hör ma«, sagt er und muss all seine Konzentration aufbieten, um nicht von seiner Argumentationslinie abzuweichen. Die ist nämlich geradezu bestechend in ihrer Stringenz. »Ihr habt mir doch vorhin meinen Fick versaut«, beginnt er. »Und dann hat Jeanne – ist meine Freundin – mir noch mal meinen Fick versaut. Und außerdem …« Er denkt ganz scharf nach. »Außerdem hab ich euch aus dem Gorges gerettet, und du hast zwei echt … sehr … bemerkenswerte Möpse da unter deinem T-Shirt. Findest du nicht, dass da ein bisschen …« – er tastet nach Liliths Brust, greift aber daneben – »Wiedergutmachung angesagt ist?«

Lilith benötigt einige Sekunden, bevor sie sein Gesicht scharf gestellt hat. »Bist du bescheuert, oder was?« Sie wischt seine Hand von ihrer Brust. »Ich lasse mich doch nicht von einem Pitbull vögeln! Außerdem – du musst jetzt sehr stark sein – stehe ich nicht auf Männer.«

Jürgen kratzt sich hinter dem Ohr, erst links, dann rechts. »Worauf denn sonst?«

»Auf Frauen, du Hirni. Bin 'ne Lesbe.«

Jürgen macht ein Gesicht, als habe sich die attraktive Blondine mit den Hammertitten schlagartig in einen Riesenlurch verwandelt. Lesben überfordern ihn irgendwie. Total. Frauen, die auf Frauen stehen – was soll denn das für einen Sinn ergeben?

»Is'n Witz?«, sagt er.

»Hab doch gesagt: Du musst jetzt stark sein.«

»'ne Dosenklapperin ...« Jürgen schüttelt ungläubig den Kopf. »Ist echt nich mein Tag.«

In seinem Gehirn verdrahten sich einige Synapsen neu, zusätzlich klinkt sich eine Sicherung aus. Die sichtbare Folge davon ist, dass er ausholt und Lilith eine gerade Linke ins Gesicht drückt, die daraufhin vom Hocker kippt und auf die gemusterten Fliesen schlägt. Mühsam setzt sich Lilith auf und hält sich die Nase.

Jürgen schlägt keine Frauen. Hat er sich mal geschworen. Und immer daran gehalten, egal, wie voll er war. Ist scheiße irgendwie. Macht man einfach nicht. Lesben allerdings zählen nicht. Hat etwas in ihm soeben entschieden. Die fünf Gestalten, die außer ihm und Lilith noch in der Bar sitzen, schweigen. Machen sie die ganze Zeit schon – schweigen. Nicht einmal Louis hat genug Arsch in der Hose, seinen Mund aufzumachen. Nur die Frau auf dem Flatscreen in der Ecke reißt die Augen auf und schreit.

Lilith ist aufgestanden. Sie spürt, wie ihre Nase anschwillt. Und blutet. Sie zieht sich eine Handvoll Servietten aus dem Spender, drückt sie gegen ihre Oberlippe, sagt »Danke für den Whiskey, Arschloch«, und geht. Und weil sie nicht weiß, wohin, und es mittlerweile zu regnen begonnen hat, torkelt sie über den Dorfplatz, lässt sich auf die Bank in der Kirchennische fallen und kauert sich gegen den weich gewaschenen Sandstein.

Während sie darauf wartet, dass ihre Nase zu bluten aufhört, sieht sie einen kleinen Mann über den Platz gehen, im Stechschritt. Er trägt eine Polizeiuniform, einen Pistolengürtel sowie eine schief sitzende Mütze, von deren Blende Wasser tropft. Vor dem *Louis* angekommen, hält er kurz inne, schlägt die Hacken zusammen und reißt die Tür auf.

Maria hat ihrem Mann alles gebeichtet. Das heißt: Gebeichtet ist das falsche Wort. Sie hat Maurice einfach sämtlicher Illusionen beraubt, die er noch hatte. Was sollte sie es noch länger beschönigen? Ihr Mann geht auf die vierzig zu und spielt noch mit Modellbaupanzern. Nicht einmal seine Uniform kann es rausreißen. Letztlich sieht er in ihr nur noch alberner aus. Und diese Mütze! Ständig rutscht sie ihm ins Gesicht. Und weil Maria sowieso gerade dabei war, ihrem Mann *alles* zu sagen, womit sie ihn jahrelang verschont hatte: Mit dem, was er in der Hose hat, kann er vielleicht einen Cockerspaniel befriedigen, nicht aber seine Frau.

»Wie lange geht das schon?«, wollte Maurice wissen. Alles andere interessierte ihn nicht.

»Mit Jürgen?« Maria verdrehte die Augen. »Mein Gott, keine Ahnung. Ich weiß nicht mehr, wann es angefangen hat.«

Daraufhin hat Maurice sie geohrfeigt, doch geholfen hat das nichts. Weder ihm noch ihr.

»Bemüh dich nicht«, war Marias einziger Kommentar.

Keine zwei Minuten nachdem sich die Tür des *Louis* hinter Maurice geschlossen hat, geht sie wieder auf. Heraus kommt: Jürgen. Gegen die Unterlippe hält er ein Knäuel Servietten gepresst. Lilith richtet sich auf. Jürgen sieht ihren Umriss in der Nische sitzen, und weil auch ihm dieses Dorf keinen anderen Zufluchtsort mehr bietet, stolpert er durch den Regen und setzt sich neben ihr auf die Bank.

Nach einer Weile fragt Lilith: »Nase?«

»Lippe«, antwortet Jürgen.

»Geschieht dir recht.«

»Hm.«

Der Regen wird stärker. Das *Louis* leert sich. Die Show ist vorbei. Der Sicherungskasten in der Platane gibt warnende Geräusche von sich. Er zischt und knackt, und dann wird es dunkel auf dem Platz.

»Kannst du dich nicht woanders hinsetzen?«, fragt Lilith.

Jürgen bewegt sich nicht. Seine Arme hängen schlaff von den

Schultern herab. Es ist unklar, ob er Liliths Frage gehört hat. Vielleicht denkt er auch nach.

»Hier ist gut«, sagt er schließlich.

Louis kommt aus der Bar, schließt ab, zieht den Kopf ein und verschwindet eilig in einer Seitengasse.

»Nur noch wir zwei«, sagt Jürgen.

»Denk nicht mal dran«, antwortet Lilith.

Das Gewitter hat das Dorf erreicht. Donner rollt durch die Gassen und über den Platz. Der Regen wird so stark, dass auch die Nische keinen Schutz mehr bietet. Lilith steht auf. So gut es geht. Ihre Knie machen komische Bewegungen. Sie muss irgendwohin, wo es trocken ist. Wenn sie heute noch einmal durchfriert, helfen ihr morgen auch keine 24 Kilo Koffein mehr.

»Fick dich«, sagt sie zum Abschied.

»Hm.«

Lilith stapft über den Platz, kriecht unter der Plane des Zirkuszeltes durch, findet ein Sitzkissen, das sie sich unter den Kopf legen kann, und einen Vorhang, der eine brauchbare Decke abgibt. Sie sucht sich einen Platz in der Manege, in der außer ihr noch ein einsamer Esel steht, legt sich in den Sand und breitet die Decke über sich. Es riecht nach Stall. Um sie herum prasselt der Regen auf die Planen. Wenn jetzt Laura bei ihr wäre und sie in den Arm nähme, dann könnte dies der romantischste Ort der Welt sein. So aber ist es nur das, was es ist: feuchter Sand, Regen und ein einsamer Esel. Lilith zieht sich den roten Samtvorhang über das Gesicht. Eine einzelne Träne rinnt ihr aus dem Augenwinkel. Was für ein Scheiß.

Jürgen bleibt in der Nische sitzen. Wird er halt nass. Trocknet auch wieder. Als der Regen nachlässt, kommen die Fledermäuse. Die feuchte Luft ist für sie wie ein Insektenbuffet, all you can eat. Braucht kein Mensch, Fledermäuse. Genauso wenig wie Insekten. Über den schlammigen Bouleplatz hopsen Frösche. Braucht auch keiner.

»Weißt du was?«

Es ist Jürgens Stimme, die Lilith aus dem Schlaf reißt. Eingerollt in ihren Vorhang, liegt sie in einer Nische der Manege und rührt sich nicht.

»Wahrscheinlich bin ich am Ende genauso dumm wie du«, fährt Jürgen fort. »Vielleicht sogar noch dümmer. Denn du bist trocken, und ich bin nass.«

Lilith will ihm gerade antworten, dass er sie verdammt noch mal endlich in Ruhe lassen soll, doch bevor sie das tut, öffnet sie vorsichtshalber ein Auge und schielt aus ihrem provisorischen Schlafsack heraus. Dabei stellt sie fest, dass Jürgen gar nicht mit ihr spricht, sondern mit dem Esel, der neben dem Eingang angebunden ist. Im ersten Grau des Tages, das durch die Zeltplanen sickert, sitzt er auf dem Rand der Manege, Auge in Auge mit seinem neuen Freund. Ein vertrauliches Gespräch unter seinesgleichen. Dass Lilith ihm zu Füßen in der Manege liegt, hat Jürgen gar nicht mitgeschnitten.

Der Esel ermuntert ihn fortzufahren, indem er mit dem linken Ohr wackelt.

»Du hast es gut«, meint Jürgen daraufhin.

Lilith schließt die Augen und zieht den Kopf ein.

»Du musst dir um nichts Gedanken machen. Hast 'ne schicke Wohnung, kriegst zu fressen, und jeden Abend kommen Leute und applaudieren dir. Ficken haste, nehme ich mal an, sowieso keinen Bock mehr drauf, und ansonsten ist nicht viel …« Jürgen streicht dem Esel über den Kopf, tief in Gedanken versunken, bis der ihn mit der Nase anstupst. »Sorry, Kumpel«, antwortet Jürgen, »hab nichts zu fressen für dich. Lass uns lieber mal gemeinsam über Moral nachdenken. Moral ist … komplex. So viel ist mal sicher. Kann ohne Ende nerven, aber so richtig von ihr los kommst du trotzdem nicht. Wie bei der Frau fürs Leben.« Es folgt eine Pause, in der Jürgen seine Gedanken zu bündeln versucht. Lilith fürchtet bereits, er könne im Sitzen eingenickt sein, Stirn an Stirn mit seinem Artgenossen, als Jürgen fortfährt: »Weißt du was, Kumpel? Ich sollte jetzt nach Hause gehen zu meiner Frau und mich entschuldigen. Ist schließlich die Frau des Lebens … für mich. Wär doch auf jeden Fall irgendwie moralisch, oder?« Der Esel wackelt mit dem Ohr. »Meine Rede, Kumpel.«

Mühsam erhebt sich Jürgen, findet sein Gleichgewicht, klopft dem Esel den Staub aus dem Rücken und stakst aus dem Zelt. Lilith dreht sich von rechts nach links und schläft wieder ein.

29

Vater war Ski fahren gewesen. Über das Wochenende. Es war kurz vor Weihnachten. In Sankt Moritz lagen zweieinhalb Meter Neuschnee, die nur auf ihn warteten. Ein Flugzeug brachte ihn hin, ein Helikopter zurück. Unterschenkelfraktur. Inzwischen hatte er einen Chauffeur. Doch das Gehen konnte ihm niemand abnehmen. Auf Stützen hievte er sich jeden Morgen die Stufen zur Einfahrt hinunter. Dabei verfluchte er seine Krücken wie eine Charakterschwäche.

Wie immer zu Weihnachten war es im Wohnzimmer sehr warm. Der neue Wollpulli juckte mich an den Armen und am Hals. Onkel Hugo sah traurig aus.

»Hallo, mein Junge«, begrüßte er mich, und als er und Vater sich ins Arbeitszimmer zurückzogen, fragte er nicht, ob ich auch mitkommen wolle. Dabei konnte mich der Computer inzwischen nur noch auf Stufe 7 und 8 schlagen, und manchmal auf 6, aber nur, wenn ich müde war.

Oma war noch da, aber Opa nicht mehr. Nicht einmal mehr körperlich. Sebastian war nach oben gegangen und probierte sein neues Videospiel aus. Als Oma das zweite Plätzchen abklopfte und ein Stück davon in ihrem Mund verschwand, fing sie plötzlich an zu weinen.

»Er war alles, was ich hatte«, sagte sie.

Mutter stand auf, ging zum Baum und drückte mit Daumen und Zeigefinger die Kerzen aus. Vierundzwanzigmal nahm sie die Flamme zwischen ihre Finger und erstickte sie. Dann drehte sie sich zu Oma um, die immer noch schluchzend auf dem Sofa saß.

»Hör endlich auf«, sagte sie, ihre Augen wie die einer Blinden. »Er hat dich fünfzig Jahre lang schlecht behandelt.«

Oma stockte der Atem. Die Hand mit dem Plätzchen blieb auf

halber Strecke in der Luft hängen. »Er war alles, was ich hatte«, wiederholte sie.

Mutter wischte sich den Ruß am Rock ab. Die Kuppe des Zeigefingers war rot, die Haut aufgeplatzt. Sie schloss die Augen und sagte: »Du kannst ruhig zu Papa und Hugo ins Arbeitszimmer gehen, Felix. Ich bin sicher, das ist in Ordnung.«

Onkel Hugo war nicht bei der Sache. Sein Blick ging durch die Figuren hindurch. Vater hingegen verfolgte das Spiel umso verbissener. Er hatte seine Krücken nicht mehr, musste aber noch einen Gehstock benutzen, dessen Knauf er jetzt umklammert hielt.

Ich rekonstruierte das Spiel. Das machte Spaß. Es war wie in der Schule, wenn Herr Böttcher einen Film rückwärts durch den Projektor laufen ließ. Es stand auf der Kippe, Vater war sogar leicht im Vorteil. Er lauerte in seinem Sessel wie eine Katze vor dem Sprung.

»Nicht das Pferd!«, rief ich plötzlich.

Onkel Hugo schaute vom Brett auf. »Was sagst du?«

»Nicht das Pferd. Wenn du das Pferd wegziehst, dann reißt Papa deinem König den Kopf ab.«

Vater hielt die Luft an, ganz lange. Sonst hörte man ihn immer schnaufen.

»So, tut er das?« Zum ersten Mal schien Onkel Hugo die Figuren richtig wahrzunehmen. »Na, dann wollen wir mal sehen …« Er legte seine Hand unter das Kinn, konnte aber die Bedrohung nicht erkennen. »Tut mir leid«, sagte er schließlich, »aber ich glaube, du irrst dich.«

Ich sah es vor mir. Ich wusste, wie die Figuren sich bewegen würden. Wenn Onkel Hugo den Springer von C6 nach B4 setzte, wäre er in fünf Zügen matt.

»Wenn du das Pferd wegziehst, dann …« Ich konnte es nicht erklären. Selbst meine einzige Begabung konnte ich nicht erklären. Ich verstand nicht, wie mein Gehirn arbeitete, und konnte nicht sagen, weshalb ich es wusste. Ich sah es einfach. »Tu es nicht«, sagte ich resigniert.

Onkel Hugos Pfeife war erloschen. Er zündete sie neu an,

wobei er die Flamme in den Pfeifenkopf zwang. »Wenn du meinst …«

Vaters Nasenflügel fingen an zu beben. Die Fingerknöchel waren weiß, sein Stock wackelte hin und her.

»Na, ich hab ja noch andere Figuren«, sagte Onkel Hugo. »Dann nehme ich eben … Mein Gott, du hast ja recht! Der Zug hätte mich ins Verderben gestürzt!«

»Du un-mögliches Kind!«, rief Vater aus.

Er riss seinen Gehstock in die Höhe, wo er für einen Augenblick wie ein Falke in der Luft hing, bevor er auf das Spielbrett krachte. Zwei-, dreimal hieb er darauf ein, die Figuren flogen quer durch den Raum. Das Zimmer erstarrte. Schließlich erhob sich Vater aus seinem Stuhl, packte den Knauf seines Gehstocks und hielt die Spitze auf mein Gesicht gerichtet.

»Einmal! Ein EINZIGES MAL hab ich ihn so weit, in all den Jahren, und du versaust mir die Tour.«

Der Stock suchte sich einen Punkt auf meiner Brust, ich fühlte mein Herz gegen die Spitze pochen. Mir war heiß. Durch die geöffnete Tür drang der Geruch des Gänsebratens ins Arbeitszimmer. Ich wollte schlucken, aber es ging nicht. Ich spürte Tränen über meine Wangen rollen.

»Du verfluchte Missgeburt!«, rief Vater. »Nie kommt auch nur ein Sterbenswörtchen aus dir heraus, aber das eine Mal, wo ich siegen kann, da kriegst du plötzlich die Zähne auseinander.« Sein Stock verselbständigte sich und kreiste vor meinem Gesicht. »Ich verfluche dich!«

Ich schloss die Augen. Mein Gesicht war tränenüberströmt, doch das spielte keine Rolle mehr. Gleich würde er mir den Kopf abreißen.

»Das reicht.«

Ich öffnete die Augen. Onkel Hugo war ebenfalls aufgestanden. Er und Vater sahen einander an.

»Er hat es nicht böse gemeint«, sagte er.

Ich blickte zwischen den beiden hin und her. Vaters Wangen zuckten. Einen Augenblick lang geschah nichts, außer dass Vaters Kaumuskeln sich bewegten. Dann hob er seinen Gehstock, stieß ein Grunzen aus und hieb ein letztes Mal mit voller Wucht auf das

Spielbrett ein, das in zwei Teile zerbrach, die in entgegengesetzte Richtungen vom Tisch flogen. Anschließend richtete er sich auf, drehte sich auf dem Absatz um und hinkte aus dem Zimmer. Im Gegenlicht des Flures sah ich, wie sein Gehstock kleine Dellen in das Parkett bohrte. Onkel Hugo hatte mir das Leben gerettet. Bald darauf verschwand er.

Dritter Tag

Love is the answer, at least
For most of the questions of my heart.
Why are we here, and where do we go,
And how come it's so hard?

(Jack Johnson)

30

Bevor ich richtig wach bin, habe ich bereits den Geruch feuchten Grases in der Nase und den Geschmack wilden Rosmarins auf der Zunge. Fremde Vogelstimmen schwirren um den Bus. Zwischen Wachen und Träumen kehren Bilder der letzten Nacht zurück: die Verfolgungsjagd, die nackte Frau auf der Straße, die Wiese, die tausend Glühwürmchen und Zoes Stimme in der Dunkelheit. Die aufgehende Sonne wärmt mein Gesicht und färbt die Innenseite meiner Lider rosa.

Die Augen noch geschlossen, denke ich an das, was vor uns liegt: Onkel Hugos Haus. Durch die Ereignisse der letzten Tage ist es in meiner Vorstellung größer und größer geworden. Als hinge alles davon ab, dass wir tatsächlich dort ankommen. Als würde dann alles gut werden.

Einer der Gründe, weshalb die meisten Menschen sich, wenn sie ihm begegnen, nur schwer wieder von Zoes Blick lösen können, sind ihre Augen. Sie sind groß, von besonderer Form und leuchten wie Kupfer. Mandelaugen. Verschwenderisch große, verschwenderisch braune Mandelaugen. Wäre Zoes Gesicht ein Gemälde, würde man ihre Augen für eine Übertreibung halten. So aber muss man ihnen glauben.

Die Augen, die mich durch das Seitenfenster betrachten, als ich meine öffne, sind ebenfalls groß und braun. Sehr groß und sehr braun. Größer noch als Zoes. Ich muss zurückweichen, um das dazugehörige Gesicht zu erkennen. Ja, es ist … ein Lama. Es hat den Kopf schief gelegt, sieht mich an und kaut.

Jenseits des Elektrozauns erblicke ich ein Kamel, das durch ein Lavendelfeld stapft und sich in aller Ruhe die besten Blüten herauszupft. Im Hintergrund ist ein rundes Zelt zu sehen, orange und rot gestreift. Wahrscheinlich war es als Unterstand gedacht, jetzt aber liegt es quer im Lavendelfeld, als sei es in der Nacht vom Himmel gefallen. Statt mich über das Kamel und das Zelt zu wundern, frage ich mich, wie beide auf die andere Seite des Zauns gekommen sind.

Wir befinden uns in einem Olivenhain. Nach dem Regen der letzten Nacht drängeln sich die Blätter mit geschwellter Brust im Morgenlicht um die besten Sonnenplätze. Zwischen den Bäumen gibt es weitere Tiere zu entdecken: Zwergponys, einen unendlich traurig aussehenden Elefanten sowie ein Zebra, das ebenfalls entlaufen ist. Offenbar haben wir letzte Nacht Teile des Elektrozauns unter uns begraben, vielmehr: ihn hinter uns hergezogen. Eine Leine spannt sich vom Bus bis zurück auf den Weg. Und da kommt auch schon Gérard, dem der Olivenhain gehört. Eine dreizackige Mistgabel im Anschlag und einen ausladenden Bauch vor sich herschiebend, holpert er mit seinen Gummistiefeln durch das nasse Gras. Ein freundliches »Willkommen« geht anders.

»Marc«, ich rüttle an seinem Knie, »wach mal auf.«

Marcs Lippen schließen sich. Er versucht, trocken zu schlucken. Mit Aufwachen hat das nichts zu tun. Ich drehe den Zündschlüssel und lasse den Motor vorglühen. Gérard und uns trennen noch 30 Meter.

»Aufwachen!«

Marc schreckt auf wie ein Baby.

Bevor er weiß, wo er ist, rufe ich: »Kupplung!« Ich starte den Motor und lege den ersten Gang ein. »Gas!«

Mit durchdrehenden Reifen schlingern wir über die Wiese, während das Lama schwerfällig davongaloppiert und zwei Zwergponys eilig das Weite suchen. Gérard und seine gelben Stiefel verfolgen uns im Schweinsgalopp, die Mistgabel wie einen Speer über dem Kopf. Die Elektroleine spannt sich, und eine nach der anderen springen die Befestigungsstangen aus dem Rasen. Eine verhakt sich in einem Olivenbaum, die Leine reißt, ich sehe, wie die Mistgabel auf uns zufliegt und eine Armeslänge hinter dem Bus ihre Zinken in den Rasen bohrt. Dann sind wir auf und davon.

Zwei Minuten später erwartet uns ein Déjà-vu: Jesus an der Weggabelung, rechts oder links.

»Auf keinen Fall durchs Dorf«, sagt Bernhard.

»Aber wir haben noch Liliths Rucksack hintendrin«, wendet Zoe ein.

So stehen wir vor Jesus. Die Sonne steigt auf, der Motor tuckert, der Auspuff klappert. Rechts oder links.

Ich habe letzte Nacht den Boden saubergemacht, an der Tür aber kleben noch Reste von Zoes Erbrochenem. »Mir ist immer noch schlecht«, sagt sie jetzt.

»Ich hab dafür totale Kopfschmerzen«, sagt Bernhard.

»Dein Glück möchte ich haben«, antwortet Marc. »Bei mir tut alles weh.«

»Worauf warten wir eigentlich?«, fragt Zoe.

»Ein Zeichen?«, schlägt Marc vor.

Bernhard will auf keinen Fall noch einmal in dieses Dorf, wo auf einen geschossen wird, sobald man ein paar Buchstaben umsteckt. »Können wir den Rucksack nicht einfach *hier* abstellen?«

»Und ihn Jesus überlassen?« Unter sichtbaren Schmerzen dreht sich Marc zu Bernhard um. Die Schmerzen haben allerdings nichts mit Jesus zu tun. Nach dem gestrigen Tag tut Marc tatsächlich alles weh. Jede Bewegung, jeder Gedanke muss physische Barrieren überwinden. »Der verschenkt ihn doch an den erstbesten Geisteskranken, der vorbeikommt. Sorry, aber deinem Jesus trau ich nicht weiter als bis zur nächsten Straßenecke.«

Vorsichtig klappern wir die Dorfstraße entlang, vorbei am Hof mit dem alten Kino. Lilith ist nirgends zu sehen, doch ihr Film läuft noch:

SUSI GOES ALADIN

Drei Kurven weiter erreichen wir den Marktplatz. Die Kirchturmuhr zeigt Viertel nach sechs. Das Dorf schläft noch. Die Sonne berührt soeben den Dachfirst des Rathauses. Im Schritttempo schleichen wir um den Bouleplatz und das Zirkuszelt, immer in der Erwartung, dass uns hinter der nächsten Ecke Maurice und sein Polizeiauto auflauern. Von Lilith keine Spur.

Vor dem *Louis* hält Marc an. »Und jetzt?«

»Erst mal den Bus ausmachen«, schlägt Zoe vor. »Bevor wir das ganze Dorf aufwecken.«

»Und wenn er nachher nicht wieder anspringt?«, wendet Bernhard ein.

Marc dreht den Zündschlüssel, lässt den Motor austuckern und wiederholt seine Frage. »Und jetzt?«

»Ich finde, wir sollten sie suchen«, sagt Zoe.

Bernhard sieht sich um. »Ich finde, wir sollten fahren. Auf dem Dorfplatz, hat sie gesagt. Hier ist sie nicht, also nichts wie weg.«

Marc und ich sehen uns an, dann öffnen wir die Türen und steigen aus.

»War ja klar«, sagt Bernhard.

Wir schwärmen aus, jeder in eine andere Richtung. Wenn die Kirchturmglocke »halb« schlägt, treffen wir uns wieder. Ich laufe den Hang hinunter, zur alten Waschstelle, deren Mauern in der Sonne glänzen und sich bereits wieder aufheizen. Ich kontrolliere jede Nische, doch außer einem Hund, zwei Katzen und einer alten Frau in einer geblümten Küchenschürze, die ihre Fensterläden aufstößt und sofort wieder schließt, als sie mich die Gasse entlangkommen sieht, begegnet mir niemand. Als die Kirchturmglocke ertönt, spritze ich mir eine Handvoll Wasser ins Gesicht, nehme einen Schluck aus dem Brunnen und gehe zurück.

Die anderen erwarten mich bereits. Keiner hat Lilith gefunden.

»Lasst uns um Himmels willen abhauen«, flüstert Bernhard.

Die Sonne kriecht aus den Gassen und züngelt auf den Dorfplatz. Da keiner von uns mit einer besseren Idee aufwarten kann, steigen wir schließlich ein.

»Moment«, sage ich, als Marc den Motor anlässt.

»Was denn jetzt noch?«, kommt es von Bernhard.

Ich suche meine Unterlagen heraus und schreibe die Adresse von Hugos Haus auf einen Zettel. Ich möchte noch etwas ergänzen, damit Lilith sich nicht so einsam fühlt, wenn sie ihren Rucksack findet. Damit sie weiß, wo wir sind und dass wir auf sie warten. Es ist gut, wenn man weiß, dass jemand auf einen wartet. Der Stift schwebt über dem Papier.

»Schreib ihr einfach, sie soll hinmachen«, schlägt Marc vor.

Und als hätte ich seit heute Morgen kein eigenes Gehirn mehr, schreibe ich auf den Zettel: *Marc sagt, du sollst hinmachen – Felix.*

Momente wie diese sind es, in denen mir klar wird, warum mein Leben eine andere Wendung genommen hat als das von Marc oder Zoe oder all den anderen. Nie eine richtige Freundin, kein Abi, kein Studium, kein richtiger Beruf. Und die einzige Begabung, die ich besitze, ist nicht nur unnütz, sondern zudem einmalig unsexy: Mathematik. Ich habe Frauen gesehen, die nach fünf Minuten vor Marc und seiner Gitarre nicht mehr ihren Namen gewusst hätten. Die Quadratwurzel aus, sagen wir, 101 124 hat noch niemand seinen Namen vergessen lassen. 318 übrigens. Wie geil ist *das* denn? Ich klemme den Zettel unter den Riemen von Liliths Rucksack und stelle ihn auf der Steinstufe zum *Louis* ab. Dann zuckeln wir aus dem Dorf.

Der Ortsausgang ist bereits in Sicht und gibt den Blick über das Hochplateau frei, als auf der Windschutzscheibe eine Rotweinflasche explodiert. Marc macht eine Vollbremsung. Die Scheibe ist in einem Stück geblieben, hat aber eine Delle und besteht jetzt aus einem Mosaik fingernagelgroßer Glassteinchen. Entlang der Risse bilden sich rote Rinnsale. Eine sichelförmige Scherbe wippt auf dem Asphalt hin und her. Sonst bewegt sich nichts. Am Straßenrand liegen die Reste eines Autoscheinwerfers. Hier ist uns letzte Nacht die nackte Frau vor den Bus gelaufen, und Maurice hat seinen Wagen gegen die Wand gesetzt. Marc und ich sehen uns an. Eine Strafe Gottes? Rotwein, der vom Himmel fällt?

Kaum fährt er an, kracht eine zweite Flasche auf den Bus. Diesmal trifft sie das Dach, und der Wein läuft an den Seitenscheiben herab.

»Fuck!«, ruft Zoe, der dieser Ort inzwischen ebenso viel Furcht einjagt wie Bernhard.

Marc wagt einen Blick in den wolkenlosen Himmel, der durch die Scheibe wie ein blaues Puzzle in 1000 Teilen aussieht, und sagt beiläufig: »Ich glaub, die mögen uns nicht.« Jetzt erst fällt ihm auf, das von oben kein Licht mehr in den Bus dringt. »Was ist denn mit dem Schiebedach passiert?«

Ich greife in die Ablage und halte die abgebrochene Kurbel hoch.

»Und da hast du's mit Gaffa zugeklebt?«, fragt Marc.

»Es hat geregnet?«

»Echt?«

»Ein Gewitter.«

»Letzte Nacht?«

»Ziemlich heftig.«

»Hm.«

Auf der Rückbank tauschen Zoe und Bernhard ungläubige Blicke aus.

»Wäre es euch vielleicht möglich, diese Unterhaltung später fortzusetzen?«, fragt Zoe.

Bernhard drängt: »Lasst uns endlich abhauen, verdammt noch mal!«

Marc blickt skeptisch aus dem Fenster. »Was meinst du?«, fragt er mich.

Ich ziehe die Schultern hoch. Mathematik bringt uns hier nicht weiter.

Langsam lässt Marc die Kupplung kommen, Zoe und Bernhard ziehen die Köpfe ein. Alle warten auf den nächsten Einschlag. Doch statt von einer Flasche getroffen zu werden, läuft uns eine Frau vor den Bus – zum zweiten Mal am selben Tag und am selben Ort. Marc bremst, kneift die Augen zusammen und wendet den Kopf ab. Die Frau schreit auf und weicht zurück.

Marc öffnet erst ein Auge, dann das andere. Offenbar ist sie unverletzt. »Hossa«, sagt er.

Es ist nicht die Frau von letzter Nacht, und nackt ist sie auch nicht. Trotzdem kommt sie uns bekannt vor. Sehr bekannt.

»Das glaub ich nicht«, sagt Zoe.

»Na wunderbar«, kommentiert Bernhard, »noch mehr Ärger.«

Auf Marcs Gesicht breitet sich ein entrücktes Lächeln aus. »Danke, Jesus.«

31

Jeanne hat die Nacht am Küchentisch verbracht. Irgendwann hat sie aufgehört zu fühlen, war nur noch Leere, ein Nichts mit einer Haut drumherum, unfähig, etwas zu tun, und sei es nur, den Arm zu heben oder auf den bequemeren Stuhl zu wechseln. Da, wo sie war, gab es keine Zukunft mehr und keine Vergangenheit. Als das Gewitter über das Dorf hinwegfegte und der Regen wütend auf den Sims prasselte, hätte sie das Fenster schließen sollen. Jetzt glänzt eine Pfütze auf den Steinfliesen. Später zeichnete sich der erste Berg gegen den Nachthimmel ab. Sie erwog, ins Bett zu gehen. Doch sie blieb sitzen.

Und so kommt es, dass, als im Morgengrauen Jürgens schwere Schritte auf den Stufen zu hören sind und sich der Schlüssel im Schloss dreht, die Weinflasche auf dem Tisch zu zwei Dritteln geleert, ansonsten aber alles so ist, wie Jürgen es zurückgelassen hat.

Eigentlich weiß sie es in dem Moment, da Jürgen die Wohnung betritt: Sie wird gehen. Noch kann sie nichts tun, kann nicht aufstehen, sich nicht erklären, ihm nicht in die Augen blicken. Am Ende jedoch, sie sieht es vor sich, wird sie gegangen sein.

Jürgen lässt den Schlüsselbund auf den Tisch fallen und stellt sich in die Pfütze vor dem Fenster. In kurzem Abstand folgt eine Whiskeyfahne. Seine Kleidung ist durchnässt. Es sieht aus, als stehe er schon seit Stunden dort und die Pfütze sei aus seiner Hose herausgetropft.

»Wieso bist du nicht im Bett?«, fragt er.

Jeanne antwortet nicht.

Jürgen stemmt die Hände in die Hüften. Sein Atem geht schwer, wie immer, wenn er zu viel getrunken hat. Von seinem mächtigen Rücken steigt Dampf auf.

»Kann ich doch nichts für«, sagt er. Unten, auf der Straße, nähert sich ein Auto mit klapperndem Auspuff. »Dass du so'ne frigide Kuh bist.«

Jeanne sieht, wie die Flasche, die eben noch vor ihr stand, in Jürgens Richtung fliegt, sein Ohr um wenige Zentimeter verfehlt und durch das Fenster verschwindet. Vor dem Haus trifft Glas auf Glas, Scherben klirren auf dem noch feuchten Asphalt, Reifen quietschen. Jürgen erblickt den Schwulenbus, Orange und Weiß, mit geborstener Frontscheibe. Die Idioten aus dem Gorges.

»Nicht schon wieder«, murmelt er. Zu Jeanne sagt er: »Volltreffer.« Erst da hat sein Gehirn die nächste Information destilliert. »Hast du gerade versucht, mir 'ne Flasche an den Kopf zu werfen?«

Jeanne ist aus ihrer Trance erwacht. Sie springt auf, greift sich eine zweite Flasche aus dem Regal und holt aus. So stehen sie sich gegenüber. Jürgen geht einen Schritt auf sie zu. Sie erkennt den klaffenden Riss in seiner Unterlippe und das blutverkrustete Kinn. Erschrocken registriert sie, dass sie keinerlei Mitgefühl empfindet.

»Das wagst du nicht«, sagt Jürgen. Und weil er betrunken und sich seiner zu sicher ist, setzt er noch einen drauf. »Du würdest doch nicht mal ein offenes Scheunentor treffen.«

Was Jeanne wütender und zugleich trauriger macht als alles andere, ist, dass Jürgen ihr keine andere Wahl lässt, als ihn zu verachten. Nicht das geringste Bemühen ist sie ihm noch wert. Sie schleudert die Flasche, die ihn tatsächlich am Kopf treffen würde, doch Jürgen zieht ihn im letzten Moment zur Seite. Wieder klirrt es auf der Straße.

Jürgens Gesicht schwankt zwischen Cholerik und Fassungslosigkeit. »Na los«, ruft er, »aller guten Dinge sind drei!«

Jeanne hebt abwehrend die Hände, greift sich ihre Handtasche und läuft barfuß die Stufen hinab. Sie ekelt sich vor sich selbst. Und das wird sie ihm vielleicht noch weniger verzeihen können als alles andere: Dass er sie so weit gebracht hat, sich selbst zu verachten. Sie stolpert aus dem Haus, hinein ins Tageslicht, kneift die Augen zusammen und schreit auf, als plötzlich etwas Großes neben ihr auftaucht. Dann steht sie auf der Straße und dreht sich um die eigene Achse, als frage sie sich, wo sie sei.

Das große Etwas ist ein Bus, Orange und Weiß. Die Fahrertür öffnet sich, und ein junger Mann steigt aus. Jeanne erkennt ihn wieder – der Typ von gestern Abend, aus dem *Louis.* Von einem Liebeslied hatte er gesprochen und wie schön das Leben sei. Komm mit mir, hatte er gesagt.

Eine Sekunde verstreicht, dann noch eine, bald schon sind es fünf, und am Ende sind beinahe zehn Sekunden verstrichen, ehe sie ihn fragt: »Gilt dein Angebot noch?«

32

Ohne Seitenspiegel, mit geborstener Heck- und Frontscheibe sowie einem Auspuff, der mehr Gaffa als Blech ist, rumpeln wir über das Plateau Richtung Riez. Ich habe wieder das Steuer übernommen. Marc, dem noch mindestens zwölf Stunden Schlaf fehlen, um wieder bei null anzukommen, kauert auf dem Beifahrersitz. Alle haben einen furchtbaren Hangover, doch die Stimmung ist zuversichtlich. Lilith ist auf der Strecke geblieben, dafür ist Jeanne jetzt mit an Bord. Hinzu kommt die Erleichterung, Pui entronnen zu sein, diesem Dorf, in dem Drachen und wild gewordene Zyklopen hausen. Wir haben den Gorges überstanden und schießwütige Polizisten abgeschüttelt – was soll uns noch aufhalten?

Es riecht nach Regen auf heißem Asphalt, nach schweren Blüten und feuchter Erde. Die Berge, nach denen man gestern Abend die Hand ausstrecken konnte, erheben sich dunstverschleiert wie ein ferner Kontinent.

»Blut!«, ruft Bernhard unvermittelt.

»Oh«, sagt Jeanne, aus deren nacktem Fuß ein Blutsfaden rinnt, »ich bin in eine Scherbe getreten.«

»Ach du großer Gott!« Bernhards schrille Stimme schneidet durch die Luft. »Felix, halt an – wir müssen was tun!«

Ich fahre rechts ran. Entlang der Straße hangelt sich eine Stromleitung von einem Holzmast zum nächsten. In Reihen angelegte Lavendelsträucher ziehen sich über sanft geschwungene Felder. Ein schmaler Weg führt zu einem zerfallenen Steinhaus, neben dem blaue, rote und gelbe Bienenstöcke wie Farbkleckse in der Landschaft stehen.

Marc wühlt sich durch den Kofferraum, bis er unter einem Knäuel aus Abschleppseilen und Überbrückungskabeln den Verbandskasten entdeckt, den Bernhard gestern vergeblich gesucht hat. Er stellt ihn zwischen Jeanne und Bernhard auf die Rückbank, kniet schwerfällig nieder, hält sich den Kopf, bis er nicht mehr brummt, und sagt: »Lass mal sehen.«

Bernhard würde gerne etwas beitragen. Nichts erfüllt ihn mehr, als für jemanden da zu sein. Doch dieses viele Blut … Während Marc vorsichtig an Jeannes Ferse herumdrückt, die kaum Notiz davon nimmt, und eine Scherbe von der Größe eines Zweicent-stücks aus dem Fleisch zieht, hält Bernhard ihre Hand, verzieht das Gesicht und wendet den Kopf ab. Angesichts solcher Hilf-losigkeit wird selbst Zoe von Mitgefühl ergriffen. Am Ende nimmt sie Bernhards freie Hand in ihre. Im Rückspiegel zeigt sich mir ein Bildnis der Nächstenliebe: Marc, der zu Füßen seiner Ma-donna kniet, Jeanne, Bernhard und Zoe auf der Rückbank, einer des anderen Hand haltend.

Marc sieht auf und schmunzelt. »Keine Angst«, sagt er und reißt mit dem Mund die Verpackung einer Mullbinde auf, wäh-rend er eine Kompresse gegen Jeannes Ferse drückt. Es ist klar, dass er Bernhard meint, auch wenn nicht klar ist, warum. »Ist gleich vorbei.«

Noch vor zwei Tagen hätte Marc ihn provoziert, heute jedoch ist seine Stimme frei von Ironie – kein Witz, kein doppelter Bo-den. Er legt den Verband an, fixiert das Ende mit Gaffa, weil das Klebeband aus dem Verbandskasten nicht mehr klebt, und hält die blutige Scherbe hoch wie eine herausoperierte Revolverkugel.

»Die schlechte Nachricht ist«, sagt er und inspiziert die Scherbe im Gegenlicht, »der Fuß muss genäht werden.«

Zoe hilft auf ihre Weise: »Was hast du denn für 'ne Schuhgröße – achtunddreißig? Dein Fuß sieht aus wie eine Achtunddreißig.«

Jeanne betrachtet ihren Fuß und fragt sich, woran Zoe erkannt hat, dass er Größe 38 hat.

Zoe steigt aus, geht um den Bus, öffnet ihren Koffer und kommt mit einem in Knisterpapier eingeschlagenen Paar Schuhe zurück. »Hier«, sie reicht Jeanne die Schuhe, »schenk ich dir. Sind superbequem.«

Jeanne fördert goldene Schläppchen zum Vorschein, die wie Gymnastikschuhe für Kinder aussehen. Offenbar passen sie wie angegossen.

Mit dem Blick folge ich der Wellenlinie einer Lavendelreihe, die sich meinem Sichtfeld entzieht, als sie hinter dem Haus mit den Bienenstöcken verschwindet. Über dem Feld vereint sich das Summen zahlloser Insekten. Vielleicht, denke ich, fallen wir alle wieder auseinander, sobald wir Onkel Hugos Haus erreicht haben oder zurück in Berlin sind. Doch vielleicht, denke ich weiter, kommt es darauf auch gar nicht an.

»Chanel?« Jeanne dreht unsicher einen Schlappen in den Händen. »Die kosten doch mindestens dreihundert Euro.« Ihr Akzent macht aus den Euros »Oereaus«.

»Das will ich hoffen«, antwortet Zoe, »immerhin hat Ludger mir die geschenkt.«

Für Jeanne laufen gerade einige Informationen zu viel zusammen. »Wär ist Loudgere?«

Zoe verdreht ihre großen Augen. »Ludger ist jemand, der dir teure Geschenke macht, mit dir ins Bett geht, dir Liebe schwört und bei seiner Frau bleibt.«

»Ah«, sagt Jeanne, »ein Franzose, ja?« Und zu Marc: »Danke für die Verband.«

»Du hast verdammt schnell Deutsch gelernt«, antwortet Marc.

Im Gegensatz zu Pui ist Riez eine richtige Stadt. Die Häuser muten nicht wie Kulissen für einen provenzalischen Western an, die Straßen sind beschildert und führen nicht nur im Kreis herum. Es gibt Geschäfte, Kneipen, eine Apotheke. Neben einem Zeitschriftenkiosk hängen, an die Mauer gefesselt, die ersten Schlauchboote der Saison und warten auf Touristen. Dazu Käfige mit Bällen, Paddeln, Taucherbrillen.

Wir parken auf einer Rasenfläche abseits des Dorfplatzes. In einer Senke stehen vier korinthische Säulen, als seien sie dort vergessen worden. Es sind die Überbleibsel eines Apollotempels aus der Zeit von Asterix und Obelix, als die Römer kamen und die gallischen Stämme nach Norden vertrieben, bis nur noch ein Dorf übrig war. Nach ihrem Abzug blieben nutzlose Tempel und der Weinanbau.

Gemeinsam mit uns treffen die ersten Autos aus den umliegenden Dörfern ein. Heute ist Markttag. Die Händler bauen gerade ihre Stände auf. Marc und Bernhard nehmen die hinkende Jeanne in ihre Mitte und ziehen los, um jemanden zu finden, der ihr am Sonntag früh die Ferse vernäht.

»Ihr könnt euch ja solange ums Frühstück kümmern«, ruft Marc über die Schulter.

Es riecht nach altem Käse, Fisch und eingelegten Oliven. Dafür, dass ihr schlecht ist, kauft Zoe ein wie entfesselt: Obst, Käse, Baguette, drei Sorten Salami sowie ein Opinel, um alles zuzubereiten. Ein Frankreichurlaub ohne Opinel sei »ein absolutes No-Go«, erfahre ich.

Ich frage mich, wie Zoe auf Urlaub kommt, doch dann beobachte ich, wie sie sich von einem Käsehändler die Eigenheiten der einzelnen Sorten auseinandersetzen und Probierstücke über die Theke reichen lässt, und mir wird klar, dass es sich für sie genau danach anfühlen muss: Abenteuerurlaub in Südfrankreich.

»Hier«, lächelnd schiebt sie mir ein Stück Käse in den Mund, »probier mal: Ziege, vierundzwanzig Monate gereift.«

Bevor ich etwas erwidern kann, zerbröckelt der Käse auf meiner noch nüchternen Zunge, löst ein Geschmacksrezeptoreninferno aus und verschließt mir die Nase.

Zoes Augen leuchten wie frisch polierte Kupfermünzen. »Und?«

»Hmm«, bringe ich hervor und schlucke den Käse herunter.

Sie wählt drei Sorten aus, drückt mir die Tüte in die Hand und stiefelt los, als habe sie ein konkretes Ziel vor Augen.

»Wie findest du sie?«

»Wen?«

»Na wen wohl?«

»Jeanne?«

»Nein, Dagmar.« Zoe stößt mich in die Seite. »Natürlich Jeanne – wen denn sonst?«

Ich nicke.

»Und?«

»Was?«

»Wie du sie findest?«

»Weshalb fragst du?«

»Jetzt sag schon.«

Ich bleibe stehen. Wie ich sie finde … »Französisch«, antworte ich.

»Und sonst so?«

»Klein.«

Zoe lacht auf und hakt sich bei mir ein, als hätten wir morgen Silberhochzeit. »Du bist süß.«

Beladen mit vier Einkaufstüten kehren wir zum Bus zurück. Auf dem Weg sammelt Zoe noch zwei Milchkaffee ein, und da es im Café keine Einwegbecher gibt, kauft sie die Tassen gleich mit. Als wir aus dem Schatten treten, prickelt die Sonne auf der Haut.

Ich zeige Zoe meinen Lieblingsort: das Busdach. Es kommt mir vor, als führte ich sie in mein Schlafzimmer. Mit gekreuzten Beinen setzt sie sich mir gegenüber, blickt sich um und atmet durch: »Verstehe«, sagt sie, »verstehe.« Sie betrachtet mich. »Mache ich dich nervös?«

»Wie kommst du darauf?«

»Du kratzt die ganze Zeit an deinem Dreitagebart herum.«

Ich bin tatsächlich nervös. Kann mit allem Möglichen zu tun haben: Onkel Hugo, der Reise, dem Ziel, zu wenig Schlaf ... Etwas geschieht mit mir. Anfangs war es nur ein unterschwelliges Gefühl, wie das beständige Brummen eines Transformators, das man irgendwann ausblendet. Jetzt jedoch, auf dem Busdach, kurz vor der letzten Etappe, habe ich das deutliche Empfinden, von Tag zu Tag leichter zu werden. Mit jeder Stunde, die wir unterwegs sind, schält sich eine weitere Schicht von mir ab.

Zoe reicht mir ein Stück Baguette mit Ziegenkäse und Maronencreme. Die Mischung schmeckt so intensiv, dass ich sie kaum schlucken kann. Ich decke mit der Hand meine Augen ab und sehe die Sonne durch meine Haut scheinen. Selbst einzelne Adern sind erkennbar. Löse ich mich auf? Werde ich mich, sobald wir Onkel Hugos Haus erreicht haben, in eine durchsichtige Hülle verwandeln und davonschweben?

»Musst nicht antworten, wenn du nicht willst«, sagt Zoe.

Später liegt sie neben mir auf dem Rücken und blickt in die Platane, die über dem Bus ihre träge schaukelnden Blätter ausbreitet. Nicht viel Wind, heute Morgen. Eigentlich gar keiner. Ideale Bedingungen. Ich befühle das Papier, in das der Käse eingeschlagen war. Könnte gehen. Es ist gewachst und deshalb ziemlich steif, trotzdem ist es leicht.

Als ich mit dem Falten fertig bin, balanciere ich den Flieger auf meinem Zeigefinger. »Zu dicker Hintern«, sage ich.

»Du findest meinen Hintern zu dick?«, fragt Zoe.

»Nein.« Ich erinnere mich daran, wie Zoe über mir auf dem Felsen stand und sich auszog – bevor sie ins Wasser sprang, wo wir alle beinahe ertrunken wären. Gestern. Und dann sage ich tatsächlich: »Dein Hintern ist über jede Kritik erhaben.« Und weil ich nicht glauben kann, dass ich das tatsächlich gesagt habe, füge ich schnell hinzu: »Hast du zwei einzelne Centstücke?«

Es funktioniert. Perfekte Balance. Zweimal kreist der Flieger um den Bus, bevor er in die Senke abtaucht, wo er sanft zwischen den alten Tempelsäulen aufsetzt.

»Das sah eindeutig *nicht* nach zu dickem Hintern aus«, stellt Zoe fest.

»Alles eine Frage der richtigen Proportion«, antworte ich.

Zoe legt den Kopf auf dem Busdach ab und schließt die Augen. »Der Felix ...«, sagt sie wie zu sich selbst, »... hat ganz schön Oberwasser heute Morgen.«

Jeannes Fuß ist versorgt. Sie sind der Frau des Apothekers in die Arme gestolpert, die gleich den Arzt herausgeklingelt hat, der über der Apotheke ihres Mannes seine Praxis hat. Zwanzig Minuten später war die Wunde desinfiziert, genäht und verbunden, und Jeanne hatte gleich noch eine Tetanus-Auffrischung bekommen, schönen Sonntag noch, »pas la peine d'en parler«, und legen Sie Ihren Fuß hoch, Kindchen!

Jeanne lächelt dieses Lächeln, das sie zugleich glücklich und traurig aussehen lässt. Wie ein verkehrtes Sprichwort, denke ich, »jeder Anfang ein neues Ende« oder so. Zwischen Bernhard und Marc, die sie stützen, ist sie ein blasses, zartes Bündel aus Melancholie, geschredderten Illusionen und Aufbruchswillen. Bei so viel emotionaler Energie weiß Marc vor Begeisterung gar nicht, wohin mit sich.

Zoe blickt auf die goldenen Gymnastikschlappen hinab. »Stehen dir ganz klar besser als mir.«

Bernhard war so geistesgegenwärtig, im Kiosk eine Michelin-Karte zu kaufen: Provence – Côte d'Azur, Maßstab 1:200000.

Damit wir ab sofort wissen, wo es langgeht. Während Marc, Jeanne und Bernhard im Bus sitzen und frühstücken, breiten Zoe und ich die Karte zwischen uns aus. Sogar Pui ist verzeichnet. Dabei war ich mir nicht einmal sicher, ob der Ort tatsächlich existiert.

»Schau mal«, sagt sie und taucht ihren Finger ins Mittelmeer, »das ist es doch, oder – la Ciotat?«

Ich lege meinen Finger auf Riez. So weit, wie befürchtet, sind wir gar nicht vom Weg abgekommen. Es gibt eine Landstraße, die Riez in östlicher Richtung verlässt und anschließend nach Süden abbiegt. Sie wechselt die Namen – D11, D13, D71, D554, D560, N560 –, doch am Ende führt sie ohne Unterbrechung bis nach la Ciotat.

»Wie weit ist das?«, fragt Zoe.

Auf der Karte sieht es aus, als müssten wir halb Frankreich durchqueren, doch der Maßstab täuscht. In Wirklichkeit sind es nur …

Ich spüre einen Kloß im Hals. »Hundertzwanzig Kilometer.«

»Mehr nicht?« Zoes Augen leuchten wie vorhin, als sie mir den Käse in den Mund gesteckt hat. »Was glaubst du, wie lange wir brauchen?«

Ich taste nach dem Schlüssel in meiner Hosentasche. Inzwischen schnürt sich mir die Kehle zu. »Zwei Stunden?«, schlage ich vor.

»Das heißt, wir könnten um elf Uhr da sein?«

»Denke schon.«

»Das ist ja Wahnsinn! Hey, ihr da unten auf den billigen Plätzen!« Zoe schlägt mit der flachen Hand auf das Dach und beugt sich über die Reling. »Bis Mittag sind wir da!« Sie lächelt mich an und greift nach meiner Hand. »Du bist scheiße aufgeregt, stimmt's?«

»Ich glaube, diese Reise macht mit uns allen komische Sachen«, antworte ich.

Zoe drückt meine Finger. »Wär ich auch an deiner Stelle.«

Bevor wir vom Dach steigen, berührt sie mich noch einmal am Arm. »Weißt du, was komisch ist?« Mit dieser Geste, die nur Frauen mit langen, glatten Haaren zu eigen ist, streicht sie sich das Haar über die Schulter. »Ich dachte immer, du gibst dich nur mit mir ab, weil Marc mit mir befreundet ist.«

Das Licht bricht sich in den Blättern und wandert in Grüppchen ihren Nacken hinauf.

Ich antworte: »Und ich dachte immer, *du* gibst dich nur mit mir ab, weil ich mit *Marc* befreundet bin.«

33

Ab jetzt sitzt Zoe neben mir, den Rücken zur Fahrtrichtung, den Blick in die Vergangenheit gerichtet, die Karte auf dem Schoß. Wir können uns eigentlich nicht mehr verfahren, trotzdem kontrolliert sie dienstbeflissen jede neue Ortschaft auf der Karte. Am liebsten würde sie bunte Nadeln einstechen und mit einem Faden verbinden.

Im Rückspiegel sehe ich Jeanne, die ihren Fuß auf den Notsitz gelegt hat, Marc, der so aussieht, als habe er gerade eine unbekannte Droge genommen und warte jetzt darauf, was die gleich mit ihm anstellt, und Bernhard, der die meiste Zeit aus dem Fenster starrt und sich fragt, weshalb immer *er* es ist, der übrigbleibt. Das fünfte Rad am Wagen.

Ich fahre nicht schneller als siebzig, selbst wenn sich die Straße schnurgerade über die Ebene zieht. Sonst drückt der Fahrtwind die Scheibe in den Bus. Quinson ist der erste Ort nach Riez. Noch bevor wir ihn erreichen, schließen sich Jeannes Augen, und ihr Kopf sinkt schwer auf Marcs Schulter. Kaum haben wir den Ort verlassen, ist auch Marc eingeschlafen.

Die Hochebene liegt hinter uns. Wir nehmen Kurs auf eine Bergkette. Während die Sonne ihrem Zenit entgegenstrebt, wechselt die Landschaft zwischen Tod und Leben. Aus schamlos grünen, ganze Hänge bedeckenden Reben sprießen die ersten Trauben, wenig später windet sich die Straße durch niedergebrannte Wälder, von denen nichts geblieben ist als totes Geäst und graue Asche.

Langsam kommen die Berge auf uns zu: Sie sind nicht mehr besonders hoch, keine tausend Meter, und es sind die letzten. Dahinter kommt das Meer. Wir haben die ersten Ausläufer passiert und fahren durch St. Maximin, als wir auf einen Kreisverkehr treffen, aus dessen Mittelinsel haushohe Palmen wachsen.

»California, here I come«, summt Zoe.

Auch Bernhard ist eingeschlafen. Im Schlaf scheint alles von ihm abzufallen. Genau wie bei Jeanne und Marc. Aus dem Bild der Nächstenliebe ist ein Bild des Friedens geworden.

»Glaubst du, man kann schon baden?«, fragt Zoe.

»Du meinst, im Meer?«

Sie nickt.

»Gestern wärst du beinahe ertrunken«, erwidere ich, »und heute willst du im Meer baden?«

»Gestern war gestern, heute ist heute.«

Ich dachte immer, man würde das Meer riechen und schmecken, bevor man es sieht. Doch das gilt nicht, wenn man nach La Ciotat kommt. Der Geruch der Stadt überdeckt alles andere. La Ciotat stinkt. Die Gassen sind eng, die Autos drängen sich dicht an dicht, und über allem hängt ein Geruch von feuchtem Beton und Diesel, der mich automatisch in den Heizungskeller meiner Kindheit zurückversetzt. Man weiß in etwa, wo das Meer sein muss, weil die Entladekräne des Industriehafens die Stadt überragen.

Die Innenstadt stellt sich als Großbaustelle heraus. Wo man hinwill, interessiert niemanden. Das ist nicht wie mit Jesus, der einem die Wahl zwischen rechts und links lässt. Hier treiben Polizisten mit unwirschen Gesichtern den Verkehr wie Vieh in immer noch engere Gassen, bis einem jede Orientierung abhandenkommt. Wer stehen bleibt, wird angeblökt. Auf der Leuchttafel einer Apotheke blinkt in Grün die aktuelle Temperatur: 34°.

»Die spielen blinde Kuh mit uns«, bemerkt Zoe.

»Was ist das?«, frage ich.

»Blinde Kuh? Na, was man auf Kindergeburtstagen spielt: Dir werden die Augen verbunden, und dann wirst du so lange im Kreis gedreht, bis dir schlecht ist. Anschließend musst du durchs Zimmer tappen und versuchen, jemanden zu fangen. Ich hab nie mitgemacht, weil ich's irgendwie total sinnlos fand.«

Ich antworte nicht. Auf Kindergeburtstage war ich nicht eingeladen.

»Kennst du doch, oder?«, fragt Zoe.

»Ja«, antworte ich, »klar.«

Es gibt auch schöne Ecken in La Ciotat. Den Yachthafen zum Beispiel, mit Hunderten weißglänzender Boote und der direkt an der Promenade gelegenen Kirche. Doch davon bekommen wir nichts zu sehen. Die Gasse, in die wir geraten, spuckt uns am Industriehafen aus. Hier ist alles fingerdick von weißem Staub bedeckt. Wie Puderzucker. Man kann nicht einmal erkennen, wo die Straße aufhört und der Bordstein anfängt. Die Lagerhallen, eng aneinandergereiht und jede so groß wie ein Flugzeughangar, scheinen auf Wüstensand gebaut.

»Schau mal«, sage ich, als sich zwischen zwei Hallen eine Flucht auftut, die auf einen blauen Punkt zuläuft, »das Meer.«

»Und so idyllisch.« Ein Kipplaster dröhnt vorbei und drückt seine Reifen in den Staub. »Einen Hauch mehr Romantik hätte ich schon erwartet«, bemerkt Zoe.

»Das Haus meines Onkels liegt außerhalb, soweit ich weiß, Richtung Cassis.«

»Soweit du weißt?«

»Der Notar hat so was erwähnt.«

Zoe sieht mich an, als hätte ich ihr gerade offenbart, dass das Haus von Onkel Hugo in Wirklichkeit in Schweden liegt. »Soll das heißen, du weißt gar nicht, wo wir hinmüssen? Keine Anfahrtsskizzen, keine Karten, keine Luftbilder?«

»Ich hab die Adresse.«

»Glückwunsch!«, schmunzelt Zoe. »Ich sag dir was: Als Anwalt der Gegenpartei würde ich dich mit so einer schlampigen Vorbereitung vor Gericht in zehn Minuten komplett auseinandernehmen.«

»Ich bin kein Anwalt«, entgegne ich.

»Nein, du bist …« Zoes Blick verliert sich in der weißen Staublandschaft um uns herum. »Weißt du was: Ich glaube, ich habe nie wirklich kapiert, was du bist.« Sie sammelt ihren Blick ein und sieht mich an: »Wer bist du, Felix?«

Ich spüre, wie mir das Blut zu Kopf steigt. Da sind zu viele Türen, hinter die ich noch nie einen Blick geworfen habe. Allein die Anzahl macht jeden Versuch unmöglich. »Ich glaube, ich würde lieber nicht …«

»Schon gut.« Zoe streicht sich die Haare aus dem Gesicht. »Aber bilde dir nicht ein, ich würde die Frage vergessen.«

Ich versuche mich an einem Lächeln.

»Schleimen zwecklos«, antwortet Zoe.

»Sollen wir nicht lieber zum Haus meines Onkels fahren?«, frage ich.

»Wo du gerade davon sprichst: Wie, sagtest du noch mal, kommen wir dahin?«

Ich lege meine Stirn in Falten. Irgendwie, dachte ich, würde uns das Haus schon finden, wenn wir erst hier sind. Schließlich wartet es auf uns.

»Halt mal an«, sagt sie.

Wir stehen vor der Einfahrt zu einem Umschlagplatz. Im Minutentakt kommen Dreißigtonner, die Fahrer reichen Papiere aus dem Fenster, warten, bis sich die Schranke hebt, machen sich auf den Weg. Das Pförtnerhäuschen besteht aus zwei übereinandergestapelten Containern, die mit dem Rest der Welt durch eine Stromleitung verbunden sind.

Zoe greift sich ihre Handtasche, klappt ihren Schminkspiegel auf, zieht sich die Lippen nach, knetet ihre Haare und knöpft ihre Bluse so weit auf, dass ihr schwarzer Spitzen-BH zum Vorschein kommt. Ziemlich viel davon.

»Wie sehe ich aus?«

»Ähh … gut, würde ich sagen.«

»Na, wenn das nichts ist …«

Sie beugt sich langsam zu mir herüber. Unwillkürlich schließe ich die Augen. Ihr Atem streift mein Ohr. Sie riecht nach Lavendel und Honig. Kurz darauf berühren sich unsere Lippen. Ihr praller Spitzen-BH drückt sich gegen meinen Arm, ihre Zunge tastet sich in meinen Mund vor …

Als ich die Augen öffne, sehe ich Zoe mit dem Zettel auf der anderen Straßenseite stehen und winken. Dann klopft sie gegen die Tür des Containers.

Ein untersetzter Mann mit sehr kurzen Beinen öffnet die Tür. Sein Gesicht befindet sich auf Augenhöhe mit Zoes Dekolleté. Er trägt ein blaues Kurzarmhemd mit Schweißflecken unter den Achseln sowie eine dunkelblaue Mütze mit Blende. Er muss den

Kopf ziemlich weit in den Nacken legen, um Zoe in die Augen zu schauen.

Zoe redet auf ihn ein, zeigt ihm den Zettel und gestikuliert in meine Richtung.

Der Mann zieht an seiner Mütze, kaut auf seinem Kaugummi und blickt ihr in den Ausschnitt.

Zoe führt die gefalteten Hände zum Mund und wippt auf den Fußballen – bitte, bitte! Ihre blasse Haut leuchtet wie Marmor.

Der Mann verschränkt die Arme vor der Brust.

Zoe lächelt.

Der Mann lässt sie herein.

Ich frage mich, wann ich Zoe das letzte Mal so … lebendig erlebt habe. Ein Kipplaster dröhnt vorbei und bringt den Bus zum Wackeln. In der Schule vielleicht. Als alles noch vor uns lag. Die drei auf der Rückbank verziehen keine Miene. Auch Bernhards Kopf lehnt inzwischen an Marcs Schulter. Jeanne rechts, Bernhard links, Marcs eigener Kopf durch die beiden anderen gestützt. Vielleicht noch nie, denke ich. Die Tür des Containers öffnet sich, Zoe tritt heraus und wedelt mit zwei bedruckten DIN-A4-Blättern. Das Mittagslicht ist so hell, dass es ihre Konturen auflöst.

»Das ist ja ein Foto«, sage ich, als sie mir den Ausdruck gibt, auf dem der Hafen aus der Vogelperspektive zu sehen ist, allerdings mit beschrifteten Straßen.

Zoe legt mir die Hand auf den Arm. »Pass auf, Felix: Wenn ich eines Tages mal fertig bin mit allem – also dem Leben generell und so weiter –, dann schicke ich dir eine Brieftaube, und du nimmst mich mit auf deinen Planeten, okay? Bis dahin lass uns so tun, als lebten wir auf der Erde. Ja, das hier ist, wie du ganz richtig bemerkt hast, ein Foto vom Hafen. Nennt sich Google Earth. Kannst du von so ziemlich jedem Ort der Welt machen. Der markierte Punkt hier«, sie nimmt ihre Hand von meinem Arm und zeigt mir die entsprechende Stelle, »ist unser Ziel. Und wir stehen hier, vor dieser Halle. Das bedeutet: Siehst du diesen Felsen?«

Ich blicke aus dem Fenster. Halb rechts vor uns erhebt sich keinen Kilometer entfernt ein rötlicher Felsen aus dem Meer. Er ist etwa 150 Meter hoch und deshalb kaum zu übersehen. »Meinst du den?«

»Exakt. Da müssen wir hoch, dann drumherum, und dann, hier, am Ende dieses Weges, muss es sein.«

Ich sehe mir die Aufnahme an. »Aber da ist kein Haus.«

»Wenn die Adresse richtig ist, dann ist da eins.«

Die Straße, in der das Haus meines Onkels sein soll, führt durch einen Pinienhain und endet auf einem Wendeplatz oberhalb der Felsen. Von der Stadt ist nichts mehr zu sehen. Ich parke neben einem silbergrauen Mercedes. Jetzt kann ich auch das Meer riechen und höre die Brandung. Nur sehen kann ich es nicht. Zwei Trampelpfade gehen vom Parkplatz ab. Der eine führt über eine in den Fels geschlagene Treppe hinunter in eine Bucht, der andere schlängelt sich in den Hain. Zoe und ich steigen aus und vertreten uns die Beine. Es wird noch Tage dauern, ehe sich unsere Körper wieder normal anfühlen. Die anderen rühren sich nicht. Wir könnten den Bus die Klippe hinunterstürzen, ohne sie zu wecken.

»Bist du nicht müde?«, frage ich.

»Doch.«

»Warum schläfst du dann nicht wie die anderen?«

»Ist das 'ne Fangfrage?«

»Ich frage mich einfach, wo du die Energie hernimmst.«

»Frag dich lieber, wo *du* die Energie hernimmst. Du schläfst doch praktisch überhaupt nicht.«

»Ich esse ja auch nicht.«

Zoe schiebt sich die Sonnenbrille ins Haar. »Versteh ich nicht.«

»Wer nichts isst, braucht auch keinen Schlaf.«

Zoe wirft mir wieder diesen Blick zu, wie vorhin. Als frage sie sich, in welcher Höhle ich bis jetzt mein Leben gefristet habe. »Sollte das gerade ein Scherz sein?«, fragt sie.

»Ja.«

Sie sieht sich um. »Also, wie man Scherze macht ...«, murmelt sie halblaut vor sich hin, »... da müssen wir noch dran arbeiten.« Dann ist sie wieder bei mir. »Was willst du zuerst?« Sie nickt in Richtung der beiden Wege. »Runter ans Meer oder das Haus suchen?«

Ich bin kurz davor, ihr von der Vision zu erzählen, die ich unten am Hafen gehabt habe, von ihrer Berührung und dem Kuss.

»Rechts oder links?«, überlege ich.

»Rechts oder links«, bestätigt Zoe.

»Ich glaube, ich würde gerne das Haus finden«, sage ich.

»Na dann …« Zoe nimmt meine Hand und zieht mich hinter sich her in den Hain.

Der Geruch von Harz und Piniennadeln hängt schwer zwischen den Bäumen. Unter unseren Füßen knistert der Boden. Aus der Bucht weht feuchte Luft zu uns herauf.

Der Pfad verbindet die Felsausläufer miteinander. Nach ungefähr 50 Metern blitzt zwischen den Bäumen eine weiß getünchte Mauer auf. Ich bleibe stehen. Zoe hat sie noch nicht entdeckt. Meine Hand löst sich aus ihrer.

»Was ist?«, fragt sie.

»Da ist es«, antworte ich.

Zoe folgt meinem Blick. »Woher weißt du das?«

»Weiß ich nicht.«

Ein zweiflügeliges, schmiedeeisernes Tor, dessen Rundbogen die Mauer überragt, gibt den Blick auf Haus und Grundstück frei. Der Garten wirkt wild gewachsen, aber gepflegt. Akribisch naturbelassen. Vor der Terrasse wuchern unterschiedliche Spezies: Buchsbaum, Steineiche, Rosmarin … Jeweils ein Exemplar. Wie eine Arche für Pflanzen, denke ich. An den Säulen des Vordachs rankt sich Efeu empor. Der süße Duft bunt blühender Rhododendronsträucher streckt seine klebrigen Tentakel durch die Torstreben. Alles andere – Alltag, Lärm, Missgunst – hält die Mauer ab. Es ist das Refugium eines Menschen, der dem Rest der Welt gerne den Rücken kehrt.

Das Haus liegt zurückgesetzt und leuchtet in einem warmen Altrosa durch die Büsche. Es ist größer, als ich erwartet habe. Kein Bauwagen, sondern ein richtiges Haus, mit verschiedenen Zimmern, deren dunkelrot abgesetzte Holzläden zum Teil geöffnet sind. Durch das Tor blickt man auf die Rückseite mit der Terrasse, zur Vorderseite gelangt man über einen Weg, der im Schatten der Mauer um das Haus herumführt. Dahinter ragen fünf Zypressen wie grüne Pfeiler in den milchigen Himmel. Zwischen den Bäumen fliegen Vögel hin und her, deren Namen ich nicht kenne. Als ich mich umdrehe, wird mir klar, warum Onkel Hugo für das Tor diesen Platz gewählt hat: So kann man von der Terrasse aus das Meer durch die Bäume schimmern sehen.

»Hast du den Schlüssel?«, fragt Zoe.

Habe ich. Brauche ich aber nicht. Das Tor ist unverschlossen. Zoe und ich wechseln einen Blick, dann drücke ich den Flügel auf. Er quietscht in den Angeln. Zwei Eidechsen verschwinden in einer Mauerritze. Wir gehen den Weg um das Haus herum, bis wir vor der baumbeschatteten Eingangstür stehen.

Mein Schlüssel passt nicht.

»Doch nicht das richtige Haus?«, fragt Zoe.

Ich deute auf die Tür: »Da ist ein neues Schloss drin.«

Zoe besieht sich den glänzenden Schließzylinder. »Und jetzt?«

»Terrasse?«, schlage ich vor.

Die äußeren Holztüren sind unverschlossen, die inneren, mit dem Glaseinsatz, nur angelehnt. Wieder sehen wir uns an. Was jetzt? Zoe drückt mit dem ausgestreckten Zeigefinger gegen das Glas. Schwerelos schwingt der Türflügel auf.

Die Terrakottafliesen glänzen warm im Sonnenlicht, der Raum erwacht wie aus dem Mittagsschlaf. Unsere Schatten haben sich bereits ins Haus geschlichen. Zoe dreht eine Handfläche nach oben, ihre schlanken Finger weisen ins Haus – eine Geste wie auf einem Renaissancegemälde.

»Welcome home, Sir«, sagt sie.

Als wir eintreten, ergreift uns dieselbe Empfindung. Das Haus wirkt seltsam beseelt. Sein Geist geht noch um, denke ich. Als sei Onkel Hugo nur mal eben einkaufen gegangen und komme gleich zurück. Dann bemerke ich die frischen Schuhabdrücke in der feinen Staubschicht, die den Boden bedeckt.

»Ich dachte, dein Onkel sei gestorben«, sagt Zoe.

Schon wieder werde ich in meine Kindheit katapultiert. Es dauert einen Moment, bevor ich begreife, was der Grund dafür ist. Der Geruch. Es riecht nach Onkel Hugos Pfeife, dem Weihnachtsgeruch meiner Kindheit. Gleichzeitig steigt ein warnendes Gefühl in mir auf. Da ist noch etwas anderes, wie das Ticken einer Bombe in einem schlechten Film. Raus hier, denke ich, mach, dass du wegkommst.

Ich suche noch nach einer Zuordnung, nach etwas, was diesem

179

Gefühl einen Sinn verleiht, als ich das Rauschen von Wasser höre – eine Toilettenspülung. Im nächsten Moment wird im Flur eine Tür geöffnet. Zum dritten Mal wechseln Zoe und ich einen fragenden Blick. Das Klicken harter Absätze hallt durch die Zimmer. Bulette mit Senf. Das warnende Gefühl. Wie kann es sein, denke ich, dass es selbst in Südfrankreich nach Bulette mit Senf riecht, wenn er aufs Klo geht. Dann wird die Tür zum Wohnzimmer aufgerissen.

»Wird auch langsam Zeit, dass du kommst«, begrüßt er mich, »hab schließlich nicht ewig Zeit.«

34

»Ich will das Haus.«

Der Satz ist eine Feststellung. Er ist es gewohnt, durch das, was er sagt, Fakten zu schaffen. Indem er sagt: »Ich will das Haus«, gehört es ihm praktisch. Er steht vor mir, wie er vor mir stand, als ich noch Kind war. Halb erwarte ich, ihn sagen zu hören: »Gehst du freiwillig?«

Seine Haltung ist die eines Mannes, der niemandem Rechenschaft abzulegen hat, sein Auftreten ist fehlerlos: Die Finger manikürt, Uhr, Gürtel, Schuhe, Anzug – alles perfekt. Doch das Alter beginnt an ihm zu nagen. Seine Tränensäcke liegen auf den Wangen auf, und sein Haar wird langsam durchsichtig.

»Ist das dein Onkel?«, fragt Zoe.

»Nein, mein Vater.«

Er sieht sein Ende nahen, geht es mir durch den Kopf. Noch ist es nur ein Punkt am Horizont, doch er wird beständig größer. Und alles, was ihm bleibt, ist der Kampf. Ein Kampf, den er früher oder später verloren geben muss. Und niemand hasst es so sehr, zu verlieren, wie mein Vater. Angst. Er hat Angst, der Tatsache ins Auge zu blicken, dass er am Ende nichts weiter sein wird als ein geldgefülltes Vakuum. Es ist so offensichtlich, dass ich mich frage, weshalb ich erst 26 Jahre alt werden und hierherkommen musste, um zu erkennen, dass es Furcht ist, die ihn antreibt. Dass er vor sich selbst wegrennt.

»Ich dachte, das Haus gehört dir«, sagt Zoe.

»So steht's im Grundbuch«, antworte ich.

»Aber *mir* steht es zu«, fährt mein Vater fort. »Hugo war *mein* Bruder. Du könntest ja nicht einmal die laufenden Kosten aufbringen. Und außerdem fühlst du dich in deiner Hundehütte sowieso viel wohler.«

Zoe erwartet, dass ich etwas erwidere. Doch ich stehe da und kann nicht antworten. Meine Zunge ist erstarrt, meine Arme kleben am Körper.

Kartenhauszahlen. Eigentlich sind es die Fünfeckszahlen der zweiten Art. Doch sie geben an, wie viele Karten für ein Kartenhaus benötigt werden: 2, 7, 15, 26, 40, 57 und so weiter. Ich stelle mir einen Kartenstapel vor, der niemals kleiner wird. Niemand kann mir Grenzen setzen. Bei 155, also zehn Etagen, fange ich an. Für die elfte Etage benötige ich 32 zusätzliche Karten, macht 187. Für die zwölfte Etage 35 = 222. Etage 13: Plus 38 = 260.

Zoe lässt gefühlte zwei Stunden verstreichen, bevor sie selbst das Wort ergreift: »Haben *Sie* die Schlösser austauschen lassen?«

Mein Vater, der Zoe bisher keines Blickes gewürdigt hat, nimmt sie ins Visier: »Wer bist *du* denn überhaupt?«

301.

345.

392.

442.

495.

Zoe tritt an mich heran. »Ich bin Felix' Anwältin.«

Sie merkt, dass ich sie ansehe, hält aber weiter dem Blick meines Vaters stand. Nach einer Minute hat mein Kartenhaus 40 Etagen, ist so hoch wie ein Elefant und besteht aus 2420 Karten beziehungsweise 22 Rommeeblättern.

Mein Vater lacht kurz auf: »Hör zu, Kindchen«, erklärt er, »das hier ist eine Sache zwischen mir und meinem Sohn, und wenn ich an deiner Meinung interessiert bin, dann frage ich danach.«

Er will sich wieder mir zuwenden, doch wenn es etwas gibt, das Zoe nicht erträgt, dann, nicht für voll genommen zu werden. Jetzt sitzt sie ihm im Nacken.

2542.

2667.

2795.

2926.

3060. Die 45. Etage ist vollendet. Ich stehe vor einer Wand aus Karten.

»Ob Sie an meiner Meinung interessiert sind, interessiert mich nicht«, sagt Zoe. »Haben *Sie* die Schlösser auswechseln lassen?«

Seine Stimme schiebt die Luft vor sich her wie eine Bugwelle: »Selbstverständlich habe *ich* die Schlösser auswechseln lassen. Wer denn sonst!?«

Zoe wechselt Stand- und Spielbein und kreuzt lässig die Arme vor der Brust – Verhandlungsführung für Fortgeschrittene. »Schätze, dann sitzen Sie ganz schön in der Scheiße.«

»Wie bitte?« Seine Stimme steigert sich zu einem Orkan. »Wie war das gerade?«

3197.

3337.

3480. 48 Etagen. Mein Kartenhaus überragt sogar das Haus von Onkel Hugo.

»Sie sitzen in der Scheiße«, erklärt Zoe gelassen. »Auf jeden Fall kriege ich Sie dran wegen Einbruchs in Tateinheit mit Diebstahl. Nach Paragraph zwei zweiundvierzig StGB wird das mit bis zu fünf Jahren Freiheitsentzug geahndet, auch wenn es sich, wie in diesem Fall …«

»Halt den Mund, Göre!«, befiehlt mein Vater.

»… Auch wenn es sich in diesem Fall nicht um eine bewegliche Sache handelt. Zur Begründung: ›Der Diebstahl ist vollendet, wenn der Täter fremden Gewahrsam gebrochen und neuen begründet hat.‹«

Plötzlich verdunkelt sich der Raum, was weniger mit meinem Vater zu tun hat als mit dem Umstand, dass Marc, Jeanne und Bernhard auf der Terrasse auftauchen und zögerlich ihre Köpfe hereinstrecken.

Zoe beginnt, ihre Finger abzuzählen: »Des Weiteren – kommt ruhig rein, je mehr Zeugen, desto besser –, des Weiteren haben Sie sich der Nötigung schuldig gemacht. Ist ebenfalls ein Straftatbestand, Paragraph zwei vierzig StGB, maximal drei Jahre Freiheitsentzug. Und drittens, Paragraph eins dreiundzwanzig beziehungsweise vierundzwanzig StGB, liegt hier die ›vorsätzliche Verletzung des verfassungsrechtlich geschützten Gutes der Unverletzlichkeit befriedeter Besitztümer‹ vor. Zu Deutsch: Hausfriedensbruch. Ebenfalls Straftatbestand.«

Marc, Jeanne und Bernhard sind inzwischen eingetreten und stehen vor der Terrassentür, als habe mein Vater zum Appell geblasen. »Tag, Herr Neubauer«, sagt Marc.

Ich nehme die nächste Karte vom Stapel, schleudere sie in mein Kartenhaus und bringe alles zum Einsturz. Vor mir liegen 3481 Karten, die ich im Geiste zu einem Kreis von 59 Stapeln à 59 Karten anordne.

Mein Vater bläst sich auf wie ein Ballon. »Ich will dieses Haus, also bekomme ich es auch!«

Zoe, die sich inzwischen vor mich gestellt hat, zieht sämtliche Register. »Alles, was Sie bekommen, ist einen Haufen Ärger. Tatbestandsmerkmale für Hausfriedensbruch sind: Das vorsätzliche Eindringen gegen den Willen des Berechtigten in näher bestimmte Räumlichkeiten oder das Sich-*nicht*-Entfernen aus diesen Räumlichkeiten trotz der Aufforderung eines Berechtigten. Mit anderen Worten ...«, jetzt bläst auch Zoe sich auf, »wenn Sie Ihren Arsch nicht augenblicklich durch diese Tür schieben, geht er Ihnen auf Grundeis!«

Ich verkleinere den Kreis, indem ich jeweils einen Stapel wegnehme und die restlichen um eine Karte reduziere. $3481 - 59 - 58 = 3364$ oder 58 Stapel à 58 Karten. 3249. 57 Stapel à 57 Karten.

»Hör zu, Grünschnabel: Das hier ist kein Kindergeburtstag, und deine Paragraphen interessieren mich einen feuchten Kehricht. Für mich arbeitet ein halbes Dutzend Anwälte, die mir den ganzen Tag nichts anderes erklären, als dass Paragraphen einzig zu dem Zweck dienen, ausgehebelt zu werden. Ich werde mich also ganz sicher nicht von ein paar verschissenen PARAGRAPHEN aus diesem Haus vertreiben lassen!«

Auf einmal ist es sehr still. Zoe hat ihr Pulver verschossen, mein Vater ebenfalls. Keiner weicht von der Stelle. Die Vögel im Garten nehmen ihren Gesang wieder auf. Von selbst wird er nicht gehen, so viel ist klar. Die Frage, wer im Recht ist, hat mit Moral zu tun, und mit so etwas kann mein Vater nichts anfangen. Genau genommen langweilt Moral ihn zu Tode. Die Blicke im Raum richten sich auf mich.

In Zeitraffer schnurrt mein imaginärer Kartenkreis zusammen: 3136, 3025, 2916, 2809, 2704, 2601, 2500, 2401 ... Zum Schluss liegt nur noch die eine Karte vor mir, mit der ich vor zwei Minuten mein 48 Stockwerke hohes Kartenhaus zum Einsturz gebracht habe. Verwundert stelle ich fest, dass meine letzte und einzige Karte zwei Seiten hat. Es ist kein Bild darauf zu sehen und keine Zahl, nur zwei Farben: Schwarz auf der einen Seite, Weiß auf der anderen.

»Gibt's hier ein Schachbrett?«, frage ich.

»Was?!« Mein Vater hasst es, aus dem Konzept gebracht zu werden.

»Weißt du, ob es in diesem Haus ein Schachspiel gibt?«, wiederhole ich meine Frage.

»Natürlich. Steht im Arbeitszimmer.«

»Dann lass uns spielen«, schlage ich vor.

»Was?« Wenn er in seinem Groll gefangen ist, muss man ihm alles zweimal erklären.

»Wir spielen darum«, sage ich. »Wenn du gewinnst, bekommst du das Haus. Gewinne ich, verlässt du mein Haus – und mein Leben.«

Unter den fülligen Wangen beginnen seine Kiefer zu mahlen. Das Knirschen seiner Zähne ist zu hören. Er blickt von Bernhard zu Jeanne zu Marc zu Zoe zu mir. »Pah!« Er dreht sich um und stapft aus dem Zimmer. »Hier lang!«

Als ich das Zimmer verlasse, höre ich Marcs Stimme in meinem Rücken: »Bau jetzt bloß keinen Scheiß, Mann.«

35

In Onkel Hugos Arbeitszimmer liegt Parkett, während die Böden im Rest des Hauses gefliest sind. In der Tür stehend, zögere ich. Wenn ich im Wohnzimmer das Gefühl hatte, Onkel Hugo sei nur mal eben einkaufen gegangen, dann ist er hier praktisch anwesend.

Auf dem Schreibtisch herrscht die Ordnung eines Menschen, der weiß, dass er nicht zurückkehren wird. Die Pfeife liegt abgeklopft im Aschenbecher, ein Kästchen aus abgegriffenem Holz beherbergt Bleistift und Kugelschreiber, das dazugehörige Sortierfach für die Korrespondenz ist leer. Alles erledigt. Quer auf der grünen Schreibunterlage liegt der Füller. Über dem Stuhl hängt eine sorgsam in die Jahre gekommene Kaschmirjacke, für abends, wenn es kalt wird. Zwei Wände sind über Eck und bis unter die Decke von Bücherregalen verdeckt. Das meiste sind Nachschlagewerke, Klassiker sowie medizinische Fachbücher und nach Jahrgängen geordnete Zeitschriften. In der Nische steht ein runder Tisch mit einem ins Furnier eingearbeiteten Schachbrett, rechts und links davon zwei Sessel.

Die Figuren stehen spielbereit auf ihren Startpositionen. Ich befühle den Tisch und betrachte die Reihen. Onkel Hugo, das weiß ich noch, spielte am liebsten mit Schwarz.

»Du kannst Weiß haben«, sage ich und deute auf den Stuhl in der Ecke.

Noch bevor er sich gesetzt hat, schickt mein Vater bereits seinen ersten Bauern ins Gefecht. Auch die nächsten Züge kommen wie aus der Pistole geschossen. Er eröffnet, als müsse er meine Bauern überrennen und meinen Königssitz im Sturmlauf erobern. Nach nur sechs Zügen beherrschen seine Figuren zwei Drittel des Brettes. Wie durch Glas verfolge ich, dass er ein erstes Loch in meine Deckung reißt und meinen Bauern an den Rand stellt. Anschließend wischt er sich die Hand am Hosenbein ab.

Warum er meinen Vater nicht einfach mal gewinnen lasse, hatte ich Onkel Hugo damals gefragt, und er hatte geantwortet, dass er das Gefühl habe, mein Vater fordere ihn nur deshalb immer wieder heraus, um zu verlieren. Zum ersten Mal wird mir klar, wie sehr mir Onkel Hugo die letzten zwanzig Jahre gefehlt und was sein Verschwinden für eine Leerstelle bei mir hinterlassen hat. Unterdessen hat der Bauer am Spielfeldrand Gesellschaft von einem Berufsgenossen erhalten, und die Lücke in meiner Deckung hat sich vergrößert. Loslassen, hat Zoe gesagt, darin mache mir keiner was vor. Und dass ich zu wenig am Leben hinge. *Gibt's auch mal irgendwas, das du festhalten willst?*

Ich könnte versuchen, an diesem Haus festzuhalten. Aber was wäre damit gewonnen? Mein Vater will es so viel stärker als ich. Und wozu ich auf der Welt bin, weiß ich mit Haus genauso wenig wie ohne. Vielleicht habe ich für immer meine Ruhe vor ihm, wenn ich ihn gewinnen lasse. Kein Besitztum der Welt könnte das aufwiegen. In meiner »Hundehütte« hat es mir an nichts gemangelt, vermisst habe ich dort jedenfalls nichts. Vielleicht, geht es mir durch den Kopf, sollte ich das Haus nur erben, um diese Reise zu unternehmen. Ich bemerke den Glanz in den Augen meines Vaters, und als ich auf das Brett blicke, hat er mein Pferd geschlagen, das sich zu den Bauern gesellt hat und vom Rand aus das Geschehen verfolgt.

Zwölf Züge liegen bereits hinter uns. Wenn ich so weitermache, hat mich mein Vater in noch einmal so vielen matt gesetzt. Ich nutze die nächsten drei Züge, um mich so zu positionieren, dass wenigstens sein Sturmlauf erschwert wird. Trotzdem verliere ich einen weiteren Bauern sowie einen Turm. Für den Turm muss mein Vater seine erste Figur, ein Pferd, opfern, doch bei diesem Spielstand kostet ihn das ein Grinsen. Die nächste Angriffswelle rollt bereits, diesmal über die Flanken.

Ich sehe Napoleon, mit dem Kopf meines Vaters, wie er mit seinen 1000 Getreuen die Route entlangmarschiert, die später nach ihm benannt werden wird, immer in der ersten Reihe, bereit, alles zu unterwerfen, was sich ihm nicht freiwillig anschließt, alle Kraft auf ein Ziel gerichtet: Paris. Die Königsresidenz. *Die Stoßrichtung muss stimmen*, wie Liliths Schwager es formuliert hat.

Die Ungeduld meines Vaters wächst. Erst sah alles nach einem schnellen Sieg aus, jetzt stagniert das Spiel. Neben den vielen Zeitschriften und Fachbüchern in Hugos Regal entdecke ich eine Ecke mit Kinderbuchklassikern: Michel aus Lönneberga, Das fliegende Klassenzimmer, Nils Holgersson … Trotz seiner klaren Übermacht findet mein Vater keine geeignete Stelle, um meine Burgmauern zu erstürmen. Mir dagegen sind die Hände gebunden. Ich kann nichts weiter tun, als auf einen Fehler von ihm zu warten. Drei Züge lang ertragen es seine Mannen, auf der Stelle zu treten, dann bringen sie ihr schwerstes Geschütz in Stellung: die Dame.

Unter den Kinderbüchern befindet sich auch »Jim Knopf und Lukas der Lokomotivführer« – eine Welt voller märchenhafter Orte und sonderbarer Wesen. Ich erinnere mich an den Drachen Mahlzahn und wie dankbar er war, als Jim und Lukas ihn besiegt hatten, ohne ihn zu töten. So konnte aus ihm der goldene Drache der Weisheit werden. Ein zweifach gedeckter Läufer meines Vaters hat die Burgmauer erklommen. Ich kann ihn von der Mauer stoßen, doch nur um den Preis eines eigenen Läufers. »Niemand, der böse ist, ist dabei besonders glücklich«, hatte der Drache Mahlzahn erklärt, und dass die Drachen nur deshalb böse seien, damit jemand kommt und sie besiegt.

Mein Vater hat die königlichen Gemächer im Visier und wetzt bereits das Messer der Guillotine. Nach jedem Zug klopft sein Zeigefinger fordernd auf die Tischplatte. Hat nicht funktioniert. Das mit dem Besiegen. Jedenfalls nicht bei meinem Vater. Auch wenn Onkel Hugo es immer wieder versucht hat. Das Leben ist eben kein Märchen. Ich ziehe mein Pferd aus der Deckung und öffne ihm die Pforte zum finalen Sturmlauf. Sofort setzt er seinen Läufer darauf an, infiltriert die Burg und erkennt in dem Moment, da er die Finger von der Figur löst, dass mein Pferd mit dem nächsten Zug seinen König und seine Dame gleichzeitig bedroht.

Der Moment der Erkenntnis äußert sich in einer Veränderung, die hinter seinen Augen vor sich geht: Die unumstößliche Überzeugung, dass nicht ist, was nicht sein darf, trifft auf die nicht zu ignorierende Tatsache, dass sich unter ihm eine Falltür aufgetan hat. Als er mich ansieht, spiegelt sich vor allem Unglauben in seinem Blick. Er kann nicht fassen, dass ich tatsächlich den ultimativen Verrat an ihm begehen werde: Vatermord.

»Tut mir leid«, sage ich.

Nach dem Verlust der Dame dauert es weitere neun Züge, ehe mein Vater seinen Stuhl umstößt und aus dem Zimmer, aus dem Haus und aus meinem Leben stampft, ohne die Partie beendet zu haben. Niemand wird ihn jemals dazu bringen können, eine Niederlage einzugestehen.

Ich höre, wie die Terrassentür zugeschlagen wird und dabei eine Scheibe zu Bruch geht. Dann ist er weg. Eilige Schritte kommen über den Flur, und dann stehen sie im Zimmer: Marc, Zoe, Bernhard und Jeanne.

»Ich glaub's nicht«, sagt Marc. »Du hast ihn tatsächlich gefickt.«

»Ich wollte einfach nur, dass er mich in Ruhe lässt.«

Und dann bestürmen sie mich, Marc zerrt mich aus dem Sessel, und wir umarmen uns wie nach dem Gewinn einer Meisterschaft. Wieder im Wohnzimmer, fühle ich mich wacklig auf den Beinen.

»Ich dachte schon, du würdest deinen Vater gewinnen lassen«, sagt Zoe.

»Dachte ich auch.«

»Und«, fragt Marc, »warum haste nicht?«

Die Scherben der zerbrochenen Scheibe glitzern wie Diamanten auf den Fliesen. »Schätze, ich bin einfach noch nicht so weit«, antworte ich, dann knicken mir die Beine weg. Ich kann gerade noch »Danke, Zoe« sagen, bevor der Raum zu schwanken beginnt und die Gegenstände ihre Farben wechseln. Der Boden leuchtet grünlich, das Sofa, eben noch schwarz, schimmert rosa. Sehr psychedelisch, das Ganze. Zoe ergreift meinen Arm, und indem sie das tut, entweicht auch das restliche Blut aus meinem Körper.

»Willst du dich vielleicht hinlegen?«, fragt sie mit wattierter Stimme. »Du siehst ganz grün aus.«

»Ach, ich auch?«, frage ich und beginne zu lachen, was keiner versteht, ich nicht und die anderen nicht und am wenigsten Jeanne, die überhaupt immer weniger zu verstehen scheint, was seit gestern mit ihrem Leben passiert. »Weißt du was, Zoe?« Ich lache immer weiter. Die anderen sehen mich sorgenvoll an. »Ich glaube, das möchte ich tatsächlich«, sage ich. Und falle in Ohnmacht.

36

Ich wache auf, als mir der Geruch von gebratenem Fisch in die Nase steigt. Es ist sieben Uhr abends. Ich liege auf dem Sofa und frage mich, ob ich die Schachpartie mit meinem Vater nicht nur geträumt habe. Doch dann höre ich die Vögel im Garten und spüre die Abendbrise, die aus der Bucht heraufzieht und sich unterwegs mit dem Duft der Pinien mischt, und ich weiß wieder, wo ich bin und dass es tatsächlich passiert ist.

Zoe steht in der Küche, hantiert mit zwei Pfannen gleichzeitig und hat eine Schürze umgebunden. Ich kann mich nicht erinnern, sie jemals kochen gesehen zu haben, und in Schürze schon gar nicht.

»Ich war einkaufen«, erklärt sie und deutet entschuldigend auf den Herd. »Der Fisch war ganz frisch.«

»Ich habe sechs Stunden geschlafen«, sage ich.

Zoe dreht mir ihr Gesicht zu, wischt sich die Hand an der Schürze ab und lächelt: »Irgendwann ist immer das erste Mal. Gib mir doch mal eine Zitrone rüber.«

Auf dem kleinen Tisch vor dem Fenster steht eine Holzschale mit frischem Obst. Ich nehme eine Zitrone und bringe sie ihr. Zoe hat geduscht. Ihre Haare fallen schwer über die Schultern und riechen nach Pfirsich.

»Wo sind die anderen?«, frage ich.

»Jeanne und Marc wollten sich das Meer angucken, und Bernhard läuft seit einer Stunde die Stufen zur Bucht rauf und runter.«

Durch die Bäume hindurch erkenne ich Bernhards Kopf, der kurz am Ende der Treppe erscheint und gleich darauf wieder verschwindet. Ich schneide mir ein fingerdickes Stück Käse und eine Scheibe Baguette ab.

»Was ist?«, frage ich mit vollem Mund.

Zoe fährt mit einem Messer durch die Butter und streift es am

Pfannenrand ab. »Wer nichts isst, braucht auch keinen Schlaf«, wiederholt sie meinen Satz von heute Mittag.

Die Ränder des Butterstücks verflüssigen sich und werfen Blasen. Kurz darauf ist es vollständig geschmolzen. Zoe hebt die Pfanne an, und die Butter läuft in Streifen über den Boden.

»Danke«, sage ich.

Zoe weiß sofort, was ich meine. »War mir ein Vergnügen.« Vorsichtig legt sie einen Fisch in die Pfanne, in der es sofort zu brutzeln beginnt. »Weißt du, ich hatte keine Ahnung, dass dein Vater wirklich so ist. Marc hat immer nur Andeutungen gemacht ...«

Ich schneide das nächste Stück Käse ab, Kuhkäse, buttergelb, würzig, dickrandig und fett. »Was für Andeutungen?«, frage ich.

»Hey, es gibt gleich Essen! Schlag dir nicht vorher schon den Bauch voll.« Sie legt den nächsten Fisch in die Pfanne. »Andeutungen halt ... Nichts Konkretes. Dass deine Mutter zu schwach war, um zu gehen, und du zu stark, um zu bleiben.«

Ich frage mich, ob das stimmt. Stark gefühlt habe ich mich nie. »Kann ich helfen?«, frage ich.

»Mach den Wein auf, und schenk uns ein Glas ein.«

Der Tisch auf der Terrasse ist festlich gedeckt. Die anderen sind noch nicht zurück, doch Zoes Hunger duldet keinen Aufschub. Sie drückt mich in den Stuhl, das Haus im Rücken, und verschwindet mit den Tellern in der Küche. Als sie zurückkommt, hat sie keine Schürze mehr um, dafür ein Küchentuch über dem Arm. Es gibt gebratene Rotbarben mit Knoblauch, Zitrone und Salbei, dazu Ofenkartoffeln und grünen Salat in Extraschälchen. Außerdem einen perfekt temperierten Weißwein.

»Ist aus dem Regal deines Onkels«, gesteht Zoe. »Ich hoffe, das war in Ordnung.«

»Jetzt, wo du meine Anwältin bist ...«, antworte ich.

Sie schenkt uns nach: »Das war schon wieder ein Witz, stimmt's?«

»Ja.«

»Hm.«

Wir sitzen nebeneinander, so haben wir beide die Bucht im

Blick. Die Sonne neigt sich dem Horizont entgegen. Wir sehen sie nicht, doch ihr Licht verfängt sich zwischen den Bäumen und färbt die Luft rot. Der Himmel über uns ist glasklar und von einem tiefen Blau.

»Merkwürdig«, sage ich, »dass das Haus auf der Aufnahme gar nicht zu sehen ist.«

»Vielleicht ist es ein Zauberschloss – wie im Märchen.«

»Du meinst, es kann nur von denen gefunden werden, für die es bestimmt ist?«

»Wer weiß.«

Ich habe mein erstes Stück Fisch auf der Gabel, als ich die Silhouette eines Mannes schwerfällig auf das Tor zukommen sehe. Mein Vater, denke ich und stütze die Gabel am Tellerrand ab. Doch es ist Bernhard. Er lächelt erschöpft, als er durch das Tor kommt. Ein Krieger nach siegreicher Schlacht gegen sich selbst. Ich stelle mir vor, wie die Stufen, die zur Bucht hinunterführen, von seinem Gerenne ganz weichgetreten sind und in der Mitte durchhängen.

»Das riecht ja köstlich«, lobt er Zoe. »Ich geh nur schnell duschen.«

Ich nehme einen zweiten Anlauf mit dem Fisch.

»Du, sag mal: Dein Vater«, setzt Zoe an, »was macht der eigentlich? Ich meine, wie ist er zu seinem ganzen Geld gekommen?«

»Kaffeehandel, international.«

Sie nimmt einen Schluck und dreht das Glas zwischen den Fingern: »Und wie ist er sonst so – als Mensch?«

Zoes eigener Vater ist früh gestorben. Ihre Erinnerung an ihn hat ihr nicht mehr als ein vages Geborgenheitsgefühl zu bieten. Alles, was sie über Väter weiß, ist das, was sie und ihre Mutter sich zwanzig Jahre lang erträumt haben. Sie kann sich nicht vorstellen, dass ein Vater irgendetwas anderes mit seinem Kind macht, als es bedingungslos zu lieben.

»So, wie du ihn erlebt hast«, antworte ich, »gewinnorientiert.« Es gibt keinen Unterschied zwischen meinem Vater als Familienvater und meinem Vater als Geschäftsmann. Zweifel sind für ihn eine Charakterschwäche. Immer das Maximum rausholen. Solange die Kaffeebauern unterschreiben, kann es ihnen *so* schlecht nicht gehen. »Als Privatmann fliegt er gerne nach Kenia und geht auf Safari. Er sagt, wenn man Tiere erlegt, die größer sind als man selbst, weiß man, was es bedeutet, ein Mann zu sein.«

Zoe trinkt ihr Glas aus und stellt es ab. »Vielleicht *muss* man ein gewisses Maß an Rücksichtslosigkeit mitbringen, wenn man richtig erfolgreich sein will.«

Ich habe das Gefühl, dass es Ludger ist, an den sie dabei denkt, und dass sie nach einer Entschuldigung dafür sucht, weshalb sie sich ihm nicht entziehen kann. Endlich schlucke ich den Fisch herunter. Er ist köstlich.

»Kommt darauf an, welche Maßstäbe man anlegt«, antworte ich.

Zoe füllt mein Glas nach, obwohl ich erst zwei Schlucke getrunken habe. Bereits jetzt spüre ich den Alkohol warm in meinen Adern kreisen.

»Soll heißen?«, fragt sie.

Ich versuche, meine Gedanken auf den Punkt zu bringen. Klappt wie immer nicht so richtig. Schließlich sage ich: »Wenn der Preis für meine Rolex ist, dass jemand anderes seine Familie nicht ernähren kann – bedeutet das Erfolg?«

Zoe überlegt, was das für sie bedeutet, wie sie dazu steht. Gewinnmaximierung ist ein Wort, das großen Reiz auf sie ausübt. »Hast du das deinem Vater mal gesagt?«

»Hab ich.«

»Und – was hat er geantwortet?«

»Dass *ich* mir darüber keine Gedanken machen soll – ich würde es garantiert nie zu einer Rolex bringen.«

Zoe will noch etwas sagen, doch bevor sie herausgefunden hat, was es ist, kommen Bernhard aus dem Bad und Jeanne und Marc durch das Gartentor.

Wir essen, reden, trinken, lachen. Jeanne hat ihren verbundenen Fuß hochgelegt und sieht aus, als könne sie ihre neu gewonnene Freiheit noch gar nicht fassen. Zoe wird so lange für ihr Essen gelobt, bis sie damit rausrückt, dass es das einzige Rezept ist, das sie auswendig kennt. Sie hat es für Ludger gelernt, weil der so gerne Fisch isst und sie ihn so gerne beeindrucken wollte.

»Also, für diesen Fisch hätte *ich* meine Frau sofort sitzenlassen«, sagt Marc und schiebt sich genießerisch ein Filetstück in den Mund.

Wir überlegen, wo Lilith gerade stecken könnte und wie es ihr wohl geht.

»Gibt es Lesben in Pui?«, fragt Marc.

»Leben?« Jeanne zieht die Brauen in die Höhe. »Nicht viel, würde ich sagen. Nur …«

»Nicht Leben – Lesben? Schwule Frauen.«

»Mon dieu! No!«

»Wenn sie ihren Rucksack gefunden hat, ist sie garantiert längst woanders«, meint Bernhard. Womit er recht hat. Doch das können wir zu diesem Zeitpunkt noch nicht wissen.

»Vielleicht legt sie ja gerade ihren ersten Steinzeitfund frei. Hier in der Gegend gibt es eine Menge Vorzeitliches.« Marc erhebt sein Glas: »Auf Lilith. Coole Braut.«

Wir stoßen an. Nach einer kurzen Gedenkpause sagt Zoe entschuldigend: »Der Nachtisch ist nicht selbst gemacht.« Essen scheint die einzige Kategorie zu sein, in der sie heute denken kann.

Es gibt Crème brûlée in Aluschälchen mit Abziehdeckeln. Schmeckt trotzdem. Die Stimmung schwebt zwischen selbstgenügsam und ausgelassen. Wir haben tatsächlich unser Ziel erreicht – und meinen Vater in die Schranken verwiesen.

Eine laue Abendstimmung senkt sich auf den Garten herab. Die Konturen verlieren an Schärfe und lösen sich schließlich auf. Zoe zündet Kerzen an. Marc baut sich seinen Guten-Abend-Joint, Zoe holt einen Champagner aus dem Nachlass. Als wir anstoßen und uns überlegen, worauf wir jetzt trinken sollen, ist es Marc, der aus diesem Abend und vielleicht sogar aus den letzten Tagen einen einzigen Satz destilliert: »Ein paar Freunde und ein geiler Ort – mehr braucht es eigentlich nicht.«

Neben Bernhards Champagnerkelch steht ein Wasserglas, in das er ein neongelb fluoreszierendes Pulver einrührt.

»Wofür ist das?«, fragt Jeanne, weil sie sich nicht vorstellen kann, dass jemand so etwas freiwillig trinkt.

»Regt den Stoffwechsel an«, erklärt Bernhard.

Das Wort ist neu für Jeanne. Nach einiger Überlegung sagt sie: »Du trinkst das, und danach ziehst du dir neue Kleider an?«

Bernhard erklärt ihr, was Stoffwechsel bedeutet und wie er funktioniert.

Als er mit seinen Ausführungen fertig ist, sagt Marc: »Ich wusste gar nicht, dass man den anregen muss.«

»Wenn du dein Fett in Muskelmasse umwandeln willst, schon.«

Marc hält seinen Joint in die Runde. Jeanne beäugt ihn, zieht die Schultern hoch, sagt: »Pourquoi pas?«, und nimmt ihn.

Marc beugt sich zu Bernhard hinüber und zwickt ihn in die Hüfte: »Was willst du denn da umwandeln?«, grinst er. »An dir ist nicht mehr Fett als an der Gräte auf deinem Teller.«

»Ganz genau«, kontert Bernhard und schnappt sich den Joint. »Weil ich nämlich immer brav dieses Zeug hier trinke.«

Er zieht am Joint und grinst in die Runde. In den letzten drei Tagen hat er mit mindestens einem halben Dutzend Prinzipien gebrochen. Aber was rede ich: Ich sitze hier und trinke Champagner.

Marc und Jeanne haben ihre Stühle so nah zueinander gerückt, dass sie ihren Kopf an seine Schulter lehnen kann. Was zwischen den beiden passiert, ist schwer zu begreifen. Erkennen, sie haben einander erkannt. Manchmal gibt es das. Es wird kühl. Marc hat sich einen seiner Kapuzenpullis übergezogen, doch er ist noch immer barfuß und in Shorts. Mit seinen zerzausten Locken sieht er aus wie ein Surferklischee. Seine Füße hat er gegen Bernhards Stuhl gestemmt. Jeanne streichelt versonnen seine Wade.

Ich betaste den Tisch und stelle fest, dass sich das Holz merkwürdig fremd anfühlt. Dann wird mir klar, dass es nicht das Holz ist, sondern dass ich es bin. Zwei Gläser Weißwein und ein Glas Champagner haben meine Finger sich selbst entfremdet. »Das ist lustig«, sage ich, ohne dass jemand etwas damit anfangen kann.

Irgendwann verschwinden Bernhard und Zoe in der Küche und kümmern sich um den Abwasch. Ich biete meine Hilfe an, doch Zoe legt mir eine Hand auf den Arm und sagt: »Du bleib mal schön sitzen.« Als sei ich krank oder so.

»Fängst du jetzt an, mich zu bemuttern?«, frage ich.

»Stehst du drauf, hm?«

Ich überlege kurz. »Glaube schon.«

Ihre Finger fahren durch meine Haare, wobei ihre langen Nägel meine Kopfhaut kitzeln. Für einige Sekunden verweilt ihre Hand in meinem Nacken. »Keine Sorge«, antwortet sie, »morgen bin ich wieder ganz die Alte.«

Glaub ich nicht, denke ich.

Jeannes Finger haben Marcs Narbe ertastet und erkunden sie. Als auch Jeanne selbst merkt, was ihre Finger da tun, untersucht sie die Vertiefung. »Wo hast du das her?«, fragt sie.

»Aus Amerika mitgebracht«, antwortet Marc und erzählt von seinem Jahr als Austauschschüler in New Haven, Connecticut, dem Geburtsort George Bushs. Marc hatte gleich ein ungutes Gefühl bei der Sache. Jedenfalls: Während seines Jahres auf der Hillhouse High School fing er an, mit Kim rumzumachen. Kim spielte Cello, mitleiderregend, war ansonsten ganz aus rosa Plastik und eigentlich gar nicht Marcs Typ, aber irgendwie war sie auch heiß und außerdem mit Huwen zusammen, und, ja, zugegeben, das »reizte mich«. Huwen war Tight End in der Footballmannschaft, hundert Kilo Muskeln. Marc kam aus Europa und spielte Gitarre auf dem Talent-Festival, Huwen war der Footballstar der Schule, stinkreich und hatte außerdem ein Harvard-Stipendium in der Tasche.

»Mit andere Worte«, fasst Jeanne zusammen: »Ihn wollte sie heiraten, aber mit dir wollte sie faire l'amour – Liebe machen.«

»Jetzt, wo du es sagst …« Marc lächelt. »Sie hat mich schamlos ausgebeutet!«

Das Problem war: In New Haven wurde niemand lange ausgebeutet, ohne dass andere davon Wind bekamen. Eines Abends lauerte Huwen ihnen auf, und als Marc mit notdürftig hochgezogener Hose zur Flucht ansetzte, statt sich wie ein Mann dem Kampf zu stellen, schoss ihm Huwen kurzerhand in die Wade, »da rein, da raus«.

Marc nimmt Jeannes Finger und führt sie um die Wade herum zu der Stelle, an der die Kugel ausgetreten ist. Unwillkürlich zieht Jeanne ihre Hand zurück. Er sagt es ihr nicht, doch ich weiß, dass bei dem Schuss eine Sehne zerfetzt wurde und sein Fuß heute deshalb beim Gehen diese Schlenkerbewegung macht.

»Seitdem bin ich nie wieder mit einer Frau ins Bett gegangen …«

Jeanne nimmt ihren Kopf von Marcs Schulter und sieht ihn verwundert an.

Marc fängt an zu lächeln: »… die einen Freund hat«, beendet er den Satz. »Hab ich mir geschworen: Nie wieder eine Frau, die einen Typen hat.«

Bernhard legt sich als Erster hin. Er kann nicht mehr. Erst das stundenlange Treppenlaufen, dann der Wein und der Champagner, jetzt noch der Joint … Und nicht zuletzt dieses Zeug, das seinen Stoffwechsel so auf Touren bringt, dass er die ganze Zeit atmet wie auf einer Himalayaexpedition. Er rollt sich neben dem Bett im Schlafzimmer eine Isomatte aus und geht sich die Zähne putzen. Kurz darauf erscheint er in der Terrassentür. In seinem längsgestreiften Pyjama sieht er aus wie ein Konfirmant. Er winkt in die Runde. »Nacht, allerseits.«

Wir nehmen die Kerzen und ziehen ins Wohnzimmer um. Jeanne und Marc bekommen das Sofa, damit Jeanne ihr Bein hochlegen kann. Bald werden sich ihre Augen schließen. Zoe zieht uns die beiden Sessel heran und verteilt den letzten Champagner auf die Gläser. Abwesend tastet Jeannes Hand nach der Narbe in Marcs Wade. Dabei macht sie ein Gesicht, das alles Mögliche bedeuten kann: Zu schade; armer Marc; Connecticut …

»Würdest du sagen, dass du einen Freund hast?«, fragt er.

In Jeannes Lächeln spiegelt sich ein Leben voller verpasster Möglichkeiten: Amerika, ihr Kunststudium, Männer, die es hätten sein können, aber nie waren, Jürgen, der es geworden ist und nie hätte werden sollen. »Ich fürchte, ja.«

»Dann können wir also nicht … faire l'amour?«

»Ich fürchte, nein.«

»Zu dumm …« Seine Hand streicht durch Jeannes Haar, während sein Blick in die Nacht hinaus wandert. Er scheint völlig vergessen zu haben, dass Zoe und ich auch noch da sind. »Alles nur wegen eines schießwütigen Footballspielers …«, überlegt er.

So behutsam wie mit Jeanne habe ich Marc noch nie mit einer Frau umgehen sehen. Vielleicht war es mehr als ein dummer

Spruch, als er sagte, er wolle ihretwegen ein besserer Mensch werden – ein Hedonist wie er.

»Aber sag mal …«, fährt er fort. Inzwischen hat Jeanne ihre Augen geschlossen. »Gemeinsam auf dem Sofa liegen … das wär doch okay, oder?«

»Ich denke, ja.«

Vorsichtig hebt Marc Jeannes Kopf an, kuschelt sich hinter sie und schiebt seinen Arm unter ihrem Nacken hindurch. Im Halbschlaf verschränken sich ihre und seine Finger ineinander. Das Geheimnis, denke ich, die chemische Formel, wird man nie ergründen.

Zoe, die sich heute mehr mütterliche Gefühle gestattet als in den letzten 26 Jahren zusammengenommen, breitet eine Wolldecke über die beiden und bläst die Kerzen aus. In der Dunkelheit greift sie nach meiner Hand.

»Ab ins Bett«, flüstert sie.

»Ja, Mutti«, antworte ich und lasse mich von ihr aus dem Sessel ziehen.

»Kann es sein, dass du einen sitzen hast?«

»Kann sein, Mutti.«

37

Es ist kurz nach zwei, als ich aus dem Schlaf aufschrecke. Bernhards Stoffwechsel ist immer noch schwer beschäftigt. Zoe dagegen, die auf der anderen Seite des Bettes liegt, atmet kaum hörbar. Der Mondschein teilt das Bett in zwei Hälften. Meine ist die dunkle. Zoe liegt auf dem Rücken. Ihr Gesicht ist zur Seite geneigt und wird von ihrem Haar verdeckt. Ihr Brustkorb hebt und senkt sich zentimeterweise. Das weiße Laken schimmert wie flüssiges Silber. Zoe scheint darin einzutauchen. Eine Weile widerstehe ich dem Impuls, ihr die Haare aus dem Gesicht zu streichen, dann stehe ich auf.

Marc und Jeanne liegen in unveränderter Stellung auf dem Sofa und schlafen. Leise gehe ich um sie herum, durch den Flur und ins Arbeitszimmer. Bevor ich das Licht einschalte, bereite ich mich im Geiste darauf vor, Onkel Hugo an seinem Schreibtisch sitzen zu sehen. Doch er ist tatsächlich nicht da. Die Figuren stehen so, wie mein Vater sie zurückgelassen hat. Ich hätte ihn bereits zwei Züge vorher matt setzen können, stattdessen habe ich seinen König so in die Enge getrieben, dass er nur noch im Kreis herumlaufen konnte, wie in einem Verlies. Wie in einem Heizungskeller mit verschlossener Luke. Ich stelle die Figuren neu auf und gehe zum Schreibtisch hinüber.

Der hölzerne Drehstuhl gibt ein zaghaftes Knarzen von sich und sinkt unter meinem Gewicht einige Zentimeter ein. Onkel Hugos Schreibtisch stammt aus einer Zeit, als man Möbel noch fertigte, um sie von Generation zu Generation weiterzuvererben. Die Seitentüren sind massiv wie die eines Tresors, das Fach in der Mitte ist mit zwei schweren Messinggriffen versehen, ohne die man es nicht ausziehen kann. Die Schublade riecht nach Tabak und ist ein Sammelbecken schöner alter Dinge: Ein Schweizer Taschenmesser, ein Briefbeschwerer in Form eines Marmorquaders, eine Uhr mit abgetragenem Lederarmband, ein Tintenfass.

Außerdem gibt es drei Schachteln unterschiedlicher Größe. Die erste enthält Fotos: Unterschiedliche Frauen vor unterschiedlichen Hintergründen, fast alle lachen. Er scheint sie glücklich gemacht zu haben. Freunde, Menschen, Berge, Meer … Szenen aus einem fremden Leben. Eins gibt es auch von uns, von uns allen, zu Weihnachten. Ich bin noch ein Baby auf dem Arm meiner Mutter, die zwischen Vater und Onkel Hugo im Hintergrund steht, davor, herrschaftlich in Sesseln, Oma und Opa, *da*vor, sitzend und sehr entschlossen, mein Bruder Sebastian.

Die zweite Schachtel enthält Lineale, Stifte, Zirkel, Radiergummis, Feuerzeuge, Tabak, Büroklammern und Reißzwecken. In der dritten und größten Schachtel finden sich, verschnürt und nach Datum sortiert, Briefe. Viele sind von Frauenhänden geschrieben: Silvia, Charlotte, Rahel, Geneviève … Mein Onkel, den ich niemals mit einer Frau gesehen habe, war offenbar ein Herzensbrecher. Auch wenn keine von ihnen Spuren in diesem Haus hinterlassen hat.

Ich sehe das blaue Papier unter dem letzten Briefstapel hervorlugen, bevor ich ihn in die Hand genommen habe. Mit schief gelegtem Kopf betrachte ich das kleine, dunkle Dreieck mit dem silbernen Stern und frage mich, ob es tatsächlich das ist, was ich glaube, das es ist. Streng genommen weiß ich es, bevor ich es glaube. Meine Hand greift nach dem letzten Briefstapel und nimmt ihn aus dem Karton. Da liegt er, gefaltet und, ich bin sicher, auch von Onkel Hugo seit Jahren vergessen: der nachtblaue Papierflieger mit dem Sternenmuster.

Als ich ihn in Händen halte, erscheint er mir sehr viel kleiner als damals, und leichter. Ich drehe mich im Stuhl um meine eigene Achse. Onkel Hugo hat meinen ersten Papierflieger aufbewahrt, unseren Flieger, zwanzig Jahre lang.

»Was ist das?«

Zoe lehnt im Türrahmen, in T-Shirt und, wie ich annehme, einem Slip. Den allerdings sieht man nicht, weil das T-Shirt ihr bis auf die Oberschenkel reicht. Ein Männershirt. Ludgers Shirt, denke ich unwillkürlich. Ich schätze, das ist es, was man Eifersucht nennt. Ihre schwarz glänzenden Haare rahmen das Gesicht ein und verschmelzen mit dem Dunkel des Flurs. Ich würde sie gerne berühren, wissen, wie es sich anfühlt, was mit mir geschieht.

Den Flieger wie einen Schmetterling in der flachen Hand haltend, hebe ich ihn empor. »Das hier?«, frage ich. »Eine lange Geschichte.«

Zoe blickt auf den Boden zu ihren Füßen. Ich glaube, sie würde gerne hereinkommen, doch sie merkt, dass ich mich gerade von meiner Kindheit verabschiede.

»Alles in Ordnung?«, fragt sie.

»Denke schon.«

Zoes Nase und Kinn werfen lange Schatten auf Wange und Hals.

»Wenn du sie mir erzählen willst – die lange Geschichte …« Sie schickt mir ein Lächeln über die Schwelle. »Wo du mich findest, weißt du ja.«

Ja, denke ich, schwimmend, im Mondschein.

Vierter Tag

The world has it's ways
To quiet us down

(Jack Johnson)

38

Von der Terrasse führen drei Holzstufen in den Garten hinunter. Auf der oberen sitze ich, als ich höre, wie hinter mir die Tür geöffnet wird und Zoe aus dem Haus kommt. Der Papierflieger liegt neben mir. Die Sonne ist kurz davor, über den Rand des Felsens zu steigen. Es ist fünf, vielleicht halb sechs. Als Zoe an mich herantritt, lege ich den Flieger zwischen meine Füße, damit sie sich neben mich setzen kann.

Der Himmel präsentiert sich als Verlaufsstudie unterschiedlicher Pastellfarben – von Zartrosa bis Mintgrün, mit Tupfen von gemischtem Deckweiß. »Wie im Bilderbuch«, sagt Zoe. Sie zieht die Beine an die Brust und das T-Shirt über die Knie. Sie hat noch immer nicht mehr an als das und ihren Slip. Man spürt, dass es ein heißer Tag werden wird, doch die Nachtluft liegt noch wie ein kühler Schleier über dem Garten.

»Soll ich dir eine Decke holen?«, frage ich.

Zoe schüttelt den Kopf. »Erzählst du es mir?«

Ich betrachte den Flieger zu meinen Füßen. »War mein erster«, sage ich und berichte, wie Onkel Hugo mir beibrachte, ihn zu falten, und wie er auf dieser scheinbar vorherbestimmten Bahn durch die Zweige des Tannenbaums flog und schließlich in Opas Schoß landete, der nichts davon mitbekam. Zoe stützt ihr Kinn auf die Knie und sagt lange nichts. Währenddessen steigt hinter uns die Sonne auf und färbt die Felsen rosa.

»Schon merkwürdig, oder? Dass dein Onkel ausgerechnet *dir* sein Haus überschreibt.«

Es ist nicht so, dass ich mir noch keine Gedanken darüber gemacht hätte. Doch es führt nirgendwohin. Davon bin ich inzwischen überzeugt.

»Ich weiß nicht, ob Onkel Hugo in Wirklichkeit nicht mein biologischer Vater war«, antworte ich. »Wenn es das ist, worauf du hinauswillst.

In seinem Schreibtisch habe ich nichts gefunden, was darauf hindeutet. Aber wer weiß: Vielleicht gab es etwas, und mein Vater hat es verschwinden lassen. Schließlich war er vor uns hier. Letzten Endes spielt es keine Rolle. Wirklich: Unterm Strich hat es keine Bedeutung. Manchmal denke ich, dass mein Vater mich gerne geliebt hätte, aber irgendwie nicht konnte. Kann natürlich auch nur Wunschdenken sein. Wer ist schon in der Lage, objektiv auf seine eigenen Eltern zu schauen?

Ich hatte einen Onkel, dem ich offenbar sehr viel bedeutet habe«, fahre ich fort. »Das ist doch eine ganze Menge.« Während ich das sage, streichen meine Finger über das spröde Holz, dessen Maserung über die Jahre kleine Wellen gebildet hat. »Im Ernst: Ich kann mich glücklich schätzen.«

»Was willst du jetzt damit machen?«, fragt Zoe und meint den Papierflieger.

Ich hebe ihn hoch und prüfe sein Gewicht. Es müsste sehr windstill sein, um ihn auf die Reise zu schicken. So windstill, wie es hier wahrscheinlich niemals wird.

»Vielleicht lasse ich ihn irgendwann von der Klippe segeln«, sage ich. »Aber noch nicht so bald.«

»Versteh ich gar nicht«, sagt Zoe, »wo du doch sonst so scharf auf's Loslassen bist.«

Ich antworte nicht.

Sie schubst mich an. »War ein Scherz.«

Ich lege den Flieger wieder zwischen meine Füße. »Vielleicht fange ich ja auch gerade an, das Festhalten zu lernen.«

Zoe rückt an mich heran. Ihr Körper schmiegt sich an meinen. »Wie lange wolltest du denn bleiben?«

»Weiß ich noch nicht.«

Plötzlich liegt ihr Kopf auf meiner Schulter. So sitzen wir. Die Sonne beginnt, uns die Rücken zu wärmen und die Nacken zu kitzeln.

Irgendwann wird die Tür geöffnet, und Jeanne fragt: »Soll ich uns eine Kaffee machen?«

Zoe und ich holen Baguettes und Croissants. Als wir zurückkommen, ist der Tisch auf der Terrasse gedeckt, der Garten duftet nach Kaffee, und Marc und seine Sonnenbrille sitzen unter einem blau-weiß gestreiften Schirm und spielen Gitarre. Jeanne sitzt neben ihm, in den Händen eine Kaffeeschale. Sie wirkt, als sei sie gerade aus einem schönen Traum erwacht, um sich in einem noch schöneren wiederzufinden. Es raschelt und krümelt, und in den Kaffeeduft mischt sich der Geruch ofenwarmer Croissants. Zoe sagt, ich müsse die Marmelade versuchen, Aprikose, essbarer Sonnenaufgang.

Marc probiert wieder an dem Lied herum, das ihm bereits auf der Herfahrt keine Ruhe gelassen hat. Er hat ein Picking gefunden, das leichtfüßig ist, ohne den Bodenkontakt zu verlieren, und die Strophe ist selbsterklärend und von einfacher Schönheit, doch der Refrain will sich nicht öffnen, ist wie eine verschlossene Knospe, und auch der Übergang ist nicht organisch. »Das ist kein Übergang«, sagt Marc, »das ist ein Bruch.« Irgendwo auf dem Griffbrett, Marc weiß es, liegt die Antwort versteckt. Doch sie will sich nicht zeigen.

»Was ist das für ein Lied?«, fragt Jeanne.

»Unser Lied«, sagt Marc, »das Lied, von dem ich dir erzählt habe.« Und alle, Marc eingeschlossen, fragen sich, ob er das ernst meint.

»Von wegen.« Bernhard und sein Konfirmantenpyjama haben sich in der Terrassentür materialisiert. »An dem Lied fummelst du doch schon herum, seit wir losgefahren sind.«

»Da wusste ich eben noch nicht, dass es unser Lied sein würde«, entgegnet Marc. »Als Mozart das Requiem schrieb, hat er auch erst nach der Hälfte kapiert, dass es sein eigenes war. Guten Morgen, übrigens, alte Petze.«

Bernhards Zerknirschung ist ihm deutlich anzusehen. Warum nur muss er immer und überall Salz hineinreiben? Als könne er es nicht ertragen, andere Menschen glücklich zu sehen. Er bringt es nicht einmal fertig, sich zu entschuldigen.

Es ist Zoe, die ihm die Hand reicht: »Setz dich – ich bring dir einen Kaffee.«

Morgen bin ich wieder ganz die Alte, hat sie gestern gesagt. Von wegen.

»Danke«, sagt Bernhard, »ich zieh mich nur schnell an.« Mit

diesen Worten verschwindet er im Schlafzimmer, macht einhundert Liegestütze und nimmt sich ganz fest vor, diesen Tag noch einmal von vorne zu beginnen, besser.

Doch dazu kommt es nicht. Weder zum Kaffee noch zum Neubeginn.

Bernhard erscheint gerade rechtzeitig zurück auf der Terrasse, um zu fragen: »Wer ist *das* denn?«

Ein Mann kommt den Weg zum Haus herauf. Noch ist er nicht mehr als ein Gartenzwerg, seine Entschlossenheit allerdings umgibt ihn wie ein Strahlenkranz.

Mein Magen zieht sich zu einer walnussgroßen Kugel zusammen. »Mein Vater«, sage ich.

Marc lässt den Akkord ausklingen, den er gerade unter den Fingern hat. »Und wer ist die Frau?«

Aus dem Umriss des Mannes ist eine Frau herausgetreten, die jetzt neben ihm läuft und mit ihm Schritt zu halten versucht. Wann immer sie ein Lichtstrahl trifft, leuchten ihre blonden Locken auf.

»Sieht aus wie …«, sagt Zoe.

»… Lilith«, beendet Bernhard den Satz.

»Der Mann«, sagt Jeanne leise, »das ist nicht dein Vater. Das ist Jürgen.«

Wir sitzen da und warten, bis die beiden das Haus erreicht haben. Lange dauert es nicht. Jürgen könnte den Weg nehmen, der an der Mauer entlangführt, oder durch den Garten und über die Holztreppe gehen. Stattdessen trampelt er eine Schneise direkt durch die Rhododendronbüsche. Etwas anderes als Luftlinie scheint nicht in Frage zu kommen. Er hat so viel Schwung, dass er beinahe den Tisch umreißt, bevor er zum Stillstand gelangt. Jetzt, da er seine Energie nicht mehr in Bewegung umsetzen kann, muss sie woanders raus. Wärme. Jürgen glüht wie ein Heizstrahler.

Er will etwas sagen, doch es findet keinen Weg nach draußen. Jeanne so selbstverständlich mit uns am Tisch sitzen zu sehen ist mehr, als er ertragen kann. Am Ende sagt er: »Was soll'n das werden?«

Jeannes Gesicht bekommt Risse wie ein im Zeitraffer alterndes Gemälde.

Zoe dreht ihre Tasse in den Händen. »Wie wär's mit 'nem Kaffee?«, schlägt sie vor.

Inzwischen ist auch Lilith auf der Terrasse angelangt, die sich unser Wiedersehen eindeutig harmonischer vorgestellt hat.

Zaghaft hebt sie die Hand. »Tach«, sagt sie durch ihre geschwollene Nase.

Jürgen sieht Jeanne an, und für einen kurzen Moment ist sein Gesicht das eines verletzten Kindes. »'tschuldigung«, platzt es aus ihm heraus. Dabei klingt er unfreiwillig komisch. Er hätte den Riss in seiner Lippe nähen lassen sollen, außerdem stecken noch Blutpfropfen in seiner Nase.

Jeanne schrumpft innerhalb von Sekunden auf ihre halbe Größe zusammen. »Was soll das heißen?«, fragt sie vorsichtig.

»Was das heißen soll?« Jürgen ist kurz davor, die Kontrolle über sich zu verlieren. »Dass es mir leidtut«, erklärt er. »War 'ne Scheißaktion. Und jetzt komm. Bitte.«

»Ich glaube, Sie sollten sich erst mal setzen«, sagt Zoe.

»Und ich glaube, du solltest dich raushalten«, fertigt Jürgen sie ab, ohne seinen Blick von Jeanne zu nehmen. »Hol deine Sachen«, bittet er, um gleich darauf die Tonlage zu verschärfen. »Ich hab's gesagt – dass es mir leidtut, und jetzt kommst du mit.«

»Hören Sie«, mischt Zoe sich wieder ein, »das geht so n…«

»Du hältst dich da raus, hab ich gesagt!«

Anders als bei meinem Vater geht von Jürgen eine körperliche Bedrohung aus. Dem hat Zoe wenig entgegenzusetzen. Paragraphen helfen hier nicht. Das wäre so, als würde man eine MG-Salve mit homöopathischen Kügelchen beantworten.

»Nein.« Jeannes Stimme ist kaum zu vernehmen. »Ich möchte das nicht.«

»Ich hab's gesagt, und du kommst jetzt mit!«

Aus dem Augenwinkel sehe ich Bernhard, der im Türrahmen gefangen ist wie in einem elektromagnetischen Feld. Sein Minuspol will wegrennen und sich verstecken, sein Pluspol will sich in den Kampf stürzen und ihn zum Helden machen.

Jeanne sieht zu Jürgen auf und schüttelt zaghaft den Kopf.

»Komm jetzt!«, ruft Jürgen verzweifelt.

»Echt, Mann«, Marc kann Jeannes Anblick nicht länger ertragen, »so läuft das nicht.«

»Schnauze. Das gilt auch für dich!«

Marc stellt die Gitarre ab und will aufstehen. »Hören Sie mal: Sie können hier nicht einf…«

Zu mehr hat Marc keine Gelegenheit, denn Jürgen packt ihn am Kragen, hievt ihn aus dem Stuhl und bringt ihn auf Augenhöhe. »Schnauze, hab ich gesagt!«

Damit schleudert er Marc über die Terrasse, der schmerzhaft auf dem Hintern landet. Ein Flip-Flop fliegt in Zeitlupe durch die Luft, verlässt den Schatten des Schirms, funkelt für zwei Umdrehungen in der Morgensonne wie ein springender Delphin und bohrt sich hochkant in die Butter.

Nur Jeanne sitzt noch. Lilith ist bei Marc, Zoe und ich sind aufgestanden, Bernhard hat sich aus seinem Magnetfeld befreit und ist auf die Terrasse getreten.

»Jetzt reicht's aber!«, ruft Zoe.

Marc, der die Hände hinter dem Rücken aufgestützt hat, sagt: »Du bist aber *so* was von bescheuert, hey – das gibt's ja gar nicht!«

»Du sollst den Rand halten!«

»Nicht«, meldet sich Jeanne zu Wort, »hör auf, Jürgen, bitte! Ich komme auch mit.«

»Kommt überhaupt nicht in Frage!«, ruft Zoe.

Marc ist noch bei Jürgen. »Erzähl mal«, legt er nach, »wie lebt sich's eigentlich so – ohne Gehirn?«

Was jetzt passiert, geschieht sehr schnell. Bevor sich Marc mit Liliths Hilfe aufgerappelt hat, greift sich Jürgen seine Gitarre und ist in zwei Schritten bei ihm.

»Nicht!«, schreit Marc.

»Nicht!«, rufen Zoe und Jeanne.

»Nicht!«, schreit Bernhard.

Lilith will sich Jürgen noch in den Weg stellen, doch der drückt sie mit einer Handbewegung in die Büsche, bevor er Marc die Gitarre über den Schädel zieht, wo sie mit lautem Krachen zerbirst.

»Fuck!«, schreit Marc, der noch versucht, seinen Kopf abzuwenden. Jetzt windet er sich auf dem Boden und drückt schützend die Hände auf sein linkes Ohr.

Jürgen steht breitbeinig über ihm. Von seiner Hand baumelt die Gitarre, deren Korpus nur noch durch die Saiten mit dem Hals verbunden ist. »Schnauze!«, ruft er.

»Fuck, Mann!«, ruft Marc, unter dessen Hand Blut hervorläuft, »fuck, fuck, fuck!«

»Das hätten Sie nicht tun dürfen«, sagt Bernhard, der sich wie ferngesteuert auf Jürgen zubewegt.

»Du hältst dich raus!«, ruft Jürgen, der in einer Schleife festzustecken scheint.

»Das hätten Sie nicht tun dürfen«, wiederholt Bernhard, und zum ersten Mal habe ich tatsächlich Angst, dass hier gleich eine Katastrophe passiert.

Jürgen holt aus, merkt, dass die Gitarre nur noch ein loser Verbund einzelner Teile ist, lässt sie fallen und will Bernhard einen Fausthieb verpassen, als er realisieren muss, dass Bernhard ihm bereits wie ein Stier die Stirn in die Brust gerammt hat und ihn rückwärts über die Terrasse schiebt, schneller und schneller, bis Jürgen mit rudernden Armen die Stufen in den Garten hinunterstürzt, wo Bernhard sich auf ihn wirft und mit den Fäusten traktiert.

»Das hätten Sie nicht tun dürfen!«, ruft er, während Fleisch aufplatzt und Knochen auf Knochen treffen. »Das hätten Sie nicht tun dürfen!«

Da ist Blut, viel Blut. Erst war Jürgen zu perplex für eine Gegenwehr, jetzt ist er zu benommen. Bernhard aber findet keinen Ausstieg. »Das hätten Sie nicht tun dürfen!«

Jeanne sitzt am Tisch, presst sich die Hände auf die Ohren, schreit »aufhören, aufhören«, und erst jetzt setze auch ich mich in Bewegung.

Bis ich bei ihnen bin, hält Jürgen nicht einmal mehr die Arme vors Gesicht. Ich klammere mich an Bernhards Bizeps und ziehe ihn von Jürgen herunter. Im ersten Moment erkennt er mich gar nicht, aber dann lässt er es geschehen. Seine Hand ist wie in Blut getaucht. Erst denke ich, dass es Jürgens Blut sein muss, doch dann sehe ich die aufgerissenen Fingerknöchel, die Knochen und Sehnen, die zum Vorschein kommen. Bernhards Gesicht ist tränenüberströmt, er heult wie ein Kind. Schmerzen jedoch scheint er keine zu spüren.

»Das hätten Sie nicht tun dürfen«, stammelt er ein letztes Mal und drängt vorwärts, doch dann ist die Luft raus, und er lässt sich von mir zu den Stufen schieben, wo er sich hinkauert und seinen Tränen überlässt und allem, was mit ihnen herausgespült wird. Zoe ist bei ihm, hält ihn, legt seinen Kopf in ihren Schoß und redet beruhigend auf ihn ein. Bernhard klammert sich an ihr fest und schluchzt mit bebenden Schultern. Wie ich die beiden dasitzen sehe, kommt mir ein sonderbarer Gedanke: Glücklicher als jetzt war er noch nie.

Jürgen hat sich in den Vierfüßlerstand hochgearbeitet. Von seinem Kinn tropft Blut. Als er seinen massigen Körper aufrichtet, hat er Mühe, das Gleichgewicht zu finden. Er ist riesig. Den hätte ich keinen Zentimeter bewegt, geht es mir durch den Kopf. Seine Augen sind verschleiert, das Nasenbein steht schief, die Lippe ist an zwei Stellen aufgerissen. Im Oberkiefer fehlen zwei Zähne, mindestens. Mehr ist auf den ersten Blick nicht zu erkennen. Ein Zahn liegt im Gras. Ich hebe ihn auf und halte ihn Jürgen hin, der ihn beim dritten Versuch zu fassen bekommt und in die Tasche steckt.

Statt etwas zu sagen, hebt er abwehrend die Hand: Lass nur, geht schon. Zunächst torkelt er richtungslos über den Rasen – bis er das Tor ausmacht und schwankend darauf zusteuert. Ich begleite ihn, warte, bis er draußen ist, wo er sich noch einmal umdreht und wie zum Gruß die Hand hebt. Dann stolpert er davon Richtung Parkplatz, eine Blutspur hinter sich herziehend. Ich schließe das Tor.

39

Zoe und Bernhard sind ins Krankenhaus gefahren. Marc wollte nicht mit. Er hat einen verrenkten Hals, einen Riss im Ohrläppchen und ein nervtötendes Fiepen im Ohr, aber einen Arzt wird er frühestens auf dem Totenbett an sich heranlassen, und so weit ist es noch nicht.

»Hallo, Lilith«, nuschelt er, »schön, dass du mal vorbeikommst.«

Lilith hat noch nicht einmal gewagt, sich zu setzen. Sie steht da, wo sie ihm vorhin auf die Beine geholfen hat. Vor lauter schlechtem Gewissen findet sie keine Worte.

»Er hat gesagt, dass er sich nur bei ihr entschuldigen will – sonst nichts.«

Marc versucht sich an seinem Kaffee, doch das Schlucken bereitet ihm Schmerzen. »Du meinst, wir können uns glücklich schätzen, dass er nicht mit Schützenpanzer und Handgranaten angerückt ist?«

»Tut mir leid. Ich wollte zu euch. Und er hat gesagt, er fährt mich, wenn ich ihm sage, wo ihr seid.«

»Hat ja auch prima geklappt.«

»Tut mir echt leid.«

Jeanne wirkt unglücklicher denn je. »Alles ist mein Schuld«, sagt sie. »Ich hätte nicht mitkommen gedurft.«

»Unsinn«, sagt Marc.

»Totaler Blödsinn«, bestätigt Lilith. »Es war das Beste, was du machen konntest.«

Jeanne sieht nicht überzeugt aus.

Danach sagt erst einmal keiner etwas. Schließlich setzt sich Lilith zu uns an den Tisch. Marc will von seinem Baguette abbeißen, doch jede Kieferbewegung jagt ihm einen Stich in die Schläfen. Also begnügt er sich damit, an einem Croissant zu nuckeln.

Irgendwann sagt er zu Jeanne: »Wozu schlafen wir eigentlich

nicht miteinander, wenn ich trotzdem was auf die Fresse kriege? Das macht keinen Sinn.« Jeanne weiß nichts zu antworten, also erklärt er: »War nur ein Witz.« Er steht auf und sammelt seine Gitarre ein. »Die gute Emma. Wir waren so ein schönes Paar.«

»Ich kaufe dir eine neue Emma«, bietet Jeanne an.

»Nicht nötig.« Marc besieht sich die Reste. »Ist versichert.«

Jeanne und Marc gehen hinein und legen sich auf das Sofa. Jeanne hält ihren Fuß ruhig, Marc seinen Kopf. Nicht mehr bewegen als unbedingt notwendig. Sie unterhalten sich im Flüsterton frisch Verliebter, nach einigen Minuten ist ein erstes, gedämpftes Lachen zu hören: Wird schon wieder.

Kaum hat Lilith die ersten Bissen verschlungen, kehrt ihre positive Grundstimmung zurück. Sie trinkt und isst und isst und trinkt – wie andere ihr Auto betanken.

»Was ist mit deiner Nase passiert?«, frage ich.

»Gestoßen«, antwortet Lilith mit der Stimme einer gestopften Posaune, »an Jürgens Faust.«

»Jürgen hat dich geschlagen?«

Sie zieht die Schultern hoch. »Ich hab ihm gesagt, dass ich lesbisch bin – war offenbar zu viel für ihn.« Sie blickt sich um, als sei sie eben erst auf die Terrasse gebeamt worden. »Mann, Felix – was für 'ne geile Hütte!«

Sie berichtet, was passiert ist. Wie sie im Zirkuszelt geschlafen und am nächsten Morgen ihren Rucksack gefunden hat und damit nach Riez gelaufen ist, auf einem alten Wanderweg – nur raus aus diesem verrückten Dorf! Der Weg führte auf einem Hügelgrat entlang, Lilith konnte kilometerweit sehen, in jede Richtung. Kein Mensch, kein Haus, kein Auto und kein Handyklingeln. Nur sie und der Himmel über ihr. Ein Gefühl, als trete sie ihrem Schöpfer gegenüber. Das Einzige, was ihr auf dem Weg begegnete, waren zwei Schlangen, die sich auf einem Stein sonnten und eilig im Gebüsch verschwanden, als Lilith in einiger Entfernung mit dem Fuß aufstampfte.

Für zwei Stunden fiel alles von ihr ab. Zwischendurch söhnte sie sich sogar mit Laura aus, wünschte ihr alles Gute, von Herzen, wünschte ihr, dass sie die richtige Entscheidung getroffen hatte, glücklich werden, Kinder und eine Familie haben würde. Und nicht irgendwann in der Küche über der Spüle stehen und nur noch wehmütig zurückblicken würde. Selbst der Rucksack wog auf dem Weg nicht schwerer als eine auf die Schulter gelegte Hand. So kam sie in Riez an, verschwitzt und gereinigt.

Der Weg endete an einer winzigen Kapelle oberhalb der Stadt, in der drei weiß gekleidete Nonnen knieten und mit Engelsstimmen einen Choral anstimmten. Danach löschten sie die Kerzen und verschwanden durch einen Seiteneingang in einem angrenzenden Klostergebäude. Lilith stellte sich auf eine Bank und warf einen Blick über die Mauer. Auf einer Leine hingen drei weiße Laken zum Trocknen. Die drei Nonnen waren offenbar alles, was von dem Kloster noch übrig war. Der Garten atmete eine Ruhe und Gelassenheit, die Lilith erschütterte. »Ganz ehrlich, Felix: Wenn die Christen nicht diesen blödsinnigen Sündenfall erfunden hätten und wir deshalb seit zweitausend Jahren im Staub kriechen müssten … Ich hätte auf der Stelle meinen Rucksack weggeschmissen und wäre über die Mauer geklettert.«

Stattdessen stieg Lilith als einer von zwei Gästen in einer Pension in Riez ab, und als sie am nächsten Morgen versuchte, einem Bankomat das Geld für die Busfahrt nach Manosque zu entlocken, da stand auf einmal Jürgen neben ihr, sah aus wie ein großer Haufen Elend und Reue und Schlaflosigkeit und fragte: »Wo sind sie hin?«

Bernhards Arm steckt bis zum Ellenbogen in einer giftgrünen Schiene. Vorne schauen nur der Daumen und die Fingerspitzen heraus.

»So geht er uns wenigstens nicht verloren«, sagt Zoe in Anspielung auf die Farbe.

»Mensch, Bernhard«, begrüßt ihn Lilith, »dieses Ding macht dich gleich fünf Jahre jünger.«

»Hab ich mir schon immer gewünscht«, antwortet Bernhard, und so, wie er seinen Arm hebt, in Rocky-Manier, denke ich, dass es wahrscheinlich stimmt. Die Schiene ist ihm Trophäe und Orden zugleich.

»Wie geht's?«, ruft Marc vom Sofa.

Bernhard besieht sich seinen Arm wie einen Fremdkörper.
»Wird schon. Was ist mit dir?«

»Wird schon.«

»Hast du überhaupt schon was gegessen?«, fragt Lilith.

Sie rückt Bernhard einen Stuhl zurecht, schneidet ihm ein Baguette auf und belegt es fingerdick mit Serrano-Schinken, als müsse er jetzt vor allem rohes Fleisch zu sich nehmen. Zoe bringt Kaffee, schenkt ihm Saft ein und streicht ihm über die Schulter.

Die Sonne hat ihren höchsten Punkt erreicht. Da, wo sie auf die Tischplatte trifft, krümmt sich das Holz unter ihr. Barfuß über die Terrasse zu gehen kommt einem Gang über glühende Kohlen gleich. Die Bienen erfüllen den Rhododendron mit andächtigem Gemurmel.

Wir haben uns im Schatten des Vordachs verteilt wie satte Löwen. Ich habe mich daran erinnert, im Wirtschaftsraum zwei Gartenliegen gesehen zu haben. Jeanne und Marc teilen sich eine. Sobald sie sich mehr als anderthalb Meter voneinander entfernen, scheint eine unsichtbare Kraft sie wieder einander zuzutreiben. Als müssten sie gegen den Strom schwimmen, sobald sie sich in unterschiedliche Richtungen bewegen. Auf der zweiten Liege lagert Bernhard, den Arm auf drei Sofakissen ruhend. Die Betäubung lässt langsam nach. Wann immer er seinen Arm herunternimmt, schwillt seine Hand an, reibt von innen gegen die Schiene, und er hat das Gefühl, als platzten seine frisch genähten Knöchel auf. Zoe und ich haben uns zwei Stühle in den Schatten gezogen, Lilith sich ihre Isomatte ausgerollt.

Später werde ich denken, dass die Realität irgendwie jedes Hindernis überwindet, da kann die Mauer noch so hoch sein. Und so findet sie auch einen Weg in unseren Garten. Als Bernhards Handy im Schlafzimmer klingelt – der neue Bond-Song – ist es, als habe sich die Luke des Trojanischen Pferdes geöffnet.

»Es hat schon den ganzen Vormittag geklingelt«, sagt Jeanne.

Bernhard will nicht rangehen, doch sein Pflichtbewusstsein ist stärker als er. Wenn jemand nach ihm ruft, kann er nicht anders, als diesem Ruf zu folgen. Er steht auf und geht ins Haus.

»Hier Niemeyer«, sagt er. »Ja, bin ich.« Dann wird es still.

Alles, was wir noch hören, ist, wie sich die Tür zum Schlafzimmer schließt.

Marc blinzelt zu mir herüber. Ich antworte mit dem Gesicht dessen, der das Unheil ahnt und nichts dagegen tun kann.

»Soll nicht jemand nach ihm sehen?«, fragt Jeanne.

Zoe will gerade aufstehen, als sich die Schlafzimmertür öffnet und Bernhard mit schweren Schritten durchs Wohnzimmer geht. Er zeigt uns sein Handy, als könne er sich nicht erklären, wie es in seine Hand gekommen ist. Sein Gesicht fällt in sich zusammen.

»Meine Mutter«, sagt er, und dann wissen wir es alle.

40

Anfangs denken wir, dass es gut so ist. Soll er rennen. Wenn es das ist, was er jetzt braucht. Vielleicht hilft es ja. Irgendwann musste seine Mutter sterben. Und dann ist es womöglich ganz gut, wenn er jetzt bei uns ist, dass wir hier sind, gemeinsam.

Im Acht-Minuten-Rhythmus kommt er am Haus vorbei, von links nach rechts, von rechts nach links. Ein Keuchen kündigt ihn an, jeder Atemzug eine Kraftanstrengung, wir hören seine Schritte hinter der Mauer, dann passiert er das Tor, und für eine halbe Sekunde laufen er und sein giftgrüner Arm durchs Bild.

Die Nachricht vom Tod seiner Mutter hat auch uns in die Realität zurückgeholt. Nach und nach spüren wir es alle, während wir auf der Terrasse sitzen und überlegen, was wir tun sollen. Wie ein Internist, der vor der Leuchttafel steht, auf den dunklen Punkt der Röntgenaufnahme deutet und sagt: »Sehen Sie das?«

Aus dem Keuchen ist ein Stöhnen geworden. Die Abstände, in denen Bernhard sich an der Mauer vorbeischleppt, haben sich vergrößert. Die Sonne ist unter das Vordach gekrochen und hat sich zentimeterweise über die Fliesen geschoben. Jetzt senkt sie sich. Erste Baumschatten wachsen über die Mauer in den Garten hinein. Eigentlich läuft Bernhard gar nicht mehr. Er stolpert, ohne hinzufallen. Sein Atem pfeift wie der eines Asthmatikers.

»Was hat er vor?«, fragt Jeanne besorgt.

»Sieht aus, als wollte er sich selbst verstoffwechseln«, meint Marc.

»Wenn der so weitermacht«, sagt Zoe, »können wir ihn direkt ins Krankenhaus zurückbringen.«

Es stimmt, denke ich. Am liebsten würde er sich selbst verstoffwechseln.

Als Bernhard das nächste Mal am Tor vorbeistolpert, gebeugt, mit hängendem Kopf und hängenden Schultern, schlüpft Marc in seine Flip-Flops, reibt sich den Nacken, schlappt die Stufen hinab, schlurft durch den Garten und lehnt sich mit dem Rücken gegen das Tor. Als das Pfeifen zurückkehrt, geht Marc ihm entgegen. Wir hören seine Stimme hinter der Mauer.

»Bleib stehen, Mann!«, ruft er.

»Lass mich!«, entgegnet Bernhard, doch seine Stimme fleht nach Erlösung.

Er trottet am Tor vorbei, Marc mit seinen Flip-Flops hinterdrein.

»Jetzt bleib endlich stehen!« Er überholt Bernhard und stellt sich ihm in den Weg »Hör auf!«

»Lass mich!«

Marc stemmt sich mit der Schulter gegen ihn. »Hör auf mit dem Scheiß!!«

Sie kommen zurück, Bernhard, der Muskelprotz, gestützt vom schmächtigen Marc.

Vor dem Tor bäumt sich Bernhard noch einmal auf. Er kreuzt die Arme vor dem Gesicht, als versuche er, sich vor Schlägen zu schützen. Im nächsten Moment kracht sein grüner Gipsarm mit voller Wucht gegen das Eisentor, das zu läuten anfängt wie eine Glocke, während Bernhard aufschreit, sich den Arm hält und in sich zusammensackt.

Zoe ist es, die das Kommando übernimmt. »Aufs Bett und Schuhe aus.«

Sie holt ein Glas Wasser, löst zwei Tabletten darin auf, zieht verschiedene Schachteln aus ihrem Beautycase und drückt drei unterschiedliche Pillen aus ihren Folien.

»Was ist denn das alles?«, fragt Marc.

Zoe legt die Pillen auf ihre Handfläche. »Schmerz, Schlaf, Regeneration.« Die Pille für Regeneration sieht aus wie ein Kokon für Barbies. »Ich habe Tabletten für und gegen alles. Bernhard …« Ich helfe ihm, sich aufzurichten. Zoe hält ihm die Pillen und das Glas hin. »*Die* schlucken, *das* trinken.«

Bernhard schluckt die Pillen, trinkt das Wasser. Anschließend dreht er sich auf die Seite, Gesicht zur Wand. Zoe zieht sich den Stuhl aus der Zimmerecke heran und setzt sich neben das Bett. »Ich glaube, es ist okay«, flüstert sie uns zu.

Marc, Lilith und ich verlassen leise das Zimmer.

41

Lilith sieht aus, als habe sie gerade eine Schönheitsoperation hinter sich gebracht. Das Gesicht klar und lebendig, eingerahmt von ihren wilden Engelslocken, doch in der Mitte, wie aufgesetzt, die geschwollene Nase mit den blutunterlaufenen Augen. Sie steht über den Topf gebeugt und fächelt sich Luft zu.

»Felix, leih mir mal deine Nase«, sagt sie. »Ich riech nix.«

Wir kochen das Abendessen. In der Küche wabert ein Duft aus Tomaten, Thunfisch, Knoblauch, Zwiebeln, Rosmarin und Thymian. Zoe ist noch immer bei Bernhard im Schlafzimmer, Marc und Jeanne liegen unverändert auf dem Sofa und halten Händchen, als sei es das letzte Mal.

Die Kräuter für die Soße hat Lilith im Garten zusammengesucht. Den Strauß vor sich hertragend, kam sie in die Küche. »Der Rosmarin hinterm Haus ist so groß wie ein Weihnachtsbaum!«, verkündete sie.

Ich denke an die Weihnachtsbäume, die Vater Jahr für Jahr anliefern ließ. Keiner in der Straße durfte einen größeren haben.

Als ich die Tür zum Schlafzimmer öffne, um Zoe zum Essen zu holen, sitzt sie neben dem schlafenden Bernhard wie eine Mutter neben ihrem kranken Kind: eine Hand auf seinem Arm, mit der anderen ein Buch haltend. Ich sage ihr, dass wir essen können, und frage, wie es Bernhard geht. Sie klappt das Buch zu, steht auf, beugt sich über ihn und zupft die Decke zurecht. »Meine Pillen wirken immer«, flüstert sie und folgt mir aus dem Zimmer.

Wir sitzen über dem Abendessen, als ein kühler Wind salzig vom Meer heraufzieht. Jeanne wickelt sich in ihre Strickjacke ein und schmiegt sich an Marc, Zoe legt sich die Sofadecke um die Schultern.

»Vielleicht«, sagt sie irgendwann, »hat Bernhards Mutter nur darauf gewartet, dass er mal weg ist.«

»Du meinst, sie wollte ihm ersparen, dabei zu sein?«, fragt Lilith.

»Kann doch sein …«

Der salzige Geruch wird intensiver. Man hat tatsächlich den Geschmack des Meeres auf der Zunge. Die Teller stehen übereinandergestapelt in der Mitte des Tisches. Marc, der sich einen Schal meines Onkels um seinen verrenkten Hals gewickelt hat, dreht sich seinen Guten-Abend-Joint.

»Ich war noch gar nicht am Meer«, fällt mir plötzlich ein.

»Ich auch nicht«, sagen Zoe und Lilith wie aus einem Mund. Marc leckt das Blättchen an. »Bin gleich so weit.«

Auf dem Wasser explodiert die Sonne in unzählige gleißende Splitter. Ich kneife die Augen zusammen. Zoe hat natürlich ihre Sonnenbrille dabei. Das Meer. Funktioniert immer. Man sieht hinaus, spürt die Weite und die eigene Endlichkeit und weiß alles und nichts zugleich. Mit dem Wind kommen auch die Wellen. Manche tragen weiße Schaumkronen und spritzen auf wie Fontänen, sobald sie den Felsen treffen. Andere reißen ihre Mäuler auf, bevor sie am Ufer lauthals in sich zusammenstürzen.

Im Windschatten eines Felsens setzen wir uns in den noch warmen Sand. Zoe gräbt ihre Füße ein und wackelt so lange mit den Zehen, bis ihre rot lackierten Nägel sichtbar werden. Lilith sammelt angespülte Stöckchen und steckt einen Kreis um sich ab. Es ist Flut. Nach einiger Zeit fallen die ersten Stöckchen, und wir ziehen uns ein paar Meter zurück. Außer uns sind ungefähr ein Dutzend Menschen in der Bucht. Die wenigsten wagen sich ins Wasser. Zwei Männer in Taucherbrille, Neoprenanzug und Schwimmflossen platschen in die Wellen wie Tiere, die nicht dafür gemacht sind, sich an Land zu bewegen.

Bernhard kommt mit steifen Knien die Stufen herunter. Sein grüner Gips schimmert durch die Bäume. Wortlos setzt er sich neben Zoe in den Sand. Inzwischen haben die leuchtenden Splitter auf dem Wasser eine goldene Färbung angenommen und sich zu einem Steg verjüngt, der direkt in die Sonne führt. Von Marseille kommend, kreuzen Containerschiffe in regelmäßigen Abständen das Licht mit Kurs auf Italien oder Afrika.

»Wie geht's deiner Hand?«, fragt Marc.

»Wird schon.«

Bernhard beginnt, Steine aufzusammeln, die er über das Wasser springen lässt. Mit links. Drei-, fünf-, siebenmal setzen sie auf. Aber untergehen tun sie alle. Wie die Sonne. Nachdem sie im Meer versunken ist und während die Dämmerung in Dunkel übergeht, verlassen die letzten Besucher die Bucht. Bald ist niemand mehr da außer uns. Die Linie, die das Meer vom Himmel trennt, hat sich aufgelöst.

Marc war so schlau, eine Flasche Rotwein und einen Korkenzieher mitzunehmen. »Auf deinen Onkel«, sagt er, nimmt den ersten Schluck und reicht die Flasche weiter.

»Auf dich«, sagt Zoe zu mir.

Lilith blickt erst mich an, anschließend Zoe, dann wieder mich: »Gibt's ja gar nicht«, sagt sie, »du stehst auf Zoe!«

Alle Augen richten sich auf mich.

»Wie kommst du denn darauf?«, frage ich.

»Logisch stehst du auf Zoe – sieht doch ein Blinder!« Sie schnauft ungläubig. »Dass ich das nicht gleich gemerkt habe …« Die anderen fragen sich, wie es sein kann, dass sie es all die Jahre nicht bemerkt haben. »Aber tröste dich«, fährt Lilith fort, »du bist nicht allein. Mit dir sind es schon drei.«

Marc sieht sie verwundert an. Bis drei zählen kann er. »Wie kommst du denn auf das schmale Brett?«

Lilith lächelt ihn an. »Wer redet denn von *dir*?« Sie lässt sich von Zoe die Flasche geben. »Auf mich!«

Jeanne ist die Nächste. »Auf das Leben.«

Bernhard zieht das Etikett in Streifen von der Flasche, rollt das Papier zu Kügelchen zusammen und schnipst sie fort. »Auf den Tod.« Er reicht die Flasche an mich weiter.

Auf uns, möchte ich sagen, auf jetzt und hier, auf diesen Moment. Am Ende sage ich: »Auf das Meer.«

Später wird mir dieser Moment wertvoller sein als irgendein anderer der letzten Tage: Jeder weiß, dass es vorbei ist, doch keiner will gehen.

In den Felsspalten findet sich alles Mögliche: ausgeblichene Zigarettenschachteln, Teile einer Europalette, eine Holzente mit Achsenbruch. Zusammen mit Liliths Stocksammlung sowie zwei Pizzaschachteln, die ich aus dem Mülleimer ziehe, werfe ich alles auf einen Haufen. Ich weiß, dass sich dadurch nichts ändert. Niemand kann die Zeit anhalten. Zwei zusätzliche Stunden, mehr ist nicht drin.

»Gib mir mal dein Feuerzeug«, sage ich zu Marc.

Es funktioniert. Schwerfällig zunächst. Doch nach einigen Minuten brennt die Palette, und hüfthohe Flammen lodern empor. Über die roten Felsen züngeln Schatten. Der von Jeanne wabert wie ein Flaschengeist hin und her.

»Was willst'n jetzt machen?«, fragt Marc, und erst als ihn alle ansehen, ist klar, dass seine Frage an Lilith gerichtet ist.

Die beobachtet ihre Zehen dabei, wie sie sich in den Sand graben. »Wenn ich das mal wüsste. Eigentlich wollte ich ja immer nach Berlin, so wie ihr. Hab bloß keinen Studienplatz bekommen.« Im Schein des Feuers flammen ihre Locken auf. »Vielleicht sollte ich *das* machen – nach Berlin gehen –, scheiß auf den Studienplatz.«

Bernhard hat wieder begonnen, Steine aufzusammeln und über das Wasser springen zu lassen. Man kann nur noch erahnen, wie oft sie aufsetzen. Die leuchtenden Punkte eines Fährschiffs ziehen durchs Dunkel und verschwinden hinter dem Ausläufer des Felsens. Und dann steht es plötzlich vor uns, so klar, dass keiner ein Wort darüber verlieren muss: Unsere Reise ist zu Ende. So sitzen wir und warten darauf, dass einer ausspricht, was wir alle bereits wissen.

Zoe ist es, die schließlich das Wort ergreift. »Nächsten Sommer.«

»Ja, klar«, schnauft Bernhard.

»Ich meine es ernst«, beharrt Zoe. »Wir treffen uns wieder, hier, nächsten Sommer.«

Nach kurzem Schweigen sagt Lilith: »Bin dabei.«

Marc: »Auf jeden.«

Bernhard: »Das klappt doch sowieso nicht, da gehe ich jede Wette ein.«

»Hängt einzig und allein von dir ab«, bemerkt Zoe. »Also: Bist du dabei oder nicht?«

»Von mir aus.«

»Bist du dabei oder nicht?«

»Ja, bin dabei.«

Nun richten sich die Blicke auf Jeanne, die entschuldigend den Kopf einzieht. »Ich weiß nicht. Ein Jahr ... ist eine lange Zeit, nicht?«

Zoe ist ganz von ihrer Mission in Anspruch genommen. »Bist du dabei oder nicht?«

Jeanne zögert, doch eigentlich kennt sie ihre Antwort bereits: »Also gut ... Oui. Ich komme. Nächste Sommer.«

Ich bin der Letzte. »Mich braucht ihr nicht zu fragen«, sage ich, »bin sowieso hier.«

Der Himmel hat sich zugezogen, die Wolken drängen dicht an dicht, kein Mond, keine Sterne. Wir blicken auf das Meer hinaus, das nur so weit zu sehen ist, wie die Wellen das Feuer reflektieren. Alles, was danach kommt, ist Geräusch und Weite. Bernhard sucht nach dem perfekten Stein, dem, der für immer auf dem Wasser springt und niemals untergeht. Nach Berlin zurückzufahren und in den Abgrund zu blicken, den der Tod seiner Mutter hinterlassen hat, macht ihm eine Scheißangst.

»Wenn du willst«, ruft er vom Ufer, »kannst du erst mal bei mir wohnen. Hab so eine Art Gästezimmer. Steht sowieso leer ...«

Er zieht einen Stein aus dem Wasser, wäscht ihn sauber und wiegt ihn in der Hand. Ein kleiner Diskus, nahezu perfekt. Gut für 13 bis 15 Aufsetzer. Mindestens. Vielleicht springt er auch für immer, wer weiß. Das Meer hat sich bis an den Rand der Feuerstelle vorgearbeitet. Zehn Minuten noch, vielleicht eine Viertelstunde, dann wird auch die letzte Flamme erloschen sein.

Lilith sieht von ihren Zehen auf. Der Schatten ihrer Nase lässt sie noch geschwollener aussehen, als sie es ohnehin ist. »Dir ist schon klar, dass ich tatsächlich auf Frauen stehe, oder?«, ruft sie gegen die Brandung an. »Ich bin eine Lesbe, Bernhard. Und daran wird sich auch nichts ändern.«

Bernhard betrachtet den Stein von allen Seiten. Besser wird es nicht. Wenn es einer schafft, dann dieser. Doch statt ihn auf die Reise zu schicken, lässt er ihn in die Hosentasche gleiten. »Hast du ein Problem damit, dass ich hetero bin, oder was?«

»Wie kommst'n darauf?«

»Na dann … Angebot steht.«

Im Dunkeln tasten sich unsere Füße die Stufen hinauf. Die Reste der Glut sind zischend von einer Welle überspült worden. Stellenweise hat die Wolkendecke Risse bekommen. Manche Löcher glänzen wie Seen am Nachthimmel. Wir gehen paarweise: Vorne Jeanne und Marc, in der Mitte Zoe und ich, hinter uns Lilith und Bernhard.

»Kannst du wieder hören?«, fragt Jeanne.

»Rechts ja, links nein«, antwortet Marc.

Im Gehen greift sie nach seiner Hand, beugt sich zu ihm und flüstert ihm etwas ins Ohr. Marc hört nur ein gigantisches Fiepen, doch Jeannes Worte hängen in der Abendluft wie ein Mückenschwarm, und als Zoe und ich sie durchschreiten, hören wir sie flüstern: »*Heute* Nacht hab ich keinen Freund.«

Wir erreichen die letzten Stufen und suchen uns den Weg durch den Pinienhain. Um uns herum rauscht und knackt es. Silbriges Licht sickert durch die Baumkronen. Als ich aufsehe, zieht die Mondsichel wie eine leuchtende Haifischflosse durch die Wolken. Zoe legt mir ihren Arm um die Taille.

Fünfter Tag

You better hope you're not alone

(Jack Johnson)

42

Ich betrachte ihr schlafendes Profil, die schmale Nase, das zarte Kinn, die weichen Lippen. Diesmal kann ich dem Drang, ihr die Haare aus der Stirn zu streichen, nicht widerstehen. Wir liegen auf dem Sofa. Mein Gesicht ist ihrem so nah, dass ich sehe, wie mein Atem ihre Haut streift.

Das Schlafzimmer haben wir Jeanne und Marc überlassen, und den Geräuschen nach zu urteilen, haben sie die ganze Nacht lang Gebrauch davon gemacht. Erst gegen halb sechs sind sie gemeinsam in Ohnmacht gesunken. Lilith mit ihrer geschwollenen Nase und Bernhard mit seiner geschwollenen Hand haben sich, jeder mit einer Decke und einer Flasche Wein bestückt, die Liegen, die Terrasse und den Nachthimmel geteilt, ihre Wunden geleckt und sich betrunken. So sind sie eingeschlafen: Die Gesichter einander zugewandt, zwei leere Flaschen zwischen sich. Vielleicht war es der Beginn einer wunderbaren Freundschaft.

»Na«, fragt Zoe, ohne ihre Augen zu öffnen, »was geht in deinem hübschen Köpfchen vor?«

Ich halte inne, meine Finger in ihren Haaren.

»Hab ich gesagt, dass du aufhören sollst?«, fragt sie. »Also?«

Also … Was geht in meinem Kopf vor: »Ich hab immer gedacht, das Schicksal hätte für mich nur die Krümel vorgesehen, die vom Tisch fallen.«

»Und?«

»Stimmt nicht.«

»Du meinst, du glaubst nicht mehr an Schicksal?«

Die Luft, die durch die Balkontür hereinweht, legt sich warm auf unsere Haut. Wieder so ein strahlender Tag. Einer, an dem alles nach Aufbruch duftet. Und wieder fühlt es sich an wie ein verkehrtes Sprichwort: jeder Anfang ein neues Ende.

»Keine Ahnung, ob es Schicksal gibt«, antworte ich. »Aber wenn ja, dann habe ich großes Glück gehabt: Ich hatte einen Onkel, der mich geliebt hat, ich habe Marc … Und in meinem Arm liegt die schönste Fischin im großen, weiten Ozean.«

Zoe hält die Augen geschlossen. In ihr Lächeln schleicht sich Wehmut. Doch ein Tropfen Wehmut ist ja allem Schönen beigemischt. Auch für sie ist die Reise zu Ende. Nur ich werde bleiben. Das ist mir letzte Nacht klargeworden. Außer mir haben alle etwas, das auf sie wartet: eine Beerdigung, ein neues Leben, ein Job, der nächste Auftritt. Auf mich warten eine Katze, die sich seit fünf Tagen von Ahmet füttern lässt, sowie ein autistischer Junge, von dem ich nicht einmal weiß, ob er weiß, wer ich bin. Ich möchte Zoe sagen, dass es okay ist, dass Glück nie von Dauer ist, doch dass jetzt und hier alles an seinem Platz und genau so ist, wie es sein soll. Und mehr kann man vom Leben nicht erwarten.

»Danke«, sagt Zoe und schmiegt ihren Kopf an meine Brust.

Nachdem ich Bernhard geholfen habe, seine Anziehsachen zu rechtwinkligen Päckchen zu falten und in seinem Alukoffer zu verstauen, der wie eine Fototasche in kleine Quadrate unterteilt ist, setze ich mich auf das Sofa und sehe Zoe beim Packen zu. Die Morgensonne erfüllt das Haus mit einem diffusen Licht – als würde es von innen heraus leuchten. Es duftet nach Harz und schweren, süßen Blüten. Später, wenn die erste Wäsche getrocknet sein wird, werden meine T-Shirts diesen Geruch angenommen haben.

Zoe scheint mich bereits seit einer ganzen Weile anzusehen. Sie hält ein türkisfarbenes Kleid an den Trägern, das ihr gleich aus den Händen rutscht.

»Das hast du gar nicht getragen«, sage ich.

Sie sieht es an, verstaut es im Koffer und setzt sich zu mir auf das Sofa. Im Garten tobt das Leben: Vögel paaren sich, Insekten schlürfen Nektar, die Blüten wetteifern darum, welche den betörendsten Duft hervorbringt.

»*Möchtest* du, dass ich bleibe?«, fragt sie.

Ja, ich will. Niemand kann die Zeit anhalten. Doch was macht das schon? Zwei, drei Tage, das ist doch schon sehr viel. Wir sind kein Paar, sind nicht füreinander geschaffen, werden es nie sein. Für jemanden, der Karriere machen wolle, hat Zoe mir einmal erklärt, gebe es nur eine Regel: Move up or move out. Das unterscheidet uns. Sie will »up«, ich »out«. Diese Kluft werden wir nie überbrücken. Vielleicht. Sicher sein kann man sich nie.

»*Möcht*est du denn bleiben?«, frage ich.

Zoe beugt sich vor, verschränkt ihre Hände ineinander und klemmt die Ellenbogen zwischen die Oberschenkel. Ihre Finger berühren beinahe den Boden. »Kannst du nicht einfach sagen, ich soll?«

Ihr Mund macht etwas, von dem nicht einmal sie selbst weiß, was es bedeuten soll. Wir sehen uns an. Erst will sie nicht mitkommen, dann will sie nicht zurück. Benno kommt mir in den Sinn – der autistische Junge aus der Kita, der morgens nicht von zu Hause wegzubekommen ist und nachmittags nur aus dem Bus steigt, wenn seine Oma ihm das Versprechen gibt, mit ihm in die »Waschküch« zu gehen.

»Du bist wie Benno«, sage ich.

Dann gehe ich hinaus in den Garten.

Der Bus ist ein Bild des Jammers. Ein müder Krieger nach geschlagener Schlacht, der nur noch einen Wunsch kennt: zurück nach Hause, zu Frau und Kind. Die Front- und Heckscheibe sind geborsten, das Schiebedach ist mit Gaffa geklebt, der Außenspiegel sowie die hintere Stoßstange sind auf dem »Feld der Ehre« zurückgeblieben.

Bei den Insassen sieht es kaum besser aus. Bernhard hat in Feldherrenhaltung auf dem Beifahrersitz Platz genommen, das Herz gebrochen, doch den Kopf aufrecht, den Blick in die Vergangenheit gerichtet. Zoe hat ihm ein Seidentuch vermacht, das farblich zu seiner Schiene passt und ihm als Armschlinge dient.

Lilith sitzt am Steuer. Statt einer Nase hat sie eine blau-gelb-rot gescheckte Kartoffel im Gesicht. Sie lacht, unter Schmerzen, doch sie lacht. Das Leben ist eine Wundertüte, und das Beste liegt noch vor ihr. Jeanne und Marc teilen sich die Rückbank. Jeannes Ferse tut noch weh, aber Humpeln geht wieder. Gleiches gilt für

Marcs Nacken: wird schon. Er hat noch immer dieses Fiepen im Ohr, doch es entfernt sich von Stunde zu Stunde.

Der Auspuff klappert nicht mehr. Als Lilith den Bus wendet und die müden Reifen nach Norden lenkt, liegt er vor mir auf dem Asphalt. Dafür stößt der Bus jetzt eine Rauchwolke aus und prustet angeberisch. So reiten sie vom Hof.

Epilog

Die erste Station auf ihrer Rückreise ist Marseille. Marc möchte sich Zeit lassen und Jeanne ein bisschen was von der Welt zeigen, bevor sie nach Berlin fahren. Schließlich ist sie kaum je aus ihrem Kaff herausgekommen. Kann ein paar Tage dauern. Also setzen sie Bernhard und Lilith am Flughafen ab. Die haben es eiliger.

Bernhard muss Formulare ausfüllen, einen Grabstein aussuchen, den passenden Bibelspruch finden. Bis jetzt hat er sich dem stets verweigert. Er dachte, solange es keinen Grabstein gibt, keine Inschrift und keinen Liegeplatz, würde seine Mutter auch nicht sterben. Lilith muss die Scherben ihrer Beziehung zusammenkehren und zusehen, wie sie daraus als Miss Indiana Jones hervorgehen kann. Bevor sich die gläsernen Schiebetüren hinter ihnen schließen, umarmt jeder jeden. Wir sehen uns. Nächsten Sommer.

Während Bernhard und Lilith zwischen Menschen aus aller Welt in der Abfertigungshalle sitzen und darauf warten, dass ihr Flug aufgerufen wird, zuckeln Jeanne und Marc auf der A 51 Richtung Grenoble, lassen sich von Schwertransportern überholen und verlassen bei Manosque die Autobahn, um im Schatten einer Platane auf einem versteckten Platz in der Innenstadt ein Eis zu essen.

Von hier aus geht es auf der Landstraße weiter. Und plötzlich, nach einem mühevollen Anstieg auf gewundenen Straßen, liegt sie wieder vor ihnen: die Hochebene. Weite, Licht, die Farben der Provence.

Jeanne sitzt mit dem Rücken in Fahrtrichtung, deshalb sieht Marc ihn als erster: Jesus. Mit hängenden Lidern blinzelt er in die Abendsonne, die seine staubige Dornenkrone als gezackten Schatten auf das Holz wirft. Marc lässt den Bus ausrollen und bringt ihn an der Weggabelung zum Stehen. Die Farbe ist zu großen Teilen abgeplatzt, Jesus Lendenschurz ausgeblichen. Das Kreuz ist leicht nach vorne geneigt, als könne es jeden Moment auf den Bus stürzen. Dann würde Jesus mit seinen ausgebreiteten Armen auf der Windschutzscheibe kleben, Auge in Auge mit Marc, auf den Lippen die alles entscheidende Frage: rechts oder links?

Marc entscheidet sich für den Weg, der um Pui herumführt. Aus der Entfernung sieht er den Kirchturm mit dem Stahlskelett, das die Glocke hält, die abschüssige Wiese mit den Olivenbäumen, auf der sie übernachtet haben, die alte Waschstelle mit den steinernen Trögen.

Nachdem sie das Dorf umfahren haben, treffen sie wieder auf die Landstraße. Jeanne nimmt ihre Hand von Marcs Oberschenkel. Durch das Loch in der Heckscheibe sieht sie ihr Dorf wie durch eine Linse. Etwas stimmt nicht. Sie haben den Abzweig nach Saint-Jurs erreicht, als Marc rechts ran fährt. Unter den Reifen knirscht Kies, dann wird es ruhig.

»Was ist?«, fragt er, dabei weiß er es bereits.

Jeanne kaut auf ihrem Daumennagel.

»Du willst zurück?«

Jeanne zieht die Schultern hoch.

»Ist nicht dein Ernst?«

Jeanne würde es gerne erklären. Doch was könnte sie sagen? Dass sie sich wie ein Tier fühlt, das sein gesamtes Leben in Gefangenschaft verbracht hat und jetzt lieber im geöffneten Käfig sitzen bleibt, als sich den Herausforderungen der Freiheit zu stellen? Marc würde es nicht verstehen. Er weiß nicht, wie das ist.

»Aber warum?«, will Marc wissen. Einfach so lässt er sie nicht gehen. »Sieh mich an, Jeanne: Warum?«

Jeanne sieht ihn an: Er hat ein Herz, so groß wie das eines Elefanten – Lebenshunger, Abenteuerlust, mehr Zärtlichkeit, als man vermuten würde. Und er hat sie davon kosten lassen, reichlich. So viel, dass sie Angst davor bekam. Und Musik, viel, viel Musik.

»Er braucht mich«, sagt Jeanne.

»Was dieser Typ braucht, ist eine Lobotomie.«

»Aber er liebt mich.«

»Liebe geht anders.«

Jeanne zieht nur wieder die Schultern hoch. »Auf seine Weise …«

»Aber er behandelt dich wie … Liebe geht anders.«

Die Traurigkeit kehrt in ihr Gesicht zurück, diese unwiderstehliche Traurigkeit, die Marc vor drei Tagen die Füße weggezogen hat.

»Er ist nicht immer gut zu mir. Aber er braucht mich.«

»Es ist dir egal, wie er dich behandelt, Hauptsache, er braucht dich?« Das glaube ich nicht, denkt Marc und weiß doch, dass es nichts gibt, was er noch tun kann. Er sieht es in Jeannes Augen, die bereits Abschied genommen haben, von ihm, Marc, und von all dem, was hinter den Bergen auf sie gewartet hätte, die weit in der Ferne den Horizont begrenzen.

»Ich habe unser Lied noch nicht fertig«, sagt er.

Einmal noch ist sie ganz bei ihm. »Ist vielleicht besser so.«

»Aber er will dich doch nur besitzen, verdammt!«

»Ich glaube«, und damit wendet sich ihr Blick für immer von ihm ab, »ich will jemanden, der mich besitzen will.«

Sie greift sich ihre Tasche, stellt sie auf den Oberschenkeln ab und hält sich daran fest. In 1500 Metern Höhe fliegt ein in der Sonne glänzender Airbus über sie hinweg, einen weißen Kondensstreifen hinter sich herziehend. Jeanne öffnet die Schiebetür.

»Nächsten Sommer«, sagt Marc. »Du hast es versprochen.«

»Oui«, antwortet Jeanne und lächelt, »das habe ich.«

Und dann sieht Marc sie im Rückspiegel, hundertfach gebrochen, wie sie ins Dorf zurückhumpelt, die Tasche von ihrer Hand baumelnd, Zoes goldene Chanel-Schläppchen an den Füßen, die funkeln, als sei das alles, was zählt. Und so kehrt Jeanne, während Bernhard und Lilith hoch über ihr einer unsicheren Zukunft entgegenfliegen, mit der Tasche in der Hand in ihr altes Leben zurück.

Marc wartet. Bis Jeanne nicht mehr zu sehen und das Flugzeug hinter den Bergen verschwunden ist. Er dreht sich einen Joint und zieht die Kisten mit den CDs hervor. Jack Johnson. Warum nicht.

Trost und Hoffnung in jeder Lebenslage, die unumstößliche Überzeugung, dass in allem ein tieferer Sinn verborgen ist. Totaler Unsinn natürlich, aber eine Illusion, der man sich gerne hingibt.

> *There's still so many things*
> *I want to say to you.*
> *But go on.*
> *Just go on.*

Marc legt die Füße auf dem Armaturenbrett ab und bläst den Rauch aus dem Fenster. Das Fiepen in seinem Ohr ist verschwunden. Das Ziehen im Nacken noch nicht. Doch bis Berlin wird alles wieder beim Alten sein. Toller Blick, übrigens, über die Hochebene. Echt. Marc lässt den Wagen an und nimmt Kurs auf die Berge.

Wir haben den anderen nachgeblickt, wie sie röhrend und eingehüllt in ihre eigene Rauchwolke die Straße hinuntergeruckelt sind. Liliths Arm winkte aus dem Fahrerfenster, bis der Bus hinter einer Kurve verschwand. Dann nahm auch Zoe ihren Arm herunter. Der Rauch durchzog die warme, über dem Parkplatz stehende Luft.

»Was machen wir jetzt?«, fragte ich, nachdem sich der Rauch verzogen hatte.

Zoe sah sich um. Zum ersten Mal schien sie Muße zu haben. Die Bäume, der Himmel, das Meer. Sie sog den Duft der Pinien ein und hielt ihr Gesicht in die Sonne.

»Meinst du, man kann schon baden?«

EDGAR RAI
Sonnenwende
Roman
240 Seiten
ISBN 978-3-352-00799-6

Ein Roadmovie für die Strandtasche

Es ist Sommer in der Stadt und die Gefühle fahren Achterbahn.
Tom glaubt an die Liebe, und weil er seit Jahren mit Helen zusammen
und ihr dabei auch noch treu ist, halten seine Freunde ihn für nicht
ganz normal. Vor allem Wladimir, für den jede Frau ein Verfallsdatum
trägt. Das Wort »Beziehung« hat auf ihn dieselbe Wirkung wie
Knoblauch auf einen Vampir, und wenn man in seiner Gegenwart
»heiraten« sagt, dann zerfällt er zu Staub. Aber in diesem heißen
Berliner Sommer zwischen Parkettverlegen, Partys und Schwimmen
im See werden die Karten neu gemischt.

Mehr Informationen erhalten Sie unter www.aufbau-verlag.de
oder in Ihrer Buchhandlung

rütten & loening

TOM LIEHR
Pauschaltourist
Roman
335 Seiten
ISBN 978-3-7466-2533-1

All inclusive?

Als Nikolas in der Redaktionssitzung vorschlägt, sich mal mit Pauschaltourismus zu befassen, wird er direkt zu einer sechswöchigen Last-Minute-Reise in die Bettenburgen des Grauens verdonnert – zusammen mit der ungeliebten Kollegin Nina. Auf ihrer Tour de Force durch die einschlägigen Touristenbunker begegnen sie abgehalfterten Entertainern, diversen Scheidungsopfern und saufenden Kegelgruppen. Als sie selbst das Gefühl dafür verlieren, irgendwo beheimatet zu sein, ist es Zeit, die Kurve zu kriegen.

Ein herrlich komischer Roman über unerfüllte Träume, Liebe, Heimat und die vermeintlich schönste Zeit des Jahres.

Mehr Informationen erhalten Sie unter www.aufbau-verlag.de
oder in Ihrer Buchhandlung

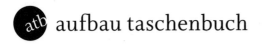